No calor do momento

HANNAH GRACE

No calor do momento

Tradução de Bruna Miranda

Rocco

Título original
WILDFIRE

Este livro é uma obra de ficção. Referências a acontecimentos históricos,
pessoas reais ou lugares foram usadas de forma fictícia. Outros nomes,
personagens, lugares e acontecimentos são produtos da imaginação da autora,
e qualquer semelhança com fatos reais, localidades ou pessoas, vivas ou não, é mera coincidência.

Copyright do texto © 2023 *by* Hannah Grace

O direito moral da autora foi assegurado.

Todos os direitos reservados.
Nenhuma parte desta obra pode ser reproduzida ou transmitida
por meio eletrônico, mecânico, fotocópia ou sob
qualquer outra forma sem a prévia autorização do editor.

Direitos para a língua portuguesa reservados
com exclusividade para o Brasil à
EDITORA ROCCO LTDA.
Rua Evaristo da Veiga, 65 – 11º andar
Passeio Corporate – Torre 1
20031-040 – Rio de Janeiro – RJ
Tel.: (21) 3525-2000 – Fax: (21) 3525-2001
rocco@rocco.com.br
www.rocco.com.br

Printed in Brazil/Impresso no Brasil

Preparação de originais
THAÍS LIMA

CIP-BRASIL. CATALOGAÇÃO NA PUBLICAÇÃO
SINDICATO NACIONAL DOS EDITORES DE LIVROS, RJ

G754c

Grace, Hannah
  No calor do momento / Hannah Grace ; tradução Bruna Miranda. - 1. ed. - Rio de Janeiro : Rocco, 2024.

  Tradução de: Wildfire
  ISBN 978-65-5532-432-7
  ISBN 978-65-5595-258-2 (recurso eletrônico)

  1. Ficção inglesa. I. Miranda, Bruna. II. Título.

24-88624   CDD: 823
                 CDU: 82-3(410.1)

Gabriela Faray Ferreira Lopes - Bibliotecária - CRB-7/6643

O texto deste livro obedece às normas do
Acordo Ortográfico da Língua Portuguesa.

*Para mim, quando era mais nova,
quando queria ser a primeira opção dele.*

SPARKS FLY (TAYLOR'S VERSION) | TAYLOR SWIFT	4:20
WILDFIRE | SEAFRET	3:43
MOONLIGHT | ARIANA GRANDE	3:22
ALONE WITH YOU | ALINA BARAZ	3:45
CHRONICALLY CAUTIOUS | BRADEN BALES	1:59
BEST PART (FEAT. H.E.R.) | DANIEL CAESAR	3:29
SWEAT | ZAYN	3:52
NAKED (BONUS TRACK) | ELLA MAI	3:17
LATE NIGHT TALKING | HARRY STYLES	2:57
HARD TO LOVE | BLACKPINK	2:42
PEACE | TAYLOR SWIFT	3:53
YOU | MILEY CYRUS	2:59
NONSENSE | SABRINA CARPENTER	2:43
SLEEPING WITH MY FRIENDS | GAYLE	2:48
PRETTY PLEASE | DUA LIPA	3:14
DID YOU KNOW THAT THERE'S A TUNNEL UNDER OCEAN BLVD | LANA DEL REY	4:44
WHILE WE'RE YOUNG | JHENÉ AIKO	3:56
BIGGEST FAN | MADDIE ZAHM	3:01
THE ONLY EXCEPTION | PARAMORE	4:27
EVERYTHING | LABRINTH	2:15

"Amar é queimar, estar em chamas."

— Marianne Dashwood, *Razão e sensibilidade* (1995)

Capítulo um

RUSS

Henry, do outro lado da sala, está com o olhar fixo em mim.

— O seu verão vai ser uma merda.

Ouço um eco de resmungos dos meus colegas de equipe; os mais altos vêm de Mattie, Bobby e Kris, todos que me disseram algo semelhante quando me recusei a ir com eles para Miami no verão.

— Que inspirador, Turner — respondo ao meu colega de quarto cético. — Você deveria virar coach.

— Você vai se arrepender de não ter me ouvido quando estiver fazendo trabalho braçal e atividades recreativas no treinamento semana que vem. — Henry continua folheando o livreto de Honey Acres, com a testa cada vez mais franzida. — O que é o turno da noite?

— Eu tenho que dormir num quarto ao lado da cabana dos campistas duas vezes por semana, caso eles precisem de alguma coisa — digo casualmente, observando os olhos de Henry se arregalarem, horrorizados. — O restante do tempo eu durmo numa cabana própria.

— Não é pra mim — diz ele, jogando o livreto na mesinha de centro. — Mas boa sorte.

— Poderia ser pior — adiciona Robbie, do outro lado da sala. — Você poderia ter que se mudar para o Canadá esse verão.

Nate solta um grunhido alto, enfiando a cabeça no cabelo da namorada, deitando cada vez mais a poltrona reclinável onde estão sentados.

— Chega de reclamar da porra do Canadá.

— A culpa é toda sua — murmura Tasi, alto o suficiente para todos ouvirem. — Pare de reclamar igual a uma criança. Nate, você quer jogar em Vancouver.

— Eu prefiro me mudar pro Canadá a cuidar de vinte crianças por nove semanas. — A repulsa estampada no semblante de Henry faria qualquer um achar que eu estou indo trabalhar em um matadouro, e não prestes a passar o verão como instrutor em uma colônia de férias. — Você não pensou direito sobre isso, Callaghan.

Eu pensei, sim.

A clientela principal do acampamento Honey Acres são pais ricos e ocupados que precisam manter os filhos entretidos durante o verão inteiro enquanto eles trabalham. Por sorte, o acampamento é supercaro, o que quer dizer que a estrutura de lá é melhor do que a de todas as outras colônias de férias. E, considerando o trabalhão que é ficar de olho em um monte de crianças, o salário é ótimo e eu tenho vários dias de folga: algo que sei que é um luxo e que não acontece nos outros lugares.

Kris e Bobby sugeriram que eu me inscrevesse para trabalhar lá depois de eu ter recusado a oferta de viajar, sob o argumento de que precisava arranjar um trabalho. Eles passaram as férias no Honey Acres uma vez, dez anos atrás, e juraram que é o melhor acampamento de verão da Califórnia, e eu estava disposto a qualquer coisa. A grana tem estado curta desde que a polícia fechou o bar onde eu trabalhava. Infelizmente, a reputação duvidosa do lugar e o fato de servirem bebida para estudantes menores de idade finalmente teve consequências, então ele não deve reabrir.

Apesar de Henry achar que não refleti sobre o assunto, a outra opção é passar os dias em Maple Hills, desempregado e ouvindo minha mãe insistindo para que eu a visite.

A escolha foi fácil.

— O que estou entendendo, Hen, é que você não quer vir comigo — eu provoco.

— Não mesmo, valeu. Mas se você precisar de uma falsa emergência para se mandar, me avise. Eu dou um jeito.

JJ se aproxima de Henry no sofá, cutucando-o com o ombro.

— A única emergência que vai ter nos próximos dois anos, capitão, é se afogar em boc...

— JJ! — grita Tasi, interrompendo-o.

— Para de pensar besteira — ele reclama. — Eu ia dizer bocejos.

Tasi revirou os olhos para ele e mostrou o dedo do meio quando ele soprou um beijo na sua direção. Depois de abaixar a mão, ela voltou a atenção para mim com um sorriso gentil nos lábios.

— Ignora o Henry, você vai se divertir. Mas vamos sentir a sua falta.

— Você nem mora mais aqui — diz Mattie, erguendo uma sobrancelha.

— Você nunca morou aqui! — retruca ela, começando uma discussão sobre quem passou mais tempo na casa.

Por mais grato que eu seja por ter arrumado esse trabalho de verão, é foda ter que ir para outro lugar tão pouco tempo depois de vir morar com Henry e Robbie. Sem contar nossos colegas de quarto não oficiais: Mattie, Bobby e Kris, que aparecem magicamente quando alguém fala de comida.

É estranho ter meu próprio quarto depois de dividir o da fraternidade por dois anos e, antes disso, com o meu irmão, Ethan, mas já estou muito mais feliz por estar aqui.

Além dos motivos óbvios, como ter meu próprio espaço e morar com pessoas de quem gosto, é bom não ter que planejar com todo o cuidado quando eu posso bater uma ou, em raras ocasiões, transar. Henry fez a gentileza de me avisar que, depois de seis meses morando ao lado de Nate e Tasi, o quarto não tem isolamento acústico.

— Vocês vão passar a tarde inteira discutindo ou vamos nos arrumar para a festa? — grita Robbie, mais alto do que as provocações entre Tasi e Mattie.

Hoje à noite, vamos dar uma festa para nos despedir do pessoal que vai se formar, ou, como Robbie definiu, uma festa de "Parabéns, e se manda". Ele vai ficar em Maple Hills para fazer a pós e está feliz em manter seu título de organizador de festas.

Dito isso, ninguém parece muito empolgado em arrumar a casa para receber a multidão que vai chegar em poucas horas. Sei que parece ser o fim de uma era para o pessoal; quatro anos é bastante tempo convivendo todos os dias com alguém. Para Nate e Robbie, faz ainda mais tempo. Eles nunca moraram em cidades diferentes, que dirá em países diferentes.

Para mim, parece o começo de uma era. Entrei em uma fraternidade no começo da faculdade porque eu queria uma família que não fosse me decepcionar como a minha família de verdade. Achei que meus irmãos de fraternidade estariam ali do meu lado, em dias bons ou ruins, que eu finalmente teria pessoas em quem poderia confiar, mas isso não aconteceu. Tive a sensação de que havia cometido um erro no primeiro ano, mas insisti, pensando que demorava um tempo para gerar o sentimento de união. Tive certeza quando deu toda aquela merda no rinque no começo do ano e as únicas pessoas que ficaram do meu lado foram as que estão nessa sala.

Foi a pior época da minha vida — o que não é pouca coisa —, e eu estava escondendo a minha vergonha. Então, um dia, Henry me perguntou se eu estava bem, e eu disse que sim. Achei que o assunto acabaria ali, mas ele me disse que sabia que eu estava mentindo e que voltaria quando eu estivesse pronto para conversar. Toda semana nós tínhamos a mesma conversa, até que a gente se encontrou nas férias de inverno.

Tentei ir para casa, mas aguentei apenas vinte e quatro horas do meu pai falando merda em seu estado de bêbado pós-cassino e da incapacidade inacreditável da minha mãe de responsabilizá-lo por suas ações antes de decidir voltar para o campus. Henry estava indo para a casa pegar seus materiais de arte e, quando me viu, me perguntou se eu estava bem. Pela primeira vez, respondi que não.

Depois de vários anos sentindo tanta raiva e vergonha do vício em jogo do meu pai que eu não conseguia conversar com ninguém, contei tudo, como se estivesse vomitando as palavras. Nem o treinador Faulkner nem Nate sabiam tanto sobre a minha vida pessoal, mas eu contei absolutamente tudo para Henry.

Ele ficou ali, com uma tela de pintura debaixo do braço, ouvindo.

Quando terminei, sentindo como se tivesse tirado um peso gigante das costas, ele me perguntou se eu queria ir no Kenny's comer umas asinhas de frango e passar um tempo com ele durante as férias. Ele não fez perguntas, não ofereceu conselhos, não me julgou. Por isso, quando Henry me perguntou se eu queria morar com ele e Robbie, aceitei na hora.

A sala está um caos, como sempre acontece quando todo mundo está reunido, com várias conversas se sobrepondo, uma mais alta do que a outra. As pessoas acham que eu sou tímido porque sou quieto, mas não é verdade. Eu nem me acho quieto, só pareço, porque todo mundo é tão barulhento. Diferente dos meus colegas de equipe, prefiro sentar e ouvir a ser o alvo das atenções de todos. Estar no centro de tudo é muita pressão, muita oportunidade de fazer merda. Fico mais feliz observando, assistindo de longe.

Entro na cozinha, pego uma garrafa d'água na geladeira e mais uma quando percebo alguém se aproximando.

— Está pronto para a sua primeira festa oficial? — diz JJ, pegando a água da minha mão.

Nós nos apoiamos na bancada da cozinha, olhando para a sala de estar.

— Acho que sim. A regra número um é não irritar o Robbie, certo?

JJ dá uma risada que mais parece um ronco enquanto abre a garrafa.

— Esse é o meu passatempo favorito, mas tudo depende de quanto você quer aturar na próxima temporada.

— Acho que prefiro agradar o cara.

— Já está se sentindo em casa aqui? — pergunta ele antes de dar um gole d'água.

Passei muito tempo com JJ nas últimas semanas e descobri que, por trás da personalidade brincalhona, ele é bem fraternal. Depois de ter usado minhas economias para comprar uma caminhonete velha alguns meses atrás, eu me tornei o chefe não oficial de mudanças para todo mundo. Era bom me sentir útil, então não foi um problema até Lola ficar preocupada com a possibilidade de ter suas coisas enviadas por engano para a nova casa de Nate em Vancouver, o que a levou a desenhar um monte de pintos nas caixas que não eram dela ou de Tasi.

JJ e eu passamos a viagem inteira até a casa nova em San Jose com a caminhonete cheia de caixas decoradas, recebendo caretas engraçadas dos outros motoristas. Você aprende muito sobre uma pessoa quando passa dez horas em um lugar fechado com ela. Ironicamente, JJ brincou que eu praticamente não revelei nada.

— Quase lá — admito. — É muito diferente do que eu estava acostumado.

— Lembra que seu lugar é aqui. Todo mundo te quer por perto, entendeu? — diz ele, baixinho.

Nunca conversei com nenhum dos caras sobre as minhas inseguranças, porém, de alguma forma, JJ sabe que eu mantenho sempre uma distância de todo mundo. Eu o chamei de perspicaz uma vez, e ele disse que é porque é escorpiano. Seja lá o que isso quer dizer.

De qualquer forma, sou grato por isso e, pela primeira vez em muito tempo, me sinto compreendido. É um sentimento estranho porque, na maioria das vezes, nem eu mesmo me entendo.

— Pode deixar — respondo.

Ele me dá um tapa no ombro antes de voltar para o seu lugar na sala. Eu o sigo, devagar, e me jogo ao lado de Henry.

Robbie bate palmas uma vez, dando a todos *flashbacks* dos treinos de hóquei quando, ao ouvir isso, nós lhe damos total atenção, que nem um bando de cachorros treinados.

— Parece um miniFaulkner. Credo — resmunga Nate, se ajeitando, desconfortável, no assento.

— Sabia que agora eu me assusto quando ouço aplausos? — comenta Bobby. — Acho que virou uma resposta traumática.

— Eu escuto essas palmas quando estou sozinho — diz Mattie, assentindo em solidariedade.

— Que nada — resmunga Joe. — Isso é o Kris no quarto do lado. Só ele mesmo. Mas a batida é em outra coisa.

Robbie resmunga alguma coisa baixinho quando Kris joga uma almofada do sofá no Joe, que revida e começa o caos.

— Onde estava essa habilidade de defesa quando você jogava hóquei, Joe? — pergunta Henry, pegando-o desprevenido por tempo suficiente para uma das almofadas do Kris acertá-lo na cara.

— Puta merda — resmunga Robbie. — Essa festa não vai acontecer se vocês, palhaços, tiverem uma concussão. Vamos lá, uma última vez.

Um silêncio natural tomou conta da sala enquanto todos ouviam as ordens de Robbie, e então há um momento estranho em que acho que todo mundo percebe que esta seria a última festa que os caras dariam, juntos, na casa.

Estou perdido em pensamentos quando JJ começa a rir e gritar.

— Cinco dólares! Todo mundo me deve cinco dólares!

— O quê?

— Tasi tá chorando! — Ele a abraça e beija a lateral da sua cabeça. — E foi antes de começar a beber. Eu ganhei!

Enxugando as lágrimas com as costas das mãos, ela olha para todos, em choque.

— Vocês apostaram em mim?

Todos pegam as carteiras e começam a tirar o dinheiro. Mattie dá de ombros quando coloca a nota na mão de JJ.

— Tecnicamente, apostamos nas suas lágrimas.

— Inacreditável. Nate, você sab... — Ela se vira para o namorado, que está discretamente tirando dinheiro do bolso. — Você é um babaca! Todos vocês, um monte de babacas!

Nate entrega a nota de cinco dólares para JJ e puxa a namorada para um abraço apertado, beijando sua têmpora.

— Você nem tentou se segurar. Eu poderia ter comprado asinhas de frango pra você com esse dinheiro.

— Inacreditável. É tão triste. Todos vocês vão para lugares diferentes, e está um clima estranho.

— Você se sentiria melhor se eu te dissesse que o Russ não apostou que você choraria hoje?

Seus olhos marejados encontram os meus, e ela sorri.

— Obrigada, benzinho. Você não está na minha lista.

Assinto e deixo Tasi pensar que é porque eu achei que ela não ia chorar — algo que eu sabia que ia acontecer —, e não porque não faço apostas.

— Com licença — Henry interrompe a conversa. — Eu também não apostei.

Henry também sabia que ela ia chorar, mas decidiu não fazer mais apostas em solidariedade. JJ ainda está contando o dinheiro quando Lola chega com sacos de copos vermelhos. Ela olha para todos e faz uma careta.

— Ela chorou, não foi?

— Aham — responde a sala inteira.

— Que merda, Anastasia. — Lola larga os sacos no colo do Robbie, se abaixa para beijá-lo e começa a mexer na bolsa procurando por dinheiro. — Essa é última vez que você vai ver a cor do meu dinheiro, Johal.

— Até eu fracassar jogando hóquei e seguir minha verdadeira paixão na vida — responde JJ. — Virar *stripper*.

— Até isso acontecer.

— Agora que todo mundo já pagou suas dívidas, podemos, por favor, começar com essa palhaçada? — resmunga Robbie.

O silêncio de antes volta, e todos os meus colegas de equipe estão pensando na mesma coisa. Nate pigarreia e assente.

— Uma última vez.

O clima estranho desaparece quando Lola começa a rir do nada.

— Ok, Alexander Hamilton. E eu que sou dramática, nossa. Vocês são um bando de *drama queens*.

Capítulo dois

AURORA

Eu não deveria estar aqui agora, mas jogadores de basquete mexem com o meu autocontrole de um jeito que não sei explicar.

Falei que não viria, e Emilia já está me esperando na casa do time de hóquei, então não sei por que deixo o maldito do Ryan Rothwell me convencer a abandonar meus planos e ir encontrar com ele. Por que homens altos e musculosos que sabem como usar as mãos mexem tanto comigo? É um dos grandes mistérios da vida. Um mistério que metade das mulheres de Maple Hills está tentando desvendar, a julgar pela quantidade de gente nessa festa.

Como a maioria dos jogadores do time está se formando, hoje é a última festa deles. Ryan e eu nos despedimos quatro vezes na última semana e, por mais incrível que ele seja, ambos sabemos que não vamos manter contato. Ele tem o Draft da NBA mês que vem e não estou criando expectativa de ser convidada para assistir um jogo na primeira fila tão cedo. Mas isso não me impediu de vir encontrar com ele só porque ele pediu, o que diz mais sobre mim do que sobre Ryan.

Estou quieta, questionando a minha vida inteira e bebendo em um canto tranquilo da cozinha quando alguém que eu gostaria que estivesse indo embora aparece ao meu lado. Meus olhos reviram automaticamente quando Mason Wright abre a boca, mas isso não o impede de me encher o saco.

Ele rouba o drinque da minha mão — algo que ele sabe que odeio — e dá um gole.

— Procurando a sua próxima vítima, Roberts?

Nossa, como eu odeio esse cara.

— Não está na sua hora de ir deitar, Wright?

Ele me olha de cima a baixo antes de abrir um sorriso malicioso que me dá vontade de vomitar.

— Isso é um convite?

Ainda bem que eu não tenho problema de autocontrole quando se trata desse jogador de basquete em específico.

— Um convite para ir se foder e me deixar em paz? Sim.

Ele ri, e a ideia de Mason estar se divertindo com isso me irrita. Não sei de onde esse menino tira tanta confiança, mas deveria dar um curso sobre o assunto. Nunca conheci ninguém, muito menos um calouro, tão arrogante quanto esse moleque.

Quando me devolve meu copo, ele chega mais perto e fala:

— Você sabe que se fazer de difícil me deixa mais excitado ainda, né?

— Não estou brincando, Mason. Você não tem chance comigo.

— E por que não?

— Além do fato de eu te odiar? Porque você é calouro.

— Você é quatro meses mais velha do que eu. — Ele franze o cenho, frustrado, porque imagina o absurdo que é uma mulher não ceder ao seu charme.

— Você. É. Calouro — repito.

Mason nunca acreditaria que uma mulher pudesse não se interessar por ele. Em parte porque é bem gato, mas principalmente porque tem uma autoconfiança absurda. Ele lembra mais um roqueiro genérico do que um jogador de basquete. Alto, cabelo preto, olhos azuis vibrantes e a pele clara cheia de tatuagens nos braços e nas costas. Suspiro e viro o restante da minha bebida.

— Eu não gosto de gente mais nova do que eu.

— Cuidado, princesa. — Ele cobre a boca com a mão enquanto dá risada, e eu respondo com uma careta. — Parece que o papai te traumatizou.

— O único me traumatizando aqui é você. — Eu quero estrangulá-lo, mas conhecendo o Mason, ele iria achar que seriam preliminares. — Mas, por falar em "papai", como vai o diretor Skinner?

Por mais arrogante que o meu arqui-inimigo seja, ele tem uma fraqueza: o pai. Ninguém sabe que é filho do diretor de esportes da Maple Hills, e Mason não quer que isso mude, por isso usa o sobrenome da mãe. Alguém diria que nossos problemas paternos em comum fariam a gente se aproximar, mas nós nunca nos demos bem, e uma amizade não vai surgir com o tempo. Posso dizer, com certeza, que eu vou continuar esperando pacientemente pela sua derrota.

— Bom saber que sou tema das conversas pós-sexo entre você e Ryan. — Seu sorriso de sempre vira uma careta de repente, e ele pega a garrafa de bebida mais próxima. — Vou me mudar pro quarto do Ry, ele te contou? Não vou nem mudar o código, assim você pode entrar à vontade.

Esse menino não sabe a hora de parar.

— Que fofo. Mas falando sério, Mason, pode me passar o número do seu pai? Ele é bonitão. — Mentira. — E eu quero entrar no time de basquete.

— Ah, vai se foder, Aurora — resmunga ele, largando a garrafa de volta na bancada e indo em direção ao jardim.

— Cuidado, princesa! — grito para ele. — Parece que o papai te traumatizou.

Braços envolvem a minha cintura por trás e estou pronta para revidar com socos quando ouço uma voz grossa e muito familiar.

— Se você matar ele, eu não vou te tirar da cadeia.

— Ele disse que eu tenho problema com meu pai. — Ryan parece confuso quando me viro em seus braços para encará-lo, sem entender o rumo da conversa, então completo: — Só eu posso falar isso.

Ele assentiu, finalmente a par.

— Entendi. O que você disse para irritá-lo assim?

— Eu pedi o telefone do pai dele para arrumar uma vaga no time de basquete.

— Rory... — Ele arrasta a segunda sílaba e entendo na hora que fiz algo errado. — Você sabe que isso era para ser um segredo. Por trás do jeitão de bad boy, ele é na verdade um cara muito sensível.

Não é culpa minha que Mason tenha um relacionamento complicado com o pai. Isso não faz dele especial, e eu nunca disse a palavra *nepotismo*.

— Se era segredo, por que você me contou?

Ryan se aproxima e beija minha testa de leve.

— Porque eu sei que você odeia ele, e eu queria te pegar.

— Hum. Você ia conseguir de qualquer jeito.

Eu deixaria Ryan Rothwell me pegar quando quisesse. Eu *deixei* Ryan Rothwell me pegar quase todos os dias dessa semana, na verdade. Ele é um cara incrível, motivo pelo qual estou disposta a enfrentar a fúria de Emilia para vê-lo uma última vez.

As minhas expectativas com homens são tão baixas que estão beirando os portões do inferno, mas Ryan é um cara legal, e nossa amizade colorida deixou os últimos meses bem divertidos.

A reputação dele é de ser bom para diversão sem compromisso, e tenho certeza de que ele deveria receber um prêmio da universidade pelos serviços prestados nos últimos quatro anos à felicidade das mulheres.

Ele devia ganhar uma estátua.

Talvez eu peça isso ao pai do Mason.

Seus dedos param embaixo do meu queixo, erguendo minha cabeça e me arrancando do meu devaneio.

— Vou sentir saudades, Roberts.

A resposta fica entalada na minha garganta. Algo como "também vou sentir saudades" ou mesmo um simples "obrigada" seria o suficiente, mas nada sai. Eu odeio que poucas palavras de carinho, um simples gesto de amizade, um sinal de que nosso tempo juntos foi importante para ele, são suficientes para mexer comigo.

Nosso relacionamento sempre foi puramente físico, não que ele não tenha tentado me fazer passar a noite com ele depois de transarmos. Mas ouvir que Ryan vai sentir minha falta me dá uma sensação boa, por mais que ele tenha uma dúzia de outras mulheres para quem dizer o mesmo.

Ele suspira, como se pudesse ouvir meus pensamentos acelerados, e me abraça, enfiando o rosto no meu cabelo.

— Vou ficar com ciúmes do próximo cara que vai poder saber o que se passa na sua cabeça quando você faz essa cara. Chama ele para um jogo para eu poder jogar uma bola na cabeça dele.

— Não acho que nenhum de nós dois precise se preocupar com isso.

Ele ri sem se afastar.

— Eu sou só um pit stop. Sou o cara com quem você transa antes de conhecer o amor da sua vida.

— Estatisticamente falando, isso vai acabar acontecendo se transar com todo mundo.

— Confia em mim, Roberts. Eu devia abrir uma empresa e formalizar as garantias. Você vai ter o seu final feliz.

— Nossa, Ryan. Não me deixa emocionada antes de uma festa do time de hóquei. Eu fico excitada quando fico triste e você sabe.

Ele ri quando nos soltamos e dou um passo para trás.

— Se você disser que fica excitada quando fica triste mais duas vezes, Mason vai aparecer, tipo a Loira do Banheiro.

Reviro os olhos e procuro minha nêmesis, e o encontro irritando alguém do outro lado da sala, longe demais para nos ouvir.

— Você pode levá-lo embora com você? Não consigo lidar com ele sem você por perto.

Ele coloca uma mecha de cabelo atrás da minha orelha.

— Você disse que quer mudar nesse verão. Talvez volte do acampamento e consiga aturá-lo. Vai ter mais experiência lidando com crianças.

— Eu disse que queria me livrar de hábitos tóxicos de autossabotagem. Não que queria deixar de odiar o Mason.

— Talvez você deva trocar alguns desses romances contemporâneos por livros de desenvolvimento pessoal.

Apertei os olhos.

— Você acabou de se formar em Letras e agora acha que está qualificado para dar recomendações de livros?

— Você tem razão, Roberts. Não vou me meter.

O "adeus" está no ar, mas não consigo me forçar a dizer.

— Você vai me dizer depois como foi o Draft, né?

Ryan assente e me beija na testa pela última vez.

— Pode deixar. Não se meta em confusão.

— Quando eu não faço isso?

— Sempre. — Ele ri. — Esse é o problema.

EMILIA VEM AO MEU ENCONTRO assim que eu saio do Uber, com a expressão de raiva que tanto amo.

— Você está atrasada.

É difícil se sentir intimidada quando ela parece tão angelical. Seus cachos castanho-claros estão presos em uma trança em torno da cabeça, e a ponta do nariz e as bochechas ainda estão vermelhas, queimadas de sol, por ter cochilado no quintal ontem. O resto do corpo está branco e pálido, como sempre, então não sei como ela conseguiu queimar apenas o rosto. Algo que não vou comentar agora.

— Ajuda minha situação se eu disser que você está linda?

Não funciona, e eu a perco de vista assim que entramos na casa e passamos pelo que parecem ser recortes de papelão em tamanho real do time de hóquei.

Nós tendemos a não ir a festas como essa, apesar da reputação delas pelo campus, por conta da preferência da Emilia por eventos que acabam antes da meia-noite e minha preferência por basquete. No entanto, ela é amiga de JJ da associação LGBTQIA+, e ele está se mudando para jogar hóquei profissional, então ela prometeu vir se despedir.

É claro que aceitei vir junto, tanto porque sou uma ótima amiga, mas também porque ela prometeu comprar uma pizza vegetariana para mim na volta para casa. Estou um pouco preocupada que o meu atraso vá interferir na disposição dela de me alimentar.

Apesar da confusão de pessoas, é curioso uma casa de jogadores de hóquei parecer tão normal. Nas paredes, há fotos emolduradas de vários caras e duas mulheres; no sofá, almofadas que não parecem estar abrigando uma guerra biológica de germes. Posso estar enganada, mas também parece que os móveis foram espanados.

Aquilo ali é um apoio de copo?

Confusa ao perceber que o chão não está pegajoso e definitivamente com sede, atravesso a multidão e vou para meu lugar favorito de toda festa: a cozinha. A ilha gigante já está coberta de garrafas de bebidas alcóolicas e refrigerantes pela metade. Meus olhos passam pelos armários, tentando adivinhar onde ficam os copos.

Não importa se é uma festa ou não, eu já vi documentários demais sobre o oceano para usar copos de plástico. Eu abro discretamente um armário e vejo apenas copinhos de shot.

Literalmente.

Um armário de cozinha inteiro com nada além de copos de shot.

O próximo armário tem tigelas e, quando estou prestes a descobrir se o terceiro armário é o certo, como Cachinhos Dourados na casa dos ursos, alguém pigarreia.

— Você está roubando alguma coisa?

Eu me afasto da porta do armário, ciente de que meu rosto está da cor de uma placa de Pare, para ver o cara que me pegou no flagra. Tenho um metro e setenta, sem contar os saltos, e ele ainda é bem mais alto que eu. Mesmo assim, não é nem um pouco intimidador. Seus bíceps estão lutando contra as mangas da camiseta preta, a malha esticada sobre o peito largo. Mas seus traços são delicados, e ele tem apenas alguns fiozinhos de barba no queixo; é como se a delicadeza do rosto não combinasse com o resto do corpo. Seu cabelo castanho-claro está penteado para trás e, quando finalmente chego nos olhos azul-safira, eles estão fixos em mim de um jeito confuso e um pouco curioso.

Essa deve ser a forma mais estranha que já conheci um cara gato.

Eu abro meu sorriso mais inocente.

— É roubo se o objeto não sair do recinto?

— Uau, eu sabia que devia ter estudado Direito. — Os cantos dos seus lábios se erguem e covinhas aparecem quando ele tenta segurar uma risada. — Acho que roubo é pegar algo que não é seu.

— E se o dono nunca ficar sabendo?

— Bom, se o dono nunca ficar sabendo, então com certeza é negligência da parte dele — diz ele, erguendo a mão para massagear a nuca. Eu tento olhar para o rosto dele, e não para os braços, mas sou fraca. — O que você está procurando?

Ele se aproxima de mim, e um aroma forte de sândalo e baunilha me atinge. Ele empurra devagar a porta que eu ainda estou segurando até ela fechar.

O que eu estou procurando mesmo?

— Copos.

— Só temos copos de plástico, desculpa.

— Você sabe a quantidade de plástico que vai parar no oceano? Ninguém que mora aqui vai saber.

Essa é a conversa mais longa que já tive sobre copos. É possível que seja a conversa sobre copos mais longa que qualquer pessoa no mundo já teve, mas estou tentando pensar em outros itens de cozinha que posso mencionar para continuar aqui.

— Então esse crime é pelo bem dos tubarões?

— Bom, não só pelos tubarões. Peixes, tartarugas e baleias também

Ele fecha os olhos para segurar um sorriso, balançando a cabeça.

— Talvez um polvo ou outro. Minha bondade não faz distinção — completo.

Ao abrir os olhos de novo, sua mão repousa no armário por alguns segundos antes de ele passar por mim, ir em direção ao armário número seis e abri-lo, revelando vários copos de tipos diferentes.

— Não jogue em ninguém ou nós dois vamos nos dar mal.

Ficando na ponta dos pés, pego um copo com o emblema de Maple Hills para mim e outro para Emilia. O dela diz: "Meus amigos foram para a Parada do Orgulho de Los Angeles e tudo que ganhei foi esse copo."

— Você achou isso aqui bem rápido. Já roubou alguma coisa dessa casa antes?

Pare de falar, Aurora.

Eu coloco os copos na bancada, pego a garrafa de bebida mais próxima e sirvo o que estou chamando de drinques da vitória. O estranho simpático ri, abre uma garrafa de refrigerante e a empurra para mim. Ele espera até eu estar prestes a servir para me responder.

— Não, eu moro aqui.

Merda. Suas palavras me pegam de surpresa e erro o copo, cobrindo a bancada com o líquido gasoso e grudento. Merda de novo.

— Desculpa, desculpa, desculpa!

Antes que eu consiga reagir, ele já está limpando minha bagunça com um pano de prato.

— Sinto m...

— Não se preocupa — diz ele com um tom gentil. — É só refrigerante. Fica ali do lado para não se molhar.

Faço o que ele mandou e o observo pegar um desinfetante para limpar a bancada em meio às pessoas bêbadas e distraídas tentando preparar seus drinques. Quando termina, ele pega a garrafa de refrigerante, enche os dois copos com cuidado e os entrega para mim.

— Então é você quem tira a poeira — murmuro.

— O quê?

— Nada. Obrigada... e mais uma vez, desculpa.

Ele se apoia na bancada.

— Desculpa por quebrar a regra de não mexer nos nossos armários ou por destruir a cozinha?

Cruzando os braços, aperto os lábios numa expressão brincalhona.

— Eu não vi nenhum aviso.

Dessa vez, ele ri de verdade. Uma risada que vem do fundo do peito e parece genuína. Reparo no jeito como ele olha para mim, discretamente me avaliando dos pés à cabeça. A atenção desperta meu corpo e na mesma hora me faz querer mais.

— Você não me parece ser o tipo de mulher que presta atenção em avisos mesmo.

— E por que não? — É uma pergunta capciosa. Eu sei disso. Ele sabe disso. Os rapazes, que eu presumo serem colegas de equipe dele, que estão por perto tentando ouvir a conversa, sabem disso. — Responda com cuidado. Temos plateia.

Ele franze o cenho quando se vira para olhar para trás, e, quando volta a me olhar, as pontas das orelhas estão rosadas. Nossos espectadores se dispersam, mas foi o bastante para acabar com a confiança do cara. Sua timidez repentina é fofa. Estou acostumada a caras flertando comigo, mas acho que nunca vi alguém ficar vermelho na minha frente. Quero saber qual foi a sua primeira impressão a meu respeito. Quero que continue me olhando como trinta segundos atrás. Quero matar os amigos dele (só de leve).

Estou prestes a ser direta e perguntar o nome dele quando sinto alguém encostar a mão quente no meu braço, e Emília aparece.

— Estou morrendo de sede. — Ela olha para o sr. Prestativo e para mim, e sorri. — Oi, eu sou a Emilia.

Ele acena com a cabeça.

— Oi, prazer. Sou o Russ.

— Você é o Russ do Jaiden? — pergunta ela, pegando sua bebida e revirando os olhos para mim quando vê o que está escrito no copo.

Ele fica meio envergonhado quando entende o que Emilia disse. *Como consegue ser tão fofo?*

— Hum, sou. Acho que sim. O JJ não conhece mais ninguém chamado Russ, que eu saiba.

Quando ele esfrega a nuca de novo, a barra da camiseta revela um filete de pele bronzeada e meu cérebro tarado entra em pane por um segundo.

— Meu nome é Aurora — digo de um jeito quase agressivo.

Emilia se vira para mim, e seu semblante demonstra um misto de perplexidade e vergonha alheia. Eu decido ignorá-la e beber meu drinque, deixando o ardor da vodca aliviar a dor da humilhação. Quando abaixo o copo e consigo ver Russ de novo, percebo que os olhos dele estão fixos em mim.

As covinhas dele estão de volta.

Emilia pigarreia, e eu me forço a olhar para ela. Minha amiga está me encarando com a expressão de quem com certeza vai implicar comigo por causa disso daqui a pouco.

— Vim avisar que um jogo de Jenga bêbado vai começar no escritório, se quiser jogar.

— Jenga bêbado?

— Eles colocam desafios em alguns blocos — explica Russ. — Robbie e JJ gostam de deixar o jogo mais interessante.

Emilia faz um muxoxo.

— Eu sabia que ele estaria metido nisso. Sabe-se lá que desafios são esses. Rory, te vejo lá?

Assinto, e ela some de novo, me deixando com meu novo amigo.

— E esses desafios são interessantes, é?

Os cantos dos lábios dele se erguem de novo, e, meu Deus, não há motivo para eu querer beijar alguém só pelo sorriso, mas o jeito como ele oscila entre confiança e insegurança está mexendo comigo.

Russ dá um longo gole na sua cerveja enquanto pensa no que responder, e eu espero. Eu deveria ter mais vergonha de ficar esperando pela resposta de um homem, mas esse aqui é bonito e um pouco curioso, e essas questões parecem um problema para a minha futura terapeuta.

— Por que você não vem comigo e descobre?

Capítulo três

RUSS

— Por que você não vem comigo e descobre?

Parecia bom na minha cabeça, mas agora que eu disse em voz alta, não consigo controlar a vergonha que sinto. Essa mulher é bonita demais para estar falando comigo e não faço ideia de como vim parar aqui.

JJ me pegou a vendo bisbilhotar a cozinha e me deu um discurso motivacional sobre "ser um sucesso com as mulheres" que merecia um Oscar. Isso foi pouco antes de ele me empurrar na direção dela com instruções de lhe oferecer uma bebida.

Apesar de não ser *totalmente* inútil falando com mulheres, estou longe de ser o melhor nisso, como pode-se notar pelo fato da minha primeira conversa com a desconhecida gata ter sido sobre roubo. Geralmente preciso de um tempo para relaxar e ficar confortável, o que não funciona bem em festas de faculdade. Álcool às vezes preenche esse vazio até eu conseguir pedir o telefone de alguém, mas eu não bebo com frequência, por isso estou sempre solteiro.

Apesar de estar um pouco alto por causa do álcool, a Aurora é bonita para caralho, e essa é a desculpa que uso para o meu cérebro estar com tanta dificuldade para pensar em um bom assunto. Eu nem conseguia ver o rosto dela quando me aproximei, só as pernas longas e as curvas cobertas por uma minissaia e uma blusinha. Depois, a cabeça dela saiu de trás da porta do armário, e as ondas loiras que moldavam seu rosto, as bochechas rosadas, os olhos verde-esmeralda com um olhar inocente se viraram na minha direção, como se alguém a tivesse pegado no flagra. Enfim, ela sorriu, algo que deve ter feito um milhão de vezes, mas me esqueci da minha falta de habilidade de falar com mulheres. Esqueci tudo.

Prometi a mim mesmo que puxaria assunto se achasse alguma garota bonita e, tecnicamente, estou fazendo isso, mesmo que ela esteja prestes a me rejeitar educadamente. Estou me esforçando para canalizar a confiança artificial que a cerveja me deu e não derreter sob seu olhar curioso enquanto ela considera minha proposta.

Ela estica a mão para mim, e eu preciso me controlar para não fazer uma cara de espanto.

— Pode ir na frente.

Entrelaçando os dedos nos dela, nos guio até o escritório, repetindo na minha cabeça "vai dar certo" e "você é um jogador de hóquei bonitão" e "a única pessoa que sabe que você não é confiante é você mesmo", como o JJ me disse para fazer.

Eu não esperava que seu conselho fosse funcionar, mas ele parece zero surpreso ao me ver de mãos dadas com Aurora quando me aproximo da torre de Jenga. Na verdade, ele parece meio convencido. Eu me mantenho próximo, tomando cuidado para que bêbados não esbarrem nela, até chegarmos no grupo ao redor da mesa de jantar.

— Pronta? — digo, incerto se estou falando comigo mesmo ou com ela.

Ela olha para mim com um olhar gentil e aperta de leve a minha mão.

— O que pode dar errado em um jogo de Jenga?

— Meu amigo Joe está indo estudar Direito em Yale e perguntaram para ele o que é considerado crime na Califórnia.

Joe nem pareceu surpreso. Depois de ler uma lista no celular, Robbie e JJ não deixaram mais ninguém ver o que estava escrito nos blocos, rindo como se tivessem doze anos.

— Não existe exemplo melhor de espírito estudantil do que pagar a fiança de alguém. Tenho certeza de que nós dois já fizemos pior do que isso. Vem.

Ela não solta a minha mão quando atravessa a multidão de cabeça erguida, os cabelos dançando sobre os ombros nus a cada passo. Não sei como fui de guia para seguidor, mas eu a acompanho até o espaço vago entre Tasi e Emilia.

Tasi acena empolgada quando me vê e dá tapinhas na mesa ao seu lado.

— Guardei um lugar para você, benzinho.

É óbvio que ela já está bêbada, porque bateu na mesa com tanta força que fez os blocos de Jenga e copos tremerem.

— Tá bem, Godzilla — retruca Lola do outro lado da mesa. — Vamos tentar não derrubar a torre antes de todo mundo estar pelado. Eu, hein.

Tasi solta um "opa" sem som e me dá um sorriso bêbado enquanto se aninha ao lado do Nate. Seus olhos param na minha mão segurando a de Aurora, e ela abre a boca em choque antes de erguer o polegar para mim.

Como vou fingir ser confiante com mulheres sob essas condições?

— Benzinho? — pergunta Aurora quando achamos um espaço entre nossos amigos, então ela me solta para procurar o celular na bolsa.

Quero ocupar as mãos com algo em vez de ficar ali, parado e constrangido, mas mexer no celular é a coisa que menos gosto de fazer, então enfio as mãos nos bolsos da calça. Observo Aurora rolar as notificações e bufar discretamente antes de guardar o celular de volta na bolsa e olhar para mim.

— É uma história muito, muito longa.

Parece que faz anos desde o meu relacionamento falso com Tasi, que só durou cerca de uma hora, e não sei se conseguiria explicar a relação estranha e ao mesmo tempo fofa que temos agora. Mesmo quando ela diz que a minha dificuldade de me comunicar lhe dá dor de cabeça.

Diga uma coisa interessante, Callaghan.

Aurora não fala nada depois da minha resposta vaga e se vira para conversar com Emilia, sentada do outro lado. Solto um suspiro e volto a atenção para meus amigos. Os caras estão enchendo Robbie de perguntas, e percebo que ele fica cada vez mais irritado.

— Cadê o Hen? — pergunta Robbie, vasculhando o time inteiro. — Essa porra toda foi ideia dele.

— Estou aqui! — grita Henry, abrindo caminho entre as pessoas, seguido por uma mulher com os cabelos bagunçados. — Desculpa, cheguei.

Se isso fosse um treino de hóquei e o Henry chegasse atrasado porque estava transando, Robbie teria acabado com a raça dele. Robbie leva festas tão a sério quanto hóquei, mas depois de ter sido comparado com Faulkner o dia todo, está tentando desesperadamente mostrar que não é tão rígido quanto o treinador.

Becky, a ficante mais recente do Henry, sussurra algo no ouvido dele, beija sua bochecha e some no meio da festa. O sorriso de Henry deixa Robbie ainda mais irritado, o que é ótimo para todos os jogadores que estão fazendo uma contagem regressiva mental de quando ele vai explodir.

Quando Robbie para de encarar todos ao redor e levanta os braços, como se fosse bater palma, todos prendem a respiração, mas um braço volta para o seu colo e o outro abraça a cintura da Lola.

— Bele...

— Posso ir ao banheiro antes? — pergunta Kris.

— Não pode, porra nenhuma. — Robbie não consegue mais se conter. — Fica parado na porra do teu lugar e escuta as regras do jogo antes que eu perca a paciência, caralho!

Uma onda de suspiros começa quando todos, menos eu e Henry, pegam suas carteiras e colocam dinheiro na mão aberta do Kris. Robbie espera com os braços cruzados no peito e, quando todo o dinheiro é entregue, ele volta a falar:

— A próxima pessoa a me irritar fica de fora da próxima temporada. — Todos esperam em silêncio, mordendo o lábio para não rir. — Você puxa um bloco: se não tiver nada escrito nele, você pode colocá-lo no topo da torre e é a vez de outra pessoa.

— Então é igual Jenga normal — JJ diz com uma risada.

Robbie o ignora, provavelmente porque não pode mais impedir JJ de ser escalado.

— Se pegar um desafio, ou você cumpre, ou faz o castigo escrito no verso, ou bebe dois shots. Para ser justo, se você não for um jogador de hóquei de cem quilos, pode ser um shot só. Quem derrubar a torre tem que correr pelado na Avenida Maple. Lola, você começa.

— Espera — Joe interrompe. — Por que tomar shots se já tem o castigo no verso dos blocos?

Robbie o encara com um olhar que me dá calafrios.

— Porque eu faço as regras aqui e eu quero que tenha shots e castigos.

O jogo começa, e, como tudo que os Titans fazem, é um caos. Mattie precisa enviar a última foto do rolo da câmera no grupo da família — ele não nos diz o que é, mas precisa se afastar por alguns minutos para atender uma ligação da avó. Henry e Bobby têm que trocar de roupa entre si. Quando Joe puxa um bloco que diz "dê sua roupa de baixo para a pessoa à sua frente", a amiga da Aurora, Emilia, briga com Kris dizendo que definitivamente a pessoa que está na frente do Joe é ele, não ela. Quando o jogo chega do nosso lado da mesa, Kris está usando a cueca do Joe por cima das roupas e ele toma dois shots em vez de beijar Emilia, que tem namorada e ameaça socá-lo se ele chegar perto. Emilia tira um bloco sem nada, e em seguida Aurora faz o mesmo. É difícil não perceber a decepção.

Fico tão distraído com ela fazendo beicinho que mal escuto um dos caras falar:

— Vai logo, benzinho.

Empurro um bloco central com cuidado.

MOSTRE A ÚLTIMA MENSAGEM QUE VOCÊ RECEBEU PARA A PESSOA AO SEU LADO

Minhas mãos começam a suar e tento não derrubar o bloco quando o viro, porque tenho certeza de que a penalidade não pode ser pior do que o desafio.

ENVIE UMA MENSAGEM PARA FAULKNER ESCRITO "EU TE AMO"

Errei.

As pessoas me perguntam o que diz, mas minha mente está tentando pensar em como sair dessa sem ter que explicar o motivo. Além de não querer ficar em maus lençóis com o treinador de novo, a última mensagem que recebi foi do meu pai me pedindo dinheiro. Sinto o estômago revirar ao pensar em como ele consegue se intrometer em qualquer situação e estragar tudo. Nem li a mensagem inteira antes de fechar a conversa; é sempre a mesma desculpa de merda.

Vou te devolver o dinheiro. Em dobro. Eu conheço um cara que conhece o treinador dos cavalos e a corrida é comprada.

Ou depois que ele bebeu: *Tudo que você tem é graças a mim. Você deu as costas para a sua família. Se não ajuda nem quem é do seu sangue, não é filho meu. Acha que é melhor do que a gente porque estuda nessa faculdade metida a besta, mas vai estragar tudo.*

Impaciente por uma resposta, Tasi puxa o bloco da minha mão e lê em voz alta para o grupo, que começa a rir. Eu riria também, se a mensagem fosse de qualquer outra pessoa. Pego um shot em cada mão e viro um atrás do outro.

— Nossa, você realmente não queria que eu visse seus nudes — comenta Aurora quando limpo a boca com as costas da mão. — Brincadeira, não precisa levar isso tão a sério. É legal da sua parte.

— Legal?

Ela faz que sim com a cabeça.

— Não ser do tipo que expõe sua vida pessoal. Ser reservado é legal.

Reservado. Algo que eu faço bem. Que pena que seja por outros motivos.

O jogo continua, mais shots são tomados, desafios são feitos, insultos são ditos para Robbie e JJ. Para não ter que beijar a pessoa à sua esquerda (Robbie), Nate acaba tendo que transferir dinheiro para a irmã. Bobby manda uma mensagem para Faulkner dizendo "saudades", Henry vira uma lata inteira de cerveja, e eu fico sem camisa por não beijar a pessoa ruiva mais próxima, que seria Lola. Beijar a namorada do meu colega de quarto e treinador não parece ser um bom jeito de facilitar a minha vida acadêmica.

Emilia se aproxima da torre, que está bem mais instável agora. Ela sorri quando lê o bloco.

— "Escolha duas pessoas para se beijarem." Vocês são um bando de moleques — murmura ela. — Bom, já que são as únicas pessoas que eu conheço... Acho que... vou ter que escolher Aurora e Russ.

— E eu sou o quê, um fantasma? — grita JJ do outro lado da mesa, jogando os braços para o alto de um jeito dramático. — Pelo visto, nossa amizade é uma piada para você.

Eu ouço Emilia falar algo, mas não entendo o que é porque sinto Aurora olhando para mim. Nossa, como ela é linda.

A única pessoa que sabe que você não é confiante é você mesmo.

Suas bochechas estão mais rosadas do que antes, os olhos brilhantes.

— Você está sóbria o suficiente para concordar com isso?

Ela assente, sorrindo.

— E você?

Eu deslizo a mão por baixo do cabelo dela para segurar sua nuca, passando o polegar pela mandíbula, a pulsação vibrando sob a minha palma.

— Aham.

Ela fica na ponta dos pés enquanto minha cabeça se inclina, suas mãos se fecham ao redor da minha nuca e nossas bocas se encontram. Primeiro, de leve, hesitante, até ela gemer baixinho, e, por um momento, esqueço que temos um público ao nosso redor.

Mas o público não esquece de nós, e, quando puxo o corpo dela para mim, todo mundo grita, nos tirando do transe. Ela dá um passo para trás, leva a mão aos lábios ao se virar para Emilia e murmura algo que a faz sorrir.

Fingir até alcançar.

O jogo continua, e, após uma sequência de blocos vazios, todos começam a se questionar se Robbie e JJ desistiram de escrever desafios, o que parece ofender os dois profundamente. Aurora puxa outro bloco vazio e a mesa inteira solta um grunhido, decepcionada.

— Essa torre está mais firme do que eu — resmunga Aurora, colocando o retângulo no topo da estrutura vacilante.

Eu tiro meu bloco e imediatamente reconheço a letra de Robbie na madeira.

MUDE O SENTIDO

— "Mude o sentido"? — Leio em voz alta. — Não entendi.

— Quer dizer que é minha vez de novo — diz Aurora ao meu lado, e Robbie assente.

Ela pega um bloco que, pensando como engenheiro, deve ser um dos piores que ela poderia ter tirado para manter a torre em pé. Nessa hora, penso que talvez ela queira fazer a torre cair, mas o pensamento é interrompido quando ela começa a rir. E caralho, que risada incrível.

Aurora vira o bloco para o resto do grupo.

FAÇA UMA LAP DANCE NO JOGADOR DE HÓQUEI
MAIS PRÓXIMO POR DOIS MINUTOS

— Eu que escrevi essa! — grita Lola, orgulhosa. — De nada, benzinho.

Se olhares pudessem matar, eu já estaria enterrado. Todo mundo do time está me encarando com pura inveja depois de observar a Aurora por tanto tempo. Tive que fingir um pigarro bem alto para eles se tocarem.

Merda. Vou ficar de pau duro na frente de todos os meus amigos.

Bobby sai correndo para pegar uma das cadeiras que guardamos mais cedo enquanto Anastasia pergunta qual música Aurora vai escolher. Eu sei que não é tão importante assim, mas no fundo parece ser. Tenho quase certeza de que meu rosto está vermelho que nem um pimentão. Como é que vou conseguir fingir confiança numa hora dessas?

Eu me abaixo para falar no ouvido dela de um jeito que mais ninguém consiga ouvir:

— Você não precisa fazer isso. Não deixe o pessoal te pressionar.

— É só uma dancinha — retruca ela, apertando de leve meu braço. — Mas obrigada. Se você não estiver de boa com isso, eu bebo.

— Eu estou de boa.

Eu estou de boa pra cacete.

— Tem alguma coisa que não quer que eu faça?

— Você pode fazer o que quiser.

O fato de eu estar sem camisa me dá a sensação de que isso é mais íntimo do que deveria. Ainda bem que tem uma sala cheia de pessoas me encarando enquanto fico sentado na cadeira da sala de jantar para fazer essa sensação sumir.

Bom saber que isso vai ser a primeira coisa em que eu vou pensar na próxima vez que me sentar para comer.

Aurora pega dois shots e vira a bebida.

— Não estou desistindo — explica, rapidamente. — É para me dar coragem.

Sinto que eu é que preciso de coragem, e tudo que tenho que fazer é ficar sentado e deixar essa mulher — uma praia inteira pro meu caminhãozinho de brinquedo — dançar no meu colo. A música muda do pop animado que estava tocando para "Sweat", do Zayn, e Lola inicia o timer no celular.

É fácil esquecer o resto da sala quando Aurora se aproxima, sorrindo ao se posicionar atrás de mim. As mãos dela começam nos meus ombros e descem pelo peito e abdome, e ela se abaixa até ficar com a cabeça ao lado da minha. Dá um beijo de leve na minha bochecha e ri, e é nessa hora que sei que esta vai ser a melhor tortura do mundo.

Ela se move na minha frente, balançando os quadris no ritmo da música. Empurra de leve meus joelhos para separá-los, se coloca entre eles e se agacha no meu colo.

Trinta segundos com a Aurora esfregando a bunda no meu pau passam voando. As costas dela estão tocando meu peito nu, e o aroma de pêssego toma conta do meu nariz quando ela balança o cabelo. Começo a recitar mentalmente uma lista de ex-presidentes, mas não adianta. Os quadris dela mudam o ritmo e seu corpo vibra quando ela ri, olhando para trás na minha direção. É, com certeza ela consegue sentir meu pau duro na bunda dela.

Os nós dos meus dedos estão brancos de tanto apertar a cadeira; pelo visto, nem preciso tocá-la. Ela se levanta, e mal tenho tempo de entrar em pânico por todo mundo conseguir ver minha ereção, porque Aurora se vira e monta em mim.

Isso é pior. Muito, muito pior.

Pior de um jeito bom, no caso. Já que ela é incrivelmente gostosa e agora eu consigo ver seu rosto enquanto ela se esfrega em mim, parecendo muito orgulhosa de si mesma.

— Você pode encostar em mim — sussurra ela, com um olhar intenso.

George Washington, John Adams, Thomas Jefferson...

Seguro sua cintura enquanto ela se move, meus polegares acariciando a pele exposta entre a saia e a blusa. As mãos dela se afundam no meu cabelo, os seios encontram o meu peito quando aproxima o rosto.

Em seguida, o alarme toca e, pela primeira vez na vida, quero matar alguém.

O clima acaba, e ambos percebemos ao mesmo tempo que não estamos sozinhos. Ela se afasta, respira fundo e, ainda bem, JJ sugere que todo mundo faça uma pausa para pegar mais bebidas e usar o banheiro. Ele me lança um aceno de cabeça quando a sala esvazia.

Minhas mãos ainda estão na cintura de Aurora, seus olhos ainda estão fixos nos meus, e tem algo escondido ali, algo incerto. Como se ela estivesse esperando alguma coisa, mas não sei o que é.

— Hum, bom trabalho.

Estava na cara que ela esperava algum tipo de elogio porque seu sorriso aumenta quando ela começa a se levantar, mas eu a seguro firme no colo.

— Me dá só um segundo?

Ela morde o lábio com força, segurando um sorriso, assentindo.

— Claro.

James Madison, James Monroe, John Quincy Adams...

Capítulo quatro
AURORA

Montar em um jogador de hóquei não é o tipo de comportamento de uma mulher que está tentando colocar a vida em ordem.

Para ser sincera, não imaginei que sentaria na ereção de um estranho hoje. Bom, talvez, mas achei que seria sem roupas e sem ninguém assistindo. Assim que pisei naquela casa, esqueci completamente dos meus planos de desenvolvimento pessoal para o verão, e a falta de compromisso com a causa é exatamente o motivo pelo qual preciso passar um tempo longe de Maple Hills.

Eu não deveria ficar tão feliz por fazer um bom trabalho, mas fazer o quê? Sou o tipo de garota que aprecia feedback. Mais do que tudo, eu precisava de uma garantia de que não tinha passado vergonha na frente de quase todo o time de hóquei. Não é a primeira vez que faço uma lap dance, mas é a primeira vez que faço isso com alguém que agora não consegue mais me encarar. Se não posso olhar pro rosto dele, tenho que olhar para o corpo, e o homem é puro músculo.

— Você não vai pegar fogo se olhar para mim, sabia? — digo com calma, mas meio insegura. Sinto como se o tempo passasse mais devagar nesta casa e, mesmo não sendo nada de mais duas pessoas estarem tão próximas, em um canto escuro, em uma festa de faculdade, um minuto parece ter durado uma eternidade. Sinto sua respiração lenta sob as minhas mãos, a pele quente.

Como esperado, quando seus olhos encontram os meus, o rosto dele fica pálido. Russ limpa a garganta e massageia a nuca, um tique nervoso que repetiu muitas vezes desde que o conheci. Primeiro na cozinha, depois quando teve que tirar a camisa e todo mundo aplaudiu seu corpo perfeitamente definido, e agora, enquanto esperamos.

— Escuta, isso não tá funcionando. Você é muito gostosa, e os presidentes não estão ajudando. Tentei listar os vencedores da Copa Stanley, mas com você aqui — ele gesticula para as minhas coxas em seu colo —, desse jeito — continua, gesticulando para o meu corpo —, vai levar a vida inteira.

Você é muito gostosa.

O elogio toma conta de mim, me faz derreter, e a vulnerabilidade de dez segundos atrás some, ao mesmo tempo em que a validação me entorpece. Não é a primeira vez que escuto que sou gostosa, mas esse cara parece estar sofrendo. Como se ele nunca fosse se recuperar desse fato. Como se eu estivesse destruindo sua sanidade mental, e sinto como se pudesse ficar viciada nessa sensação.

Abro um sorriso enquanto tento ignorar meu cérebro desejando mais atenção; ele não é confiável com homens, pois é facilmente impressionado por pessoas medíocres.

— Presidentes? — questiono.

As pontas das suas orelhas ficam vermelhas, algo que eu acho um charme absurdo, como se ele não quisesse ter compartilhado essa informação.

— Que tal você ficar em pé atrás de mim até passar? — sugiro.

— Você é um anjo — diz ele com um suspiro. — Mais ou menos. Aquilo não foi muito angelical, mas você entendeu. Obrigado.

Ele segura minha cintura, me ajudando a levantar; mesmo sob a iluminação fraca do ambiente, é impossível não ver o volume em suas calças. Sinto a pele ferver ao perceber que gosto de senti-lo me segurar firme.

O clima não é o mesmo quando o jogo recomeça, e estou distraída demais com o homem atrás de mim. É difícil me concentrar em qual bloco puxar quando seus braços me envolvem e ele sussurra no meu ouvido quais devo evitar. Gosto principalmente de quando me inclino para a torre e minha bunda toca nele. Juro que ouço ele gemer.

Graças à ajuda do Russ, não derrubo a torre, mas não consigo disfarçar que parte de mim queria fazê-la cair. A rodada passa por nós sem incidentes e, apesar de não termos mais motivo para o Russ se esconder atrás de mim, ele não sai do lugar. Eu me apoio nele, repousando a cabeça em seu peito, e quando seu corpo enrijece, me afasto imediatamente. Mas ele coloca as mãos na minha cintura de novo e me puxa de volta para o seu corpo, agora mais relaxado.

O barulho da torre caindo me assusta, e, quando volto minha atenção para o jogo, um dos meninos está segurando um bloco e encarando a pilha na mesa.

— Henry, você não pode derrubar tudo quando fica entediado — grita um deles.

— Não fiz de propósito — diz Henry. — Talvez eu não seja bom em Jenga.

Russ bufa atrás de mim.

— Você nunca vai ser bom se puxar o bloco que está servindo de fundação.

— Nem todo mundo aqui é engenheiro, Russ — argumenta ele. — Não é minha culpa.

— Hora de sofrer as consequências! — grita a ruiva sentada à minha frente. — Tira a roupa!

— Se você queria me ver pelado, Lola, era só pedir.

— Olha lá, hein — responde Robbie.

Emilia me cutuca, interrompendo a briga entre duas pessoas que são obviamente bem próximas.

— Banheiro e bebida? Não estou a fim de ver um homem pelado assustando a vizinhança.

Por mais que eu queira ver alguém correr pelado pela rua, não quero deixá-la sozinha.

— Vamos.

Uso toda a força que tenho para dar a mão a Emilia e deixá-la me levar para longe.

— Já volto — digo para Russ, lutando para atravessar a multidão, ainda sentindo o calor das suas mãos na minha pele.

Como você perde uma pessoa na casa dela?

— Talvez ele esteja se escondendo de você — diz Emilia, escondendo a risada com um copo.

— Achei que ele estava interessado...

— Acho que ele é, tipo, muito tímido — sugere ela, se apoiando na bancada da cozinha. — Tenho certeza de que é o cara que JJ disse que acabou de se mudar. Quieto, reservado. Não é o seu tipo.

Reviro os olhos enquanto pego uma garrafa de refrigerante. Não porque ela está errada — não está, eu não costumo gostar de caras tímidos —, e sim porque Emilia gosta de me lembrar constantemente que tenho um péssimo gosto para homens. Sendo sincera, eu lhe dou abertura para falar isso toda vez que um cara age como o babaca que os sinais já mostravam que ele seria. Os sinais que ignorei para transar sem compromisso. Emilia acha que gostar de homens é ruim e ponto, e eu tenho que lembrá-la de que, infelizmente, dá para se sentir atraída por homens e não gostar deles em geral.

— Se eu quisesse ser rejeitada por um homem hoje, devia ter ligado pro meu pai. — Solto uma não risada estranha enquanto encho os copos, tomando cuidado para não derramar dessa vez. — Ai, não vejo a hora de estar bem longe de Maple Hills.

Antes que eu possa falar mais alguma coisa, a tela do celular de Emilia se acende.

— Vou lá fora atender essa ligação da Poppy, está na hora do café da manhã na Europa. Tudo bem se eu te deixar sozinha por cinco minutos?

— Com certeza consigo passar cinco minutos sozinha sem me meter em confusão, vai lá. Manda um beijo para a Pops, por favor.

Emilia beija carinhosamente minha têmpora.

— Você diz isso, mas não tenho certeza. Eu vou voltar. Manda mensagem se for sumir.

Ela parece realmente empolgada quando vai em direção ao quintal para falar com a namorada. Eu amo o amor delas, de verdade, mas as duas fazem eu me sentir muito solteira. É difícil segurar vela para pessoas que são um nojo de tão perfeitas, especialmente porque eu nunca tive um relacionamento. Nunca tive um encontro de verdade. Na maior parte do tempo, sou uma solteira muito feliz, mas às vezes, quando elas estão aninhadas debaixo de um cobertor lá em casa, por uma fração de segundo, sinto um pouco de inveja, mesmo que nunca vá admitir isso.

Quando vejo duas pessoas que combinam tanto, é quase impossível não imaginar como seria a minha versão disso. Porém, nessas horas lembro como foi divertido ser traumatizada pelo relacionamento dos meus pais, e o desejo de arrumar um namorado some em um piscar de olhos.

Apesar de todos os livros de romance que li e todos os finais felizes que adorei ver, não consigo imaginar algo assim para mim. Eu gostaria de sonhar com isso, mas sonhos podem ser perigosos.

Alguém mais sábio do que eu disse algo poético e inteligente sobre como amor é quando você dá a alguém o poder de te destruir, mas confia que essa pessoa não vai fazer isso, mas não consigo me imaginar confiando em alguém a tal ponto. Se quiser ferir meus sentimentos, posso fazer isso eu mesma. É uma habilidade que desenvolvi ao longo dos anos, e é provavelmente o que faço de melhor. Gostaria de confiar em alguém um dia, quem sabe.

Tiro o celular da bolsa e decido esperar Emilia fingindo olhar o que as pessoas estão falando sobre a qualificação para o Grand Prix neste fim de semana. Essa desculpa dura dez segundos antes de eu mudar para o verdadeiro motivo de ter pegado o celular: espionar a nova namorada do meu pai com o meu fake.

Recentemente esse tem sido meu jeito favorito de me magoar e, por sorte, para as minhas tendências masoquistas, Norah ama postar cada segundo da sua vida nos stories, como se fosse uma menina de treze anos usando redes sociais pela primeira vez, e eu amo ficar triste vendo tudo.

Eu também adoro denunciar as lives aleatórias que ela faz por bullying e abuso.

Os posts dela sobre como meu pai é maravilhoso foram o gatilho de cerca de noventa por cento das decisões impulsivas que tomei no último mês e, ainda assim, aqui estou, assistindo de novo. O rosto dela toma conta da tela, perto demais e com uma péssima iluminação. Depois, meu coração para quando ela move a câmera e mostra meu pai fechando caixas no que parece ser o dormitório da faculdade da filha dela.

Acho que meu pai nem saberia onde eu estudo se não pagasse a mensalidade.

Odeio assistir isso, mas não consigo parar. Minha vida inteira foi uma luta para conseguir um pouco da atenção do meu pai, então ver ele distribuí-la dessa forma é como levar um soco no estômago.

Quando falei com a secretária dele e perguntei se ele viria para o meu café da manhã de despedida, ela disse que sim e que ele não foi para o Grand Prix na Espanha esse fim de semana porque tinha "um compromisso importante". O meu lado ingênuo, que tinha esperanças de que ele não fosse um babaca, se perguntou se esse compromisso importante era eu e se ele queria se despedir antes das férias. Agora eu sei o que ele considera importante e, mais uma vez, não sou eu. Odeio a pessoa que me tornei por causa dele, desesperada por atenção e validação, e odeio ter deixado minha vida ser controlada pelas reações terríveis que tenho quando me sinto abandonada.

Quero conseguir tomar decisões porque elas me farão feliz, não por causa de um gatilho que me fez reagir impulsivamente.

Travo a tela e enfio o celular na minha bolsa assim que uma pessoa aparece na minha visão periférica. A questão não é esconder da Emilia que estou espionando minha madrasta, mas é vergonhoso, ainda mais porque o pai dela é perfeito e, por mais que ela tente, nunca vai entender.

Não é a Emilia.

— Ei — diz Russ. — Tá tudo bem?

Forçando um sorriso, levanto o olhar para ele com o máximo de entusiasmo que consigo.

— Sim, tudo ótimo. E com você?

Ele me observa com atenção antes de responder.

— Está mesmo? Alguém te incomodou?

— Ele me incomoda há uns vinte anos, então tá tudo bem.

Ele fica de queixo caído enquanto assente e parece entender na hora.

— O que posso fazer para ajudar?

Meu cérebro quer lhe dizer para tirar a camisa de novo, mas não acho que é uma boa. Então dou de ombros porque não sei o que faria eu me sentir melhor.

— Deve ter alguma coisa.
— Me conte um segredo.
— Um segredo? — repete ele.
— Isso.

Não sei por que eu disse isso, mas consigo ver que ele está pensando. É algo bobo que eu e minha irmã começamos a fazer quando éramos crianças. Nunca fomos muito próximas, mas o que a gente tinha em comum era fazer o que não devia, e esse era o nosso jeito de compartilhar coisas.

— Você me deixa nervoso — diz ele e imediatamente dá um gole na cerveja.
— Isso não é segredo. — Eu dou risada. — É bem óbvio.

Ele solta um suspiro e esfrega o rosto.

— Eu te acho deslumbrante.

A confissão dele me pega de surpresa. Deslumbrante. Balanço a cabeça, e meu cabelo dança na frente dos olhos.

— Isso também não é segredo…
— Você é impossível. — Ele ri e estica a mão na minha direção, devagar e com cuidado, colocando meu cabelo atrás da orelha, e a deixa ali por mais tempo do que necessário. — Meu segredo é que não gosto de festas, mas fico feliz de ter vindo e conhecido você. E, quando não consegui te encontrar, fiquei triste, achei que tinha ido embora.

Caramba.

— Essa foi boa.
— Foi mesmo? Porque fiz o melhor que pude. Estava quase confessando um crime que não cometi por causa da pressão.

Agora, sim.

— Bom trabalho.
— Obrigado, não costumo fazer isso. Eu, hum, não sou muito bom nisso.
— Você não sai por aí contando segredos para estranhos? — Escondo o sorriso com o drinque. É um sorriso sincero dessa vez.
— Geralmente não conto nada para ninguém, mas quis dizer que não sou muito bom de falar com pessoas de quem eu gosto.

Não sei por que essa insegurança dele é tão charmosa. Talvez seja porque, apesar de ser inseguro consigo mesmo, ele é assertivo quando fala comigo, e eu estou me agarrando a essa certeza.

— Você disse que mora aqui.
— Moro.
— Você tem um quarto.

— Isso é uma pergunta? Eles não me fazem dormir no quintal, se é isso que quer saber. — Esse cara é foda. — Sim, eu tenho um quarto.

Doloroso. É realmente doloroso.

— Você vai... me mostrar o seu quarto? Já que não gosta de festas. Podemos fugir dela.

Quase consigo ver a lâmpada se acender no topo da cabeça dele quando entende o que estou sugerindo.

— Depende. Você está bêbada?

— Um pouco alta, mas definitivamente não bêbada. E você?

Ele balança a cabeça, passando a mão pelo meu ombro, descendo pelo braço até seus dedos se entrelaçarem nos meus.

— Um pouco alto, mas definitivamente não bêbado.

A mão do Russ faz a minha parecer minúscula, e, ao subirmos as escadas, só consigo olhar para nossos dedos unidos. Pessoas bêbadas estão apoiadas no corrimão, observando o que acontece na sala de estar, provavelmente esperando para usar o banheiro ou coisa do tipo, mas todas se viram para nós, interessadas. Mantenho a cabeça erguida e tento não demonstrar que sei que vou estar na página de fofocas da UCMH amanhã.

Tiro o celular da bolsa enquanto ele digita a senha da porta, abro a conversa com Emilia e entro no quarto atrás dele.

EMILIA BENNETT
Quarto no topo das escadas
Senha é 3993

Russ?

Sim, ele é tímido
Achei fofo

Sabia que não devia ter te deixado sozinha
Está sóbria o suficiente para tomar
boas decisões?

Quando é que eu tomo boas decisões?
Mas sim

Não esquece que vamos tomar café da manhã
com seus pais amanhã

> E temos um avião para pegar
> Você tem camisinha?

> Sim
> Por favor manifeste pro universo
> pra ele saber o que faz

> O universo não tá nem aí pros seus orgasmos, Aurora
> Se cuida
> Não esquece de compartilhar a localização

— Desculpa — digo para Russ, guardando o celular na bolsa e colocando-a na mesa de cabeceira. — Estava só avisando minha colega de quarto onde estou.

— Responsável. — Ele sorri e se senta na beirada da cama. — Meu antigo capitão fez a gente usar um aplicativo de localização, mas era caso algum de nós fosse parar na delegacia.

— Você não parece do tipo que vai parar na delegacia...

— Ah, valeu... Eu acho. — Ele solta uma risada alta e sincera; isso me dá um frio na barriga de um jeito estranho.

Finalmente analiso o quarto, passando o olho em busca de fotos ou algo sobre Russ, mas não encontro nada. Não estou brincando quando digo que é o quarto mais arrumado que já vi, incluindo o meu. Até as caixas de papelão foram abertas e alinhadas do lado do guarda-roupa. A cama tem mais de um travesseiro. E parecem de boa qualidade. Eles estão cobertos por fronhas e não parecem ter sido atropelados por um caminhão como é o caso da maioria dos caras do campus.

Chego perto da mesa dele e, fora alguns livros de engenharia, não há nenhum item pessoal. Nenhum sinal de que ele mora aqui. Russ observa meu tour pelo quarto, em silêncio, seus olhos me seguindo de um canto para o outro. Viro para encará-lo, empurro os livros para o lado e me sento na mesa.

— Você tem namorada?

Minha pergunta o pega de surpresa, e ele abre e fecha a boca, confuso.

— Não?

— Seu quarto é muito limpo. Não tem nada sobre você aqui: fotos, hobbies... — Eu nem saberia dizer que ele joga hóquei se não morasse aqui. Não tem nenhum equipamento sujo ou fedorento no chão. — E você tem travesseiros. Com fronhas.

Esse último comentário faz ele rir alto. Russ se levanta e vem até a mesa.

— A média é tão baixa assim? Travesseiros com fronhas fazem você pensar que eu tenho uma namorada que estou traindo?

Ele para na minha frente; afasto os joelhos e ele entra nesse espaço, nossos corpos perigosamente próximos. Meu coração acelera, e sinto um calor na nuca quando ele se aproxima. Mas ele não me toca; sua mão passa ao meu redor e alcança a prateleira atrás da mesa.

Assim como tudo aqui, a foto que ele me entrega é impecável — nem um cantinho amassado. Mostra ele e vários dos rapazes que estão lá embaixo, tentando levantar um troféu. Parece que eles estão todos pulando no Russ, e ele tem o maior sorriso do mundo no rosto.

— Uma foto e um hobby.

Eu o encaro, seu sorriso discreto.

— Você está muito feliz.

Ele assente ao colocar a foto de volta na prateleira.

— Foi o melhor dia da minha vida.

— Por quê?

— Me conta sobre o melhor dia da sua vida.

O jeito como ele muda de assunto é estranho, mas não há motivo para pressioná-lo, porque isso não importa de verdade, e despejar o seu histórico emocional no meio de uma ficada aleatória não é uma boa ideia.

— Não acho que você me trouxe aqui para ouvir sobre a minha vida, né? — Eu me aproximo, abrindo mais as pernas para acomodá-lo ali, e me apoio nas mãos. — Ou você precisa de uma partida de Jenga para querer me tocar? Devo ir atrás de um jogo de tabuleiro? Que tal verdade ou consequência? Devo programar um alarme?

— Aurora — diz ele, baixinho. Suas mãos encontram o meu queixo e levantam meu rosto para encará-lo. O luar que entra pelas persianas entreabertas o ilumina, dando a ele um ar quase etéreo. — Se eu ouvir algum alarme, vou quebrar o seu celular.

Capítulo cinco

AURORA

Eu espero a boca dele pressionar a minha. Espero Russ levantar minha saia até o quadril, agarrar, puxar e esfregar, mas ele não faz nada disso.

Seus lábios são macios, gentis, cautelosos. A mão dele sai do meu queixo, traçando a mandíbula até tocar com a ponta dos dedos a região sensível embaixo da orelha, e continua até envolver meu cabelo na nuca.

Nossas bocas se afastam e ele encosta a testa na minha por um segundo.

— Só para constar, não espero nada de você. Podemos parar quando quiser.

Meu coração não tem o direito de bater tão forte quanto está batendo agora.

— Não esquece que o mesmo vale para você, tá?

— Sim, claro.

É o mínimo que podemos esperar um do outro, e, ainda assim, me sinto aliviada. Ele é o mesmo cara que era lá embaixo; não mudou quando ficamos a sós. Não fui enganada por um papo furado ou um rostinho bonito.

Seus lábios encontram os meus de novo, mas dessa vez vêm com tudo. Ele me ajuda a tirar sua camisa, a respiração ofegante quando minhas mãos passam pelo seu abdome e chegam na fivela do cinto. Russ tira os tênis, depois as meias, deixa a calça jeans cair e fica só de cueca.

Ele começa pelos meus pés, abrindo a fivela no tornozelo, tirando um sapato de cada vez e passando as mãos por trás das panturrilhas e coxas, até subir o suficiente para me tirar da mesa.

A cama não é longe, mas o caminho é longo o suficiente para processar como minhas pernas encaixam perfeitamente em volta do corpo dele, como ele não é desastrado como achei que seria, e que, se essa é a outra opção, talvez eu não me importe tanto em não comer um pedaço de pizza com Emilia no caminho de volta pra casa.

Ele me deita na cama devagar e imediatamente se ajoelha entre minhas pernas.

— Caralho, você é muito linda — murmura, me ajudando a tirar a saia enquanto me livro da blusa.

O jeito que ele me elogia me deixa zonza. Como se não soubesse como dizer o que quer, mas estivesse sendo completamente sincero. Seus olhos fixam no meu rosto, e sinto como se estivesse mais nua do que nunca.

Meus olhos viajam pelo corpo dele, escaneando sem vergonha cada músculo e cada centímetro da sua pele queimada de sol até voltar para o rosto e ver suas covinhas aparecerem.

Não sou tímida. Acho que nunca me senti tímida na vida, mas o jeito como ele me toca, com tanta ternura, o jeito como sua respiração falha quando tira lentamente minha calcinha, e o jeito como me olha quando deixo as pernas abertas me enche de timidez.

Ele se aproxima para me beijar, com mais força agora, seu corpo pairando sobre o meu, então não tenho a satisfação de sentir o seu peso sobre mim. Não consigo decidir se ele está me provocando de propósito ou se está se divertindo indo devagar. Há certa educação nos seus movimentos, um respeito, que não é algo a que estou acostumada em ficadas aleatórias.

Seus beijos descem pelo meu corpo, queimando a pele por onde passam. Pescoço, seios, barriga, quadril, até sua cabeça parar entre minhas pernas. Ele fica me olhando enquanto finalmente põe a boca em mim, posiciona minhas pernas nos ombros e depois disso não sei mais o que ele faz, porque meus olhos se reviram de prazer.

Não há nada de educado ou respeitoso no jeito como ele me chupa. Meu coração bate forte, errático, meu corpo estremece tanto que ele precisa usar um braço para me segurar na cama enquanto lambe e chupa e…

— Meu Deus. Cacete. Isso, assim.

Com uma das mãos no cabelo dele e a outra segurando o cobertor, arqueio as costas e meus pés se afundam nas costas musculosas dele, pressionando seu corpo. Ficaria com vergonha se minhas ações não fossem respondidas com gemidos de prazer. Sinto uma tensão no baixo ventre, e seus dedos e sua boca mantêm o ritmo.

— Eu vou… Ai, meu deus.

Ele continua mesmo quando me contorço em seus dedos, gritando seu nome, e quando o orgasmo passa, me sinto mole como uma gelatina.

Russ se deita ao meu lado na cama, e meu cérebro sabe que quero ficar colada nele, mas meu corpo não sabe nem em que planeta está. Se aproximando, ele me beija de leve, meu gosto em sua boca.

— Você está bem?

— Aham. Acho que deveria ter me esforçado mais na sua lap dance. Não sabia que você ia entregar tudo isso depois, caramba. — Meu corpo e cérebro finalmente começam a se comunicar e me fazem montar nele, uma coxa de cada lado do corpo. — Você tem camisinha?

A expressão no rosto dele parece saída de um filme de terror. É até engraçado ver o momento em que ele percebe a merda que fez.

— Desculpa, eu acabei de me mudar e não tive tempo de comprar e eu não esperava… Desculpa, eu não esperava. — Ele olha para a ereção em sua cueca e suspira. — Vou ver no quarto do Henry.

— Eu adoraria ver você tentar esconder isso em uma casa cheia de gente, mas tenho algumas na bolsa.

Depois de pegar uma camisinha e jogar na cama, a expressão de horror dele some. Ele se ergue, se apoiando em uma das mãos e segurando meu rosto com a outra. Espero ele falar algo de novo. Sinto o nervosismo tomar conta de mim quando ele passa o polegar pelo meu lábio.

— Tão perfeita.

Não sei por quê, mas tenho vontade de preencher o silêncio com todos os meus pensamentos. Acho que estou copiando um pouco do seu jeitinho tímido.

Eu o empurro para a cama, pego a camisinha e abro o pacote com os dentes, me levantando e lhe dando espaço para abaixar a cueca e libertar sua ereção. Solto uma mistura de suspiro e soluço de espanto quando percebo com o que vou ter que lidar. Ele pega a camisinha da minha mão e a coloca enquanto o observo.

— De jeito nenhum isso vai caber. Eu adoro desafios, mas todo mundo tem um limite.

Ele me puxa para si, alinhando nossas bocas, e sinto sua barriga se mover enquanto ele ri do meu nervosismo.

Meu gosto ainda está na sua boca quando a língua dele encontra a minha; ele geme quando rebolo. Seus olhos se fecham, e sua voz falha.

— Vamos fazer caber.

Meu Deus.

Com cuidado, e desejando ter tomado mais um shot para criar coragem, me afasto do seu peito e desço nele.

— Cacete. Tudo bem assim? — pergunta ele, apertando meus quadris.

Assinto enquanto me levanto e desço um pouco mais, e faço isso de novo até quase envolvê-lo por inteiro. Afundo as unhas em seu peito, seus dedos na minha pele, e o barulho dos nossos corpos se chocando ecoa pelo quarto.

Por que achei que teria energia para ficar por cima?

— Você tá indo muito bem. — Me esforço mais, obviamente incentivada por suas palavras e gemidos. — Isso aí, boa menina.

Quem diria que o sr. Prestativo e eu seríamos tão compatíveis. Gosto quando ele me elogia, e ele gosta quando quico na cabeça do seu pau. Somos a equipe dos sonhos.

Uma das suas mãos desliza para o meio das minhas pernas, esfregando exatamente onde preciso, e meu corpo se move por instinto, rebolando conforme a sensação se intensifica.

— Russ... Isso. Isso.

Ele continua com os elogios e me deixa fazer o que preciso até meu corpo inteiro estremecer e eu cair em cima dele com uma exclamação. Ele me coloca de costas na cama e apoia o peso com os braços enquanto tento recuperar o fôlego sob o corpo dele.

Russ tira o cabelo do meu rosto, entrando e saindo devagar. Sua cabeça pende ao lado do meu pescoço, e ele me beija enquanto o envolvo com pernas e braços trêmulos.

— Você é muito gostosa, Aurora — sussurra ele. — Eu quero que você goze de novo para mim.

De onde surgiu esse homem?

O jeito gentil de falar, de me beijar, até de olhar para mim, é completamente oposto ao jeito confiante de me comer. Estou exausta, satisfeita e ainda assim não quero parar. Deslizo a mão para onde nos conectamos, fazendo o possível para gozar ao mesmo tempo que ele. Seu corpo muda de ritmo, sua respiração fica pesada; estou quase lá.

Mais algumas investidas, e estou em êxtase de novo, levando-o comigo. Estamos arfando, suados e satisfeitos para caralho.

Cacete.

Quem se importa com basquete quando existem jogadores de hóquei no mundo?

Bom, por essa eu não esperava.

Ele sai de cima de mim, e ficamos os dois deitados de costas, olhando para o teto, tentando recuperar o fôlego.

— Você quer alguma coisa? — pergunta ele, gentil.

Cruzo os braços sobre o rosto, cobrindo os olhos enquanto balanço a cabeça, tentando pensar em como pedir a ele que faça isso comigo mais, tipo, uma dúzia de vezes.

— Não, tudo bem.

Sinto a cama se mexer quando ele levanta, e o barulho de Russ se movendo pelo quarto preenche o silêncio até eu ouvir a porta do banheiro fechar. Meu corpo parece gelatina, e estou lutando contra mim mesma para ir procurar a calcinha e o sutiã.

Estico a mão até a mesa de cabeceira para pegar meu celular e abro a conversa com Emilia.

EMILIA BENNETT
Localização em tempo real compartilhada

Você vem pra casa ou vai dormir aí?

Casa
Ele tá no banheiro. Vou embora já já

Você quer pizza?

SIM
Ele tá demorando

Será que ele tá esperando você ir embora?

Talvez
Tá, eu consigo ouvir ele falando com alguém
Ele deve estar esperando eu ir embora, né?
Vou me vestir. Chego daqui a pouco

Que estranho
Pedi a pizza

Não vou comentar com o pessoal que Russ tenha ido ao banheiro para esperar eu ir embora. Já usei essa tática da visita prolongada ao banheiro para fazer a outra pessoa ir embora várias vezes. Uma vez o cara demorou tanto tempo para entender a deixa que reorganizei toda a minha coleção de produtos de skincare em ordem alfabética.

Não preciso de desculpa para ir embora, prefiro mesmo dormir na minha cama. Geralmente não espero tanto, mas achei que ele não seria do tipo me-escondo-no--banheiro-depois-de-transar.

Minhas pernas tremem quando me levanto, um sinal de que me dediquei de verdade e —mais importante ainda — de que preciso malhar perna ou algo assim, porque me sinto feito um cervo recém-nascido aprendendo a andar. Ao acender a luminária ao lado da cama, imediatamente vejo a pilha de livros: *Termodinâmica para engenharia*, *Viciado no jogo: uma história de reabilitação*, *Lançando os dados...* Pego o livro no topo da pilha e dou uma olhada. Ele está lendo *Os belos e malditos*. Como assim?

A estudante de Letras em mim estremece ao ver a lombada toda marcada e as páginas com cantos dobrados, mas meu lado mulherzinha está gritando ao imaginá--lo lendo deitado na cama. O jogador de hóquei de primeira divisão, gostosão, meio tímido, bom de cama (e que tem lençóis limpos), lendo na cama depois de transar. Isso quase me faz não querer ir embora, mas não sei se suportaria ver a expressão dele se saísse do banheiro e ainda me encontrasse aqui.

Quer dizer, na pior das hipóteses, ele sai do banheiro enquanto eu estiver me vestindo e precisamos ter uma conversa séria sobre meus problemas de abandono, que me fazem não esperar mais do que o mínimo dos homens, e sobre o desinteresse gritante do meu pai pela minha existência, que me deixou com um medo terrível de rejeição e moldou todas as interações românticas que já tive na vida, então não posso julgá-lo por querer que eu vá embora.

Ou, talvez, eu possa deixar isso de lado e um dia ajudar um terapeuta a ficar muito rico.

Coloco o livro de volta no lugar e analiso o chão, sem encontrar minhas roupas. Vasculho o quarto e meu olhar para na mesa. O barulho que ele fez ao se levantar faz sentido, então.

Ele estava dobrando minhas roupas.

Não deixo esse sentimento caloroso e estranho se prolongar. Eu me visto rapidamente e vou em direção à porta. Estou pronta para estar no meu próprio espaço. Saio do quarto devagar, segurando a maçaneta para fechar a porta do jeito mais silencioso possível, para ele não achar que estou saindo batendo os pés.

Estou satisfeita com meus esforços, talvez até me sentindo um pouco convencida, porque Emilia e suas amigas bailarinas dizem que tenho a elegância de um hipopótamo bêbado. Bom, estava me sentindo assim até me virar e ver dois pares de olhos castanhos curiosos me encarando.

— Por que parece que você está fugindo da cena de um crime? — pergunta o amigo do Russ, Henry, em um volume que eu gostaria que fosse mais baixo.

— Não estou. — A garota ao lado dele me lança um olhar de pena que discorda, sem nem precisar abrir a boca. — Desculpa, preciso ir.

Eles saem do caminho quando passo às pressas, torcendo para não ter dificuldade para conseguir uma carona e não ter que fazer a caminhada da vergonha para casa.

— Ele é um cara legal — diz Henry. — Legal de verdade.

— Dá pra ver — murmuro. — Eu tenho mesmo que ir.

A festa está no fim. As poucas pessoas que continuam ali para testemunhar meu desaparecimento estão bêbadas demais para se importar, e quando chego na porta da casa, já estou calçada. Não consigo pedir um Uber, então começo a andar.

EMILIA BENNETT

Tô chegando

Tudo bem?

Aham

Tá com medinho de sentimento?

Aham

Quer dormir na minha cama?

Aham

O medinho de sentimento é como Emilia chama o momento de clareza que vem depois de você se retirar de uma situação. É o aperto no estômago quando a ansiedade bate e você se pergunta se fez a coisa certa. É o momento como este, quando estou sozinha com meus pensamentos. Quando penso se minhas ações fizeram eu me sentir melhor ou pior. Se eu teria feito aquilo se não tivesse mexido no celular, e sim cuidado da minha vida. E quanto vai durar essa dose de validação, a sensação de ser desejada, até eu ter que procurar isso de novo em outro lugar. E enfim, se é que essas coisas todas importam, considerando que ninguém liga para o que eu faço.

O medinho de sentimento não é arrependimento, é uma reflexão, e eu prefiro ficar distraída do que ficar reflexiva.

EMILIA BENNETT

Por que você tá se movendo tão devagar?
Você tá de carro?
Aurora, você tá andando?!
Não se atreva a ser assassinada
Estou tão puta com você

Tô quase chegando

— Você é uma palhaça — diz Emilia quando me deito ao seu lado na cama. — Para de se colocar em risco porque não tem paciência para esperar um Uber.

— Pode deixar.

Talvez, se eu tivesse conseguido uma carona, não teria passado o caminho inteiro pensando no cara que deixei para trás.

— Sua pizza tá na cozinha.

— Não tô mais com fome.

Emilia suspirou.

— Vai dormir. Você vai precisar de energia para lidar com seus pais amanhã.

— Tem certeza de que quer ir junto? — Eu não recebo uma resposta, só um travesseiro que é jogado em mim. — Podemos fingir que morremos.

— Sua mãe iria descobrir. Você precisa dormir, Ro — diz ela em meio a um bocejo. — Pensa só: um verão inteiro sem ter que compartilhar sua localização no meio da noite. Semanas e semanas mantendo criancinhas vivas e inteiras e se dedicando a si mesma.

— Que sonho.

Capítulo seis
AURORA

Nada no mundo me dá a mesma sensação de puro e total desespero do que passar um longo período de tempo com meus pais.

Parece dramático, mas sinceramente, Chuck e Sarah Roberts são exemplos perfeitos de que "há divórcios que vêm para o bem". Alguma coisa acontece quando eles estão perto um do outro que transforma os dois em monstros.

Sabendo disso, eu deveria ficar feliz por meu pai não ter aparecido para o café da manhã de despedida como prometeu antes da minha viagem para o acampamento de verão Honey Acres, onde vou trabalhar com a Emilia.

O pior não é ficar decepcionada com um homem que deveria ser um dos pilares da minha vida; é o efeito que essa ausência causa na minha mãe, que, sinceramente, eu gostaria se fosse *mais* ausente.

— Por que você não tenta ligar de novo? — Ela me observa por cima do copo de suco de laranja com uma careta triste. — Já tentou ligar para a assistente dele? Ou para Elsa? Sua irmã sempre consegue falar com ele.

— Ele não vai atender. Tá tudo bem. — E está tudo bem mesmo, porque não dá para se decepcionar com alguém quando não tem nenhuma expectativa. — Nossos planos obviamente não eram importantes para ele. O que você estava falando?

Pego meu copo e bebo a água toda para me livrar do nó metafórico na garganta, que parece ficar maior cada vez que repito as palavras "tá tudo bem".

— Eu ia perguntar se você pensou sobre voltar para casa quando o acampamento acabar. — *Socorro.* — Não me olhe assim, Aurora. Eu literalmente fiz você.

Depois de vinte anos seria de imaginar que eu estaria acostumada com a implicância constante e as tentativas nada discretas de me lembrar de que é só por causa dela que eu existo, mas aqui estamos.

— Mãe, hum, você sabe que já assinamos o contrato do aluguel do ano que vem. O meu pai já pagou o ano inteiro adiantado... — Esse é o meu jeito gentil de dizer que é mais fácil o inferno congelar do que eu voltar para a casa dela por escolha própria. — Você não pode esperar que eu vá e volte de Malibu todo dia quando tenho uma casa ótima do lado da faculdade... Eu passaria metade do dia presa no trânsito.

— Em algumas culturas, os filhos moram com os pais para sempre — retruca ela, baixinho. — Sua irmã está em Londres. Você demora três dias para retornar minhas ligações. Não finja que é irracional da minha parte querer ver minhas filhas com frequência. Nem é tão longe.

Deus me livre acusar Sarah Roberts de ser irracional.

— Acho que o pior pesadelo dos meus pais seria eu morar com eles de novo — comenta Emilia, forçando uma risada para aliviar a tensão.

Emilia Bennett é uma excelente colega de quarto, a melhor amiga do mundo e ocasionalmente a desculpa perfeita. Dois anos estudando relações públicas e seis anos como babá emocional da minha mãe a transformaram na minha própria gerente de crise.

— Tenho certeza de que eles adorariam que isso acontecesse, Emilia. — Minha mãe solta um suspiro dramático. — Tenho certeza de que a casa deles parece gigante e vazia sem você por lá.

A casa da minha mãe só parece gigante e vazia porque ela vendeu o imóvel onde eu cresci e usou o dinheiro do divórcio para comprar uma imensa casa na praia.

Os olhos dela param em mim com uma expressão que reconheço bem: expectativa.

Ela tem a expectativa de que eu queira estar em casa tanto quanto ela quer que eu esteja, e não entende por que prefiro passar o verão inteiro trabalhando em vez de ficar com ela. Nunca foi um problema quando ela me mandava para colônias de férias; o problema começou quando ela percebeu que eu era mais feliz lá do que em casa.

Nós viajamos muito quando eu era criança, indo de um país para o outro dependendo de onde a equipe de Fórmula 1 do meu pai, a Fenrir, estivesse competindo. Seguir a equipe ao redor do mundo sempre foi a maior prioridade do meu pai, não dar estabilidade para a filha e a esposa.

Elsa e eu sempre brincamos que a Fenrir é a única coisa que ele ajudou a criar que realmente ama.

Eu amo minha irmã, mas mesmo com nosso complexo de abandono, a diferença de seis anos entre nós era grande demais para duas crianças formarem conexões. Eu estava muito problemática ali por volta dos sete anos, então meus pais começaram a me mandar para acampamentos nas férias.

Era exatamente disso que eu precisava e não sabia. Lá estabeleci uma rotina, convivi com crianças da minha idade e comecei a formar a base de quem eu era sem adultos e uma irmã mais velha temperamental por perto.

Honey Acres foi o primeiro lugar onde me senti parte de um lar. Mesmo quando meus pais se separaram, e minha mãe nos trouxe de vez para os Estados Unidos e me matriculou na escola, eu insistia em passar todos os verões em Honey Acres. Eu amava como a equipe lá ficava feliz em me ver, ano após ano, e foi a minha primeira lembrança de me sentir querida.

Quero me sentir assim de novo, o que espero conseguir reconstruindo a base que destruí. Amo a faculdade e as experiências que tive aqui nos últimos dois anos, mas me sinto perdida. Fiz escolhas que não consigo justificar por causa de sentimentos intensos e, como não havia ninguém para me impedir, a voz na minha cabeça disse: "Foda-se." Estou me tornando alguém que não reconheço e preciso de um *reset* de fábrica. Quero me sentir acolhida de novo. Quero me sentir em paz.

O contato do pé da Emilia na minha canela me tira do devaneio, e minha mãe ainda está com a mesma expressão no rosto.

Se eu desejar bem forte, será que consigo fazer meu pai aparecer para mudarmos de assunto?

Como esperado, isso não acontece, mas felizmente o garçom chega com nosso café da manhã e interrompe a tensão, que cresce com a tristeza da minha mãe. Parece uma piada cruel do destino ter um pai que não se importa comigo e uma mãe que se importa demais.

Não me lembro de uma época em que ela não agia assim, o que significa que não sei se ela é assim mesmo ou se isso é o resultado de passar a vida achando que tinha que me amar por dois.

Digo "amar" e não "cuidar" porque ela nunca cuidou de mim. Meu pai sempre se manteve distante e priorizou o trabalho, e ela sempre se esforçou demais para me manter por perto. Cada vez que ele me decepcionava, ela ficava mais leniente com as minhas merdas, porque era mais fácil culpá-lo pelo meu comportamento do que arriscar castigos que pudessem me afastar. Ela nunca se importou com nada que eu fazia, a não ser que a afetasse diretamente.

Quando eu era mais nova, sempre tentei ser a melhor e a mais inteligente, como se a validação de ser a filha perfeita fosse me trazer a atenção paterna que eu tanto queria, mas isso nunca aconteceu.

Então parei de tentar. Consegui validação e atenção de outras formas e me tornei uma pessoa independente, mas em algum momento acabei entrando nesse ciclo de ficar feliz por poder fazer o que quisesse porque ninguém se importaria, e depois me sentir triste exatamente pelo mesmo motivo.

Eu me esforcei muito para entrar em Maple Hills porque queria provar para meus professores que eu era mais do que a garota que matava aula e nunca prestava atenção. Em vez de encarar isso como uma conquista, minha mãe só viu a minha partida iminente. Quando recebi a carta de aceite, ela agiu como se eu estivesse indo para a guerra, não para uma faculdade no mesmo estado, e ficou sem falar comigo por três dias. Não importava que eu ainda estivesse lá, diferente da minha irmã, que se mudou para a casa do nosso pai em Londres quando terminou o ensino médio.

O equilíbrio entre ser a filha perfeita e uma pessoa independente é como andar em uma corda bamba.

Exceto que tem um furacão rolando.

E a corda está pegando fogo.

Já caí inúmeras vezes e estou de saco cheio dessa porra.

— Você pode nos visitar no acampamento se quiser, mãe. — Brinco com um morango no prato, esperando a resposta. Com uma mãe como a minha, cujo amor-próprio é tão dependente do título de mãe que se torna exaustivo, cada palavra é como um movimento em um jogo de xadrez. — O dia de visitação é em julho. Eu te aviso a data.

— Você obviamente não quer que eu te visite, Aurora.

Eu nunca fui boa em xadrez.

— Mãe...

— Sra. Roberts, eu já mostrei a câmera que a Poppy me deu para tirar fotos em Honey Acres? — Emilia interrompe a conversa, pegando a bolsa. — Como você sabe, eu não passava as férias em acampamentos quando era criança, e fiquei muito feliz quando a Aurora finalmente aceitou, depois de eu tanto implorar, ser orientadora de acampamento comigo. Ela disse que você escolheu a melhor colônia de férias de todas, então estou muito empolgada.

Fui eu que implorei a Emilia que fosse orientadora comigo, não o contrário, mas minha mãe não precisa saber disso. Ela vai ficar distraída com o elogio.

Tal mãe, tal filha.

— Aurora sempre teve tudo do bom e do melhor. Não que você reconhecesse o valor disso, não é, querida? Quando era criança, você ficaria feliz de rolar com porcos numa fazenda. Só queria poder brincar em um lugar que não tivesse pneus por perto.

Emilia pega a câmera da bolsa e entrega para minha mãe. O rosto dela se ilumina enquanto passa pelas fotos, murmurando algo sobre como Emilia e Poppy formam um belo casal e como Emilia fica bem de azul.

— E onde você estava quando as meninas foram fazer trilha?

Sentando na cara de um jogador de basquete.

— Estudando.

— Você estava estudando? Depois das provas?

— Sim. — Merda. — Estava estudando sobre cordas e coisas assim para o acampamento. — Estava amarrada em uma cama. — Além do mais, elas são um casal, mãe. Não vão querer que eu fique de vela.

— É verdade. Você não vai ficar com saudade dela, Emilia? Dez semanas é muito tempo. — Ela está falando com a Emilia, mas sinto seu olhar em mim, esperando que eu reaja ao comentário sutil. — Confie em mim, parece uma eternidade.

— Vou sentir falta da Poppy, mas não tem problema, porque nós duas vamos ficar bem ocupadas durante o verão. Ela está na Europa com a mãe até as aulas recomeçarem.

Emilia percebe o deslize que cometeu antes que eu possa reagir. Seus olhos grandes e castanhos encaram os meus, e ela me lança um olhar que diz: "Pode deixar que eu mesma peço demissão."

Gerente de crise de merda.

Os lábios da minha mãe foram uma linha fina enquanto ela dobra cuidadosamente o guardanapo no colo e o coloca na mesa.

— Poppy deve amar muito a mãe para passar o verão inteiro com ela, que bonito. Com licença, meninas, vou ao banheiro.

É incrível como uma mulher consegue sugar todo o oxigênio da sala com uma frase.

— Ai — grita Emilia, esfregando a testa no ponto onde dei um peteleco assim que a porta do banheiro fechou. — Eu mereço. Foi sem querer!

— Você poderia ter dito qualquer outra coisa.

— Desculpa! Nossa, como eu queria que o seu pai estivesse aqui. Ele é melhor do que eu na linha de fogo. Talvez eu tenha que trocar de curso, sou péssima nisso.

— É mesmo.

— Será que as amigas da Elsa já tiveram que lidar com as Olimpíadas de Sentimentos da sua mãe? — brinca ela, limpando a calda do prato com um pedaço de rabanada.

— Até parece que a Elsa aceitaria tomar café da manhã com ela. Ou que tem amigos de verdade.

— Verdade. Quando acha que podemos ir embora sem ser mal-educadas? Não consigo não rir.

— É capaz de ela nos manter aqui até a gente perder o voo.

— Você está bem? Ela está mais intensa do que o normal hoje.

— Ela está surtando porque a namorada do meu pai e Elsa estão competindo para ver quem passa mais tempo nos tabloides e eu estou indo viajar. Tá tudo bem.

— A florista?

— Não, ele terminou com ela, lembra? Estou falando da Norah. A antiga moça do tempo do jornal. Ou participante de algum *Real Housewives*. — Balanço a cabeça tentando recordar o histórico de relacionamentos do meu pai. — Não me lembro. Enfim, seja lá o que for, ela adora uma foto.

Ouço os saltos da minha mãe se aproximando, me dando tempo suficiente para colocar um sorriso forçado no rosto. Ela toca meu cabelo de leve quando passa, enrolando as pontas nos dedos. Ela sempre diz que parece com o cabelo dela quando tinha vinte anos e fica feliz de ver que sou a cara dela. O mesmo cabelo loiro e olhos verdes, as mesmas sardas que aparecem depois de passar muito tempo no sol, tudo igual. Diferente da Elsa, que é a cara do meu pai, não tenho um gene de Chuck Roberts à vista.

Ao se sentar na minha frente, ela suspira:

— Vou sentir falta de vocês, meninas. Vamos pedir a conta? Tenho certeza de que querem chegar no aeroporto com tempo de sobra.

— É uma boa ideia. Obrigada, mãe.

É engraçado como, assim que minha mãe começa a agir de modo racional, eu começo a me sentir mal por viajar quando ela quer ficar comigo. Não há ninguém no mundo inteiro que consiga me irritar tanto quanto minha mãe, o que me faz reclamar ainda mais dela, mas quando ela mostra um pingo de humanidade, eu acabo cedendo. A culpa começa a tomar conta de mim que nem um veneno queimando nas veias, mas o universo me entrega um antídoto com uma notificação no celular, me lembrando dos meus motivos para fugir de tudo e todos.

HOMEM QUE PAGA O ALUGUEL
**Me atrasei ajudando Isobel a mudar de dormitório, então não vou pro café da manhã.
Boa viagem.**

Discretamente, mostro o celular para Emilia enquanto minha mãe está distraída pagando a conta. Não preciso olhar para minha melhor amiga para saber que ela está revirando os olhos. Não é surpresa alguma depois de vê-lo ajudando na mudança da Isobel nos stories da Norah ontem. É legal ver a filha da namorada dele recebendo tanta atenção do meu pai; talvez um dia Isobel possa me contar como é a sensação.

A coisa mais fácil do mundo é me convencer de que ele é assim mesmo. Que não tem nada a ver comigo. O desinteresse, as promessas quebradas, a distância e a frieza do meu pai são porque ele não leva jeito para ser pai, e isso não é minha culpa. Mas quando eu o vejo com a filha de alguém, volto a pensar que talvez o problema seja eu.

Ficaria chateada, se não fosse totalmente previsível.

Mais do que tudo, estou cansada. Cansada de sentir que não faço parte da minha própria família. Cansada de questionar todas as minhas decisões. Cansada de querer ser melhor, mas sentir que não consigo.

Emilia continua conversando com a minha mãe durante o caminho de volta para casa, o que me dá a chance de processar a raiva e os sentimentos que com certeza não são decepção, dor e rejeição. Eu precisaria me importar para me sentir rejeitada, e não me importo.

Fica óbvio que o universo não pretende me dar nenhuma colher de chá quando ficamos paradas no trânsito na frente do rinque de patinação. Passei o dia inteiro pensando em Russ, o que não é comum para mim. Não estou acostumada com alguém como ele, no bom sentido, e não consigo parar de pensar nele. Estou tentando não me sentir mal com o jeito como fui embora sem nem me despedir, mas é difícil esquecê-lo quando a marca de seus dedos ainda está na minha cintura.

Ao estacionar ao lado do meu carro, o ar de despedida deixa o clima desconfortável. A culpa toma conta de mim mais uma vez, porque, apesar de todos os problemas, minha mãe nunca me largou pela filha de outra pessoa.

Ela nunca deixou de ligar. Eu nunca tive que implorar, chorar ou lutar para ela me amar.

Eu a puxo para um abraço que a pega desprevenida, mas em seguida ela me abraça de volta e cheira meu cabelo, sussurrando para apenas eu ouvir:

— Não esqueça de ligar.

— Não vou esquecer.

Emilia espera minha mãe se tornar apenas um pontinho no retrovisor para falar.

— Tudo bem?

— Tudo. Só preciso comer um lanchinho e manifestar que ambos os carros da Fenrir quebrem ao mesmo tempo no meio da corrida.

Capítulo sete

RUSS

Odeio ter bebido tanto ontem.

Nunca vou saber por que decidi que essa seria a noite ideal para relaxar um pouco e fazer o que quisesse. Nunca fiquei bêbado de verdade, mas as consequências de beber devagar e constantemente para ficar alto são quase piores. Significa que essa viagem de carro é mais cansativa do que o esperado e mais longa do que o necessário, com uma dor de cabeça leve e constante. Se eu tivesse ficado bêbado, teria ido para a cama sozinho e dormido bem.

Ficar sem dormir não é novidade para mim, e depois de anos com noites maldormidas, meu corpo funciona com poucas horas de sono. Porém, essa viagem foi difícil, e estou realmente arrependido de ter vindo dirigindo em vez de ter pegado um voo.

Se tivesse vindo de avião, poderia ter descansado em vez de ter que pegar a estrada ao amanhecer. Henry e Robbie acordaram para se despedir, ambos com olhos vermelhos de sono e praticamente sonâmbulos, murmurando algo sobre irem me resgatar de cavalos e vacas se fosse necessário, mas isso foi bem importante para mim; pela primeira vez na vida, estou empolgado para voltar para Maple Hills no fim do verão e rever meus colegas de casa.

Talvez, se eu tivesse pegado um voo, não teria passado as últimas quatro horas pensando sobre a mulher que estava na minha cama ontem à noite. Bom, que estava na minha cama até ela sumir. Eu deveria aceitar a situação pelo que foi: uma noite de sexo casual entre dois adultos. Não é algo que costumo fazer — geralmente demora mais do que uma noite para eu desenvolver confiança e tomar a iniciativa —, mas ela era tão segura de si que eu quis ser também.

Estou me martirizando por não ter conversado mais com ela quando pude. Porém, a longo prazo, o fato de ela ir embora e deixar claro com suas ações que não está interessada em algo a mais facilita minha vida. Passei tanto tempo no banheiro, repetindo para mim mesmo um dos discursos motivacionais idiotas do JJ e tentando criar coragem para chamá-la para sair quando voltasse do acampamento, que, se ela tivesse dito "não", acho que teria me trancado lá de novo.

É, foi bom ela ter ido embora sem falar nada.

Entendi o recado.

Foi só sexo.

Devo ter feito papel de bobo, mas havia algo nos olhos e no sorriso dela quando a gente se olhava. Talvez ela tivesse tido pena de mim; isso faria mais sentido, na verdade. Pena ou não, passei as últimas horas me torturando com a lembrança da sua pele macia e dos seus gemidos no meu ouvido. Sei que nunca mais vou vê-la e deveria esquecer tudo, mas às vezes não é tão simples assim.

Se eu me lembrar de como foi gostoso estar com ela, talvez isso abafe a decepção de não ter tido a chance de chamá-la para sair.

Os pneus do carro amassam o cascalho quando entro na estrada de terra ao lado da placa que diz "Bem-vindo a Honey Acres". A expectativa fala mais alto do que tudo, e finalmente me dou conta de que, depois de tanta espera, finalmente cheguei. Não fui para colônias de férias quando era criança, porque minha família não tinha como pagar. Minha mãe tinha medo de se comprometer com algo a longo prazo sem saber se o salário do meu pai iria pagar contas ou apostas.

Ela não procurava lugares para crianças de famílias com dificuldades financeiras porque estava ocupada demais fingindo que estava tudo bem. Eu não entendia quando era criança, algo pelo que sou grato hoje, e por muito tempo só achei que ela gostava que eu e meu irmão ficássemos em casa.

Como tudo na vida, consegui chegar aqui sozinho. Posso não ser mais criança, mas vou poder saber o que perdi todos aqueles anos e, melhor ainda, vou ser pago por isso.

Uma cabana de madeira aparece à distância, e ao me aproximar começo a ver carros estacionados e um ônibus decorado com as cores de Honey Acres. Paro em uma vaga, respiro fundo e me dou um segundo para me preparar. O lugar é idêntico às fotos, incluindo as pessoas sorridentes andando com mochilas nas costas.

Pego minhas coisas no banco traseiro e vou em direção à fila para registrar a chegada. Tiro o celular do bolso e vejo uma sequência de mensagens no grupo que Tasi criou semana passada.

MELHORES AMIGOS LINDOS

TASI
Avisa quando chegar, benzinho. Beber antes de uma viagem de carro não foi uma boa ideia

KRIS
Ele vai ficar bem. Foi deitar cedo ;)

MATTIE
Eu não tô bem, caso alguém se importe

BOBBY
Cedo quanto?

KRIS
De acordo com a página de fofocas da UCMH, ele levou Aurora Roberts pro quarto e os dois sumiram

LOLA
Não acredito que você lê essas merdas. Duas semanas atrás eles postaram que talvez eu estivesse grávida porque alguém disse que me viu chorando no Kenny's. Caiu molho picante no meu olho

MATTIE
Então ninguém se importa, né? Beleza, valeu

BOBBY
Por que esse nome me parece familiar?

TASI
Ela é amiga do Ryan

ROBBIE
Você viu ela fazer uma lap dance no Russ ontem, gênio

BOBBY
Eu sei, mas o nome dela me parece familiar

MATTIE
"Amiga do Ryan" nunca é uma boa referência pra homens

TASI
Nate mandou eu mandar você ir se foder

KRIS
Aquela era Aurora Roberts??
LOLA
Eu sou a única mulher nessa faculdade na qual Ryan Rothwell não enfiou o pau?
ROBBIE
Sim, e agradeço por isso todos os dias da minha vida
TASI
Nate mandou eu mandar você ir se foder também
KRIS
O pai dela é dono da Fenrir. A equipe de F1 do lobo
BOBBY
Cacete
TASI
Nate ficou empolgado com essa notícia, por algum motivo
LOLA
Ela era a maior gostosa. Parabéns benzinho
HENRY
Vocês são muito irritantes.
Achei que alguém tivesse morrido.
Não tem por que pessoas que se veem todos os dias mandarem tanta mensagem assim.
ROBBIE
A única pessoa que vai morrer é o benzinho quando ele se tocar que vai ter que fingir gostar de F1 se quiser transar de novo
JJ
Pelo menos não é um troço chato que nem tênis
ROBBIE
Quem te colocou aqui? Esse grupo é para ser de pessoas que vão ficar em Maple Hills

JJ
Estarei aí em espírito
E eu tenho FOMO
KRIS
Foi a Tasi, né?
TASI
É o quê?
JJ
Nada, eu negociei com o Hen
BOBBY
"Negociou"
HENRY
Ele escondeu meus pincéis
JJ
Vocês vão ficar felizes por eu estar aqui quando pedirem por conselhos sobre o mundo real
LOLA
Eu nunca, jamais vou pedir isso

RUSS
Quanta coisa
Cheguei, mas o sinal aqui é péssimo

    Sempre me perguntei como seria estar em um grupo de amigos assim quando não estava. Agora sei que é um grande caos, mas de um jeito bom. Quando termino de ler tudo, estou no começo da fila, e é a oportunidade perfeita para não pensar que estou mais uma vez naquela página de fofocas idiota da faculdade, que a garota que está lá comigo é de uma família podre de rica e que, se eu a vir de novo, não vou conseguir de jeito nenhum fingir que sei alguma coisa sobre corridas.

    Não demoro para receber o guia de boas-vindas e ser informado de que a orientação começa em uma hora, então vou procurar minha cabana. Ao empurrar a porta pesada, imediatamente vejo meu colega de quarto.

    — E aí, beleza? — diz ele de um jeito relaxado, acenando com a cabeça da cama que escolheu. — Sou Xander.

    — Russ. — Juro que quase falei "benzinho". — Prazer.

    — Prazer. — Seus olhos pousam na minha camiseta com o símbolo branco e azul-marinho dos Titans. — Estuda na UCMH?

Parte de mim morre ali mesmo, porque não pensei nisso quando vesti aquela camiseta. Esperava não encontrar alunos da Maple Hills, já que a universidade fica a muitas horas daqui, mas foi burro da minha parte presumir que não iriam se interessar pelo trabalho pelos mesmos motivos que eu. Outras pessoas diriam que encontrar rostos conhecidos seria bom, mas, assim que falo sobre hóquei, alguém menciona o rinque, e eu odeio falar sobre o que aconteceu. Relutante, eu respondo:

— Aham. Você também?

— Não, mano. O marido da minha mãe dá aula lá, e eu quero distância. Além disso, meu meio-irmão estuda lá e a gente provavelmente iria se matar se jogássemos no mesmo time de basquete. Sou de Stanford. Você joga alguma coisa?

Largo as malas no chão, esvazio os bolsos e me sento na cama, me preparando para a reação à minha resposta.

— Hóquei no gelo.

— Legal. — Ele gesticula para as chaves na minha mão. — A viagem de carro é longa?

Demoro mais do que gostaria para responder porque a pergunta não é o que eu esperava, e quanto mais conversamos, mais relaxado eu fico, porque ele não faz menção alguma ao rinque.

Com certeza é coisa da minha cabeça achar que todo mundo que conhece Maple Hills sabe o que fiz no começo do ano. É a maior vergonha da minha vida, a primeira vez que pensei: "É, meu pai tem razão, eu sou um merda." Então não é fácil seguir o conselho dos meus colegas de equipe e deixar o assunto para lá. Tasi disse que com o tempo não vai mais ser a primeira coisa em que penso, mas ainda estou esperando esse momento chegar.

Uma hora passa tão rápido que nem tenho tempo de abrir meu guia antes de irmos para a reunião no salão principal. O lugar é imenso, mas ainda bem que Xander trabalhou aqui no verão passado e sabe para onde devemos ir.

Sentamos em dois lugares vazios na primeira fileira e esperamos o restante da sala encher. Xander me passa uma prancheta com a lista de presença que está circulando pela sala e no topo está a senha do wi-fi.

— Só pra você saber, o wi-fi é uma merda — resmunga ele. — Não é tão ruim quando você está em um dos prédios principais, mas na nossa cabana o sinal é quase nulo. Funciona em lugares aleatórios, e todas as mensagens vão chegar de uma vez e te dar um susto.

— Não ter sinal não me incomoda, na real.

Assino meu nome e me conecto ao wi-fi, apesar do aviso, e passo a folha para a pessoa ao meu lado. Mais mensagens chegam no grupo, junto a algumas outras notificações e mensagens da minha mãe.

MÃE
Estou a semana inteira tentando falar com você,
seu irmão também
Espero que tenha um ótimo verão no acampamento
Venha nos visitar quando voltar, por favor
Saudades, meu amor
Eu e o seu pai sentimos sua falta

Checo as outras notificações, e a que chama minha atenção é uma mensagem do meu pai.

PAI
Pedido de transferência de kcallaghan19
$50

Bloqueio o celular rapidamente antes que alguém consiga ver a tela e o coloco de volta no bolso. Eu me sinto mal por ignorar as ligações da minha mãe, mas são sempre as mesmas desculpas, então prefiro evitar. Meu irmão, Ethan, só liga para reclamar que eu não visito nossos pais, apesar de ter fugido para a costa leste com a banda assim que pôde e me deixado sozinho para lidar com eles.

Nunca fui a primeira opção: a prioridade sempre foi os vícios do meu pai, as desculpas que minha mãe dá por ele, o desejo do Ethan de morar longe para fingir que tudo está bem.

Amo minha família, mas odeio o que nos tornamos. Todos cheios de dedos para falar sobre os assuntos que nos afastam, dando desculpas pelo meu pai, postergando a busca por uma solução para fingir que não há nada de errado. Cheguei ao ponto em que é mais fácil ignorar e manter distância, física e emocional. Por sorte, agora que estou aqui, essa distância aumentou mais umas quatro horas.

Uma mulher mais velha bate de leve no microfone, e na mesma hora uma cabeça peluda e dourada pousa no meu colo. Xander imediatamente estica a mão para o cachorro, coçando atrás das suas orelhas de um jeito que faz o bichinho fechar os olhos e abanar o rabo.

— Oi, Peixe! Que saudade de você e dos seus pelos em todas as minhas roupas.
— Ele fala com o cachorro, depois olha para mim para explicar. — É a cadela da Jenna; você ainda vai conhecer, é a diretora daqui. Jenna trabalha a maior parte do tempo no escritório, então a Peixe fica passeando pelo acampamento, pedindo carinho para todo mundo. Geralmente ela escolhe um favorito e gruda nele. Parece que você é um forte candidato.

— Bem-vindos! — diz a mulher. — Aos novatos deste ano, meu nome é Orla Murphy, e sou a dinossaura oficial de Honey Acres. Sou a dona, a diretora-executiva do acampamento e a encarregada de tudo e todos aqui. Minha família fundou Honey Acres, e fico muito feliz de dar a vocês as boas-vindas à nossa família este ano.

Estou meio ouvindo, meio brincando com Peixe, quando Xander me agarra de repente.

— Meu Deus — sussurra ele, apertando meu braço. Seguindo o seu olhar, reparo em dois cachorros, igualmente dourados e fofos, porém menores e mais gordos, vindo na nossa direção. — Peixinhos!

Percebo que não estou ouvindo nada que Orla fala sobre o acampamento quando os filhotes se aproximam e Xander pega os dois no colo. Virando os pingentes de alumínio das coleiras, tento segurar o riso quando vejo Salmão e Truta me encararem.

Uma risada ecoando pelos alto-falantes tira o meu foco e, quando olho para a frente da sala, Orla está nos encarando.

— Vejo que os cachorros estão fazendo seu velho truque de roubar a cena. Para quem já esteve aqui conosco, Peixe teve filhotes e ela tem muito orgulho deles. Podem esperar que qualquer dia desses vão voltar para suas cabanas e encontrá-los deitados nas camas.

Sussurros se espalham pelo salão quando outras pessoas na fileira se inclinam para olhar as bolinhas de pelo lutando nos braços do meu colega de cabana.

Eu me concentro para prestar atenção enquanto Orla explica várias coisas que já sei, graças ao folheto, sobre um dia normal aqui, expectativas de comportamento, dias de folga e o que esperar até que os campistas cheguem daqui a uma semana.

O conceito de entrosamento de equipe me dá calafrios. Odeio esses exercícios para quebrar o gelo e basicamente me ofereci para fazer isso por uma semana inteira.

Orla continua sua apresentação enquanto um dos filhotes pula para o meu colo, ficando ao lado da cabeça da mãe, e dorme ali.

— Coisas importantes agora. Não deve ser uma surpresa para vocês, mas álcool e drogas são estritamente proibidos, mesmo para maiores de idade... o que não é o caso para a maioria aqui. Vocês estão aqui para oferecer aos campistas um verão mágico; se queriam passar o verão bêbados, deveriam ter tirado férias.

Penso imediatamente em Kris, Bobby e Mattie. Eles disseram algo parecido quando fiz a contraproposta de virem trabalhar no acampamento comigo em vez de eu ir para Miami.

— Para muitas das nossas crianças, o verão é o melhor momento do ano, então pensem nisso antes de aparecerem para trabalhar de ressaca. E, por fim, o assunto favorito de todos: romances. Aqui em Honey Acres temos uma política de tolerância zero para relacionamentos entre a equipe e, caso ela seja ignorada, resultará em demissão. Isso, claro, é para o bem-estar dos nossos campistas, mas também para a sanidade mental de vocês. Vão passar dez semanas juntos, então acreditem quando digo que esse tempo passa bem devagar quando você está desesperado para ficar longe de alguém que parecia ser um bom partido quando estava sob o feitiço do acampamento.

Eu me aproximo do Xander e pergunto baixinho:

— Feitiço do acampamento?

Ele ri.

— Vai ver. Todo mundo parece atraente depois de um mês aqui.

Ela encerra a fala explicando que a equipe pode passar o tempo nas áreas comuns, mas não nas cabanas, e completa com mais algumas regras bem razoáveis que não vou ter problema algum em cumprir. A última coisa que quero é ser mandado de volta para Maple Hills no meio do verão por ter feito merda. De novo.

Hoje é o dia de se acomodar, já que muitas pessoas estão cansadas da viagem, e a última etapa do processo de boas-vindas é conhecer o grupo com quem vamos trabalhar nas próximas dez semanas.

As crianças vão ser separadas em quatro grupos: Guaxinins, Ursos-Pardos, Raposas e Porcos-Espinhos. Cada animal representa uma faixa etária e cada grupo possui quatro orientadores, que trabalham em turnos para que haja sempre quatro disponíveis durante o dia e dois de madrugada.

Listei a minha preferência pelos Ursos-Pardos, que são crianças entre oito e dez anos, porque são velhas o suficiente para não serem muito carentes, e jovens o bastante para eu não ter que lidar com adolescentes marrentos por dois meses. Diferente de outras colônias de férias, onde os campistas ficam por uma semana ou duas e vão para casa, nossas crianças passam o verão inteiro aqui.

Um dos funcionários começa a chamar nomes, e as pessoas vão de encontro aos seus grupos. Tento colocar o filhote no chão para me preparar, mas ele começa a ganir e eu desisto.

— Ursos-Pardos, podem vir... Clay Cole... Alexander Smith... — Xander se levanta e leva o filhote com ele depois de ver minha tentativa malsucedida de soltá-lo. — ... Emilia Bennett... Russ Callaghan...

Eu fico de pé para me juntar ao grupo, com Peixe no meu encalço, enquanto outros nomes são chamados. Meu grupo está ocupado cumprimentando o filhote nos braços de Xander, e quando me aproximo, uma pessoa vira.

Meu coração para quando reconheço de imediato a garota me encarando.

Não preciso de ajuda para calcular a probabilidade de quem Emilia trouxe para o acampamento, porque está estampada na expressão dela. Sei que ela está aqui porque o universo ama me infernizar por diversão.

O olhar de Emilia desvia para algo atrás de mim, e me viro por instinto, vendo o mesmo cabelo loiro no qual meu rosto estava enfiado menos de vinte e quatro horas atrás.

Ela demora um segundo para me ver, mas quando isso acontece, para de andar, a boca entreaberta, os olhos arregalados ao entender a situação.

— Merda.

Capítulo oito

AURORA

— Merda.

Não queria dizer isso em voz alta. Estava olhando para o cachorrinho. Por que não fiquei olhando só pro cachorrinho?

Russ não diz nada enquanto nos encaramos. O sorriso leve e amigável da noite anterior sumiu e, no lugar, há algo mais frio e reservado. Tento pensar em algo para falar, algo que diga: "Ei, sei que a gente se viu pelado e achou que nunca mais ia se encontrar, mas agora nós vamos ter que trabalhar juntos, então que tal não pensarmos mais sobre o assunto? Beleza? Beleza."

Mas eu pensei sobre o assunto, mesmo contra a minha vontade. Começo a abrir a boca e, antes que possa me humilhar falando sei lá o quê, ele me dá as costas e se vira para o resto do grupo, sem dizer nada.

O silêncio é doloroso.

É impossível não notar a ironia de que eu já ignorei vários ficantes andando pelo campus, mas acho que não seria filha do meu pai se meu maior talento não fosse a hipocrisia.

Não há um pingo de malícia na reação do Russ; não sei se há um pingo de malícia nele, no cara que sussurrou como eu sou linda, mesmo no escuro, ou que dobrou e empilhou as roupas que tirou de mim. Só fiquei surpresa, acho, considerando toda a gentileza dele ontem à noite.

Deixo esses sentimentos de desconforto se prolongarem, sem conseguir ignorá-los ou acalmar a minha inquietude. Isso é o que acontece quando você busca consolo em estranhos, Aurora.

Aprendi a lição.

— Olá, pessoal. Meu nome é Jenna, ou como me conhecem por aqui, mãe da Peixe. Vou ser a responsável pelos Ursos-Pardos neste verão, o que quer dizer que, além das minhas responsabilidades de diretora do acampamento, vou organizar as agendas de vocês, me certificar de que todo mundo esteja feliz e saudável e ajudar vocês a lidar com qualquer problema que os campistas tenham.

Emilia para ao meu lado e entrelaça o dedo mindinho no meu, seu sinal que combina solidariedade e que-porra-foi-essa por conta do jogador de hóquei silencioso ao nosso lado. Estou tentando me concentrar na apresentação da Jenna, mas Russ tira a minha atenção porque nem olha para mim.

— Vou fazer um tour com vocês pelo acampamento. Recomendo que encham suas garrafas d'água antes de sairmos. Quando terminarmos, vamos jantar juntos e o resto da noite é livre para descansarem antes de começar os trabalhos amanhã.

Todos vão em direção ao bebedouro no canto do salão principal. Quando se afastam, o sorriso profissional de Jenna vira real e ela vem na minha direção para me dar um abraço que não me deixa respirar.

— Senti tanto a sua falta!

— Não consigo respirar, Jen.

Ela me solta e segura meu rosto com as mãos.

— Quero chorar. Parece que meu bebê voltou pra casa; você está tão grande.

As palavras entalam na minha garganta, e sinto uma vontade imensa de chorar. Jenna foi minha orientadora quando eu era campista, e à medida que fui ficando mais velha e passando para outros grupos, ela me acompanhou. Ela jurava que era coincidência, mas eu gostava de acreditar que fazia isso para passar mais tempo comigo, e sendo uma criança sedenta por atenção, isso era um sonho.

Quando pegamos a estrada de terra que vem para o acampamento, senti que conseguia respirar de novo, como se tivesse chegado exatamente aonde deveria estar.

Jenna tinha dezoito anos quando nos conhecemos e, no lugar da minha irmã mais velha de verdade, foi a Jenna que ficou ao meu lado. Ela foi a fada do dente quando perdi meu primeiro dente aqui, minha salvadora quando fiquei menstruada pela primeira vez e meu ombro amigo quando tive meu primeiro beijo com Todd Anson e no dia seguinte ele beijou Polly Becker na quadra de vôlei.

— Falei com você dois dias atrás e não faz tanto tempo que nos vimos. — Eu dou risada, me soltando do abraço e parando do lado dela. — Quando você ficou tão carente?

— Sim, mas faz muito tempo que você não vem aqui. Tempo demais, na verdade. — Amo quando ela se faz de carente, ela sabe que eu amo, mas continua a brincadeira mesmo assim. — Desculpa, é culpa dos filhotes. Eles ativaram meu instinto maternal. Agora vou ter que ficar assistindo rapazes altos e musculosos brincando com eles o verão inteiro. — Ela suspira quando gesticula com a cabeça para Russ e os outros brincando com o trio de golden retrievers. — Parece que a Peixe já escolheu sua próxima vítima. Ela tem bom gosto.

Se Russ consegue sentir nosso olhar, não deixa transparecer. Eu não deveria encará-lo assim, mas ele está tão bonito quanto ontem, até mais. Fico de costas.

— Sobre esse aí...

Jenna semicerra os olhos como se estivesse tentando ver dentro do meu cérebro; e deve ter conseguido, porque seu rosto se transforma em uma expressão de horror.

— Você chegou faz menos de duas horas! Aurora, por favor, me diga como conseguiu quebrar a regra número um tão rápido?

— O quê? Não! Claro que não. Quem você acha que eu sou?

— Ainda bem. Não posso ser sua chefe se você vai sair desrespeitando regras.

— Eu não fiz nada!

Ela murmura algo que parece um suspiro de alívio e coloca as mãos na cintura.

— Que bom.

— Foi ontem à noite.

— Rory! — grita Jenna, arrastando a mão pelo rosto. — Não faça eu me arrepender de ter aceitado a sua inscrição. Você me prometeu que iria se dedicar. Andar por aqui como se fosse a dona do lugar era fofo quando você era uma menina danada de nove anos, mas se vai ser responsável pelos campistas, preciso que esteja concentrada no trabalho, e não na cama de um jogador de... sei lá, basquete? Futebol americano?

— Na verdade ele joga hóquei...

— Que bom que você resolveu variar um pouco, mas estou falando sério, Rory. Você me prometeu o verão inteiro. Nada de desistir porque está entediada com a vida no acampamento. Preciso que você esteja aqui por causa das crianças, não de um cara aleatório.

— Pode acreditar em mim, Jen. Nossa. Eu não sabia que ele viria! Acredite se quiser, ele não perguntou o que eu ia fazer esse verão quando estava me comendo — digo, cruzando os braços.

— Primeiro, nunca mais quero saber tantos detalhes sobre a sua vida sexual — resmunga ela, fazendo uma careta de nojo. — E segundo, eu confio em você, Rory. Sou sua fã número um, mas eu também te conheço. Não vamos dificultar a vida uma da outra, por favor. Concentre toda a sua energia nas crianças.

— Eu sei, Jenna — respondo. — Como eu disse, não sabia que ele vinha para cá.

Ela olha ao redor por um segundo e depois volta para mim.

— Quando você acordou hoje de manhã, nenhum dos dois falou "tenho que ir, preciso ir para Honey Acres"? Ou "valeu pelo sexo, tenho que ir para um acampamento"?

— Não, claro que não. Fui embora na noite passada enquanto ele estava se escondendo de mim no banheiro, e, quando me viu alguns minutos atrás, ele fingiu que nem me conhecia. Bem maduro.

— Ah, a época da faculdade.

Fico ao lado de Jenna e observo meus colegas de equipe conversando ao redor do bebedouro. Há dois caras com o Russ, ambos gatos, e se ouvi bem, estão falando de basquete, algo que geralmente desperta meu interesse.

— Além do mais, não estou interessada no Russ, os outros dois são mais bonitos.

— Mentira. — Não precisa se preocupar. — Uma grande mentira.

— Nada de gracinha com ninguém... Não me olha assim, Aurora. Estou falando sério. Você não tem carta branca só porque eu te amo e você acha que está acima das regras. Você disse que quer se encontrar nesse verão.

— Quero mesmo.

Jenna deve ser uns doze centímetros mais baixa que eu, e mesmo com um metro e cinquenta e oito de altura, ela consegue me empurrar de verdade quando bate o ombro no meu.

— Bom, se você for transar com alguém no acampamento, você vai se encontrar é em uma cova na floresta depois que eu te matar.

— Você não vai me matar. Não estou a fim dele, e está na cara que ele não está a fim de mim. — Volto para o meu lugar e a abraço, colocando minha cabeça sobre a dela. Comecei a fazer isso quando a ultrapassei em altura, o que a deixa superirritada. — Fala de novo que você me ama.

Ela bufa, um som de que sinto falta. Irritar a Jenna por chamada de vídeo não é a mesma coisa.

— Vou te denunciar pro RH.

— Fala, por favor. — Eu a provoco, prolongando a última sílaba de "favor" até ela tentar me dar uma cotovelada e seu cabelo preto curto fazer cócegas no meu rosto. — Por favor, por favor, por favor.

— Eu te amo, Aurora Roberts. Bem-vinda de volta ao lar. Agora me larga, tenho um tour para fazer.

— Parece que meus pés vão cair.

Lanço um olhar incrédulo para Emilia.

— Você é bailarina. Seus pés já passaram por coisa pior.

— Ser bailarina não tem nada a ver com o fato de que minhas sandálias são os sapatos errados para fazer trilha e estão acabando com meus pés.

— Criança de apartamento... — provoco. — Devia ter lido mais romances de cidade pequena para se preparar.

O tour curto e fácil (mesmo de sandálias) que a Jenna planejou foi roubado pelo Cooper, o responsável pelos Porcos-Espinhos, que acho que tem um crush nela e perguntou se podia se juntar a nós. É fofo, mas graças a ele e a seu entusiasmo, nosso tour demorou duas horas a mais do que os outros e acho que agora conheço cada centímetro de Honey Acres.

A caminhada nos deu a oportunidade de conversar com os outros orientadores, com exceção do Russ, que ficou lá na frente, conversando com Xander, o mesmo cara com quem ele estava mais cedo.

— Sim, esse é o meu problema. Falta de romances de cidades pequenas. — Ela mexe os dedos dos pés na areia ao redor do lago, mais conhecida como "praia", onde nos acomodamos em cadeiras. — Vou sentar no píer e mergulhar os pés na água; quer vir ou vai guardar as cadeiras?

— Vou ficar por aqui.

Nossas cadeiras são perfeitas para observar o movimento, e é divertido ver quem se aproxima de quem e confabular sobre futuras amizades. Foi engraçado ouvir a Orla falar sobre relacionamentos serem proibidos e saber que ninguém vai seguir essa regra. Quando eu era campista aqui, nós fazíamos teorias sobre os casais que se formavam depois do trabalho. Depois, enchíamos o saco dos orientadores para nos contarem as fofocas dos adultos.

Agora, minha coisa favorita como orientadora é assistir os cachorros analisarem todos, fazendo pausas para receber carinho antes de irem para a próxima pessoa. Amo cachorros, por isso estou observando um dos filhotes dormindo no colo do Russ, que ri e conversa com Maya, do nosso grupo, Peixe e o outro filhote deitados aos seus pés.

— Tem alguém sentado aqui?

Olhando para trás, vejo Clay, o outro cara do nosso grupo, descalço na areia, segurando duas cervejas.

— Não agora, mas ela volta já, já. — Eu aponto para a Emilia, que está conversando com alguém no píer. — Pode sentar.

Ao fazer isso, ele me oferece uma das garrafas de cerveja.

— Cerveja?

Apesar de Orla fazer tudo o que pode para proibir álcool, a menos que ela reviste as malas de todo mundo na chegada, não há como impedir as pessoas de trazerem bebidas na primeira semana. Imagino que ela saiba que isso acontece, mas é flexível quando as crianças não estão aqui. O que ela leva muito a sério é campistas se metendo com álcool, algo que descobri do pior jeito possível quando tinha quinze anos.

— Não, valeu. Estou meio que tentando não quebrar todas as regras no primeiro dia. — Nem enlouquecer a Jenna.

Clay dá de ombros e coloca a cerveja extra no suporte de copo da cadeira.

— Nunca somos pegos. Já trabalhei aqui antes. Mas você tem razão, temos tempo de sobra para quebrar as regras.

Ele começa a contar uma história sobre o trabalho de orientador e mal consigo acompanhar. Não porque não consigo entender, e sim porque é muito, muito entediante. Quando ele muda de assunto para falar que joga basquete na Berkeley (ou será que é USC?), já não estou prestando nenhuma atenção.

Não é culpa dele que minha mente esteja em outro lugar, e tenho certeza de que ele não está acostumado com mulheres ignorando-o quando ele fala. Clay é bonito de um jeito bem padrão: alto, queixo quadrado, olhos e sorriso bonito. Não gosto da quantidade de gel que ele usa no cabelo; tanto que parece que vai deixar um rastro de poluição se entrar no lago. Dispenso os olhares para meus peitos enquanto falo, mas não é o pior tipo de cara que já tentou se aproximar de mim.

Geralmente, eu aceitaria a atenção e daria corda para ele, mas acho o excesso de autoconfiança desagradável, e é difícil ficar ouvindo sua arrogância. Primeiro, fico com um carinha mais tímido, e agora não gosto mais de jogadores de basquete confiantes? Pane no sistema, alguém me desconfigurou.

Meus olhos vagam pela praia, e os cachorros parecem muito confortáveis quando Maya tira algo do ombro do Russ, sorrindo para ele. O filhote no colo nem se mexe quando Russ se ajeita e coça a nuca.

— Acho que vou aceitar aquela cerveja — digo, interrompendo a história de Clay sobre quanto peso ele puxa na academia.

— Ah, boa. Aqui...

Pelo menos está gelada.

— Valeu. Prazer te conhecer.

Não ouço a resposta dele enquanto me levanto e vou atrás de Emilia no píer. Ela franze o cenho ao ver eu me aproximar.

— E as nossas cadeiras? — Ela vê a cerveja na minha mão. — E a parada de se tornar outra mulher?

Ela aceita a bebida, toma um gole e eu me sento ao seu lado, colocando os pés na água.

— Vou começar amanhã. Tem coisas demais me irritando hoje para começar a mudar a minha vida.

— Ele só é tímido, Rory — diz Emilia, com gentileza, me devolvendo a cerveja.
Eu me viro para ela, confusa.
— Clay não é tímido. Gente tímida não fala olhando pros seus peitos.
Ela revira os olhos.
— Você sabe de quem estou falando. O cara que você não para de encarar.
Olho por cima do ombro, para a praia, e vejo que Russ ainda está conversando com Maya, e que Xander se juntou a eles.
— Estou olhando pros cachorros — digo. — Mas, se estiver falando do Russ... Bom, ele não é tímido demais para falar com as pessoas, né?
— Vai lá e fala com ele.
— E deixar ele me ignorar na frente de mais gente? Não, muito obrigada.
— A Maya está com saudade de casa, ele só deve estar tentando ajudar.
— Eu sei, conversei com ela quando você tava falando no celular com a Poppy. Ela mora perto da base da Fenrir no Reino Unido, mas alguns amigos de lá estão aqui também. Escuta, não é nada de mais, ele pode conversar com quem quiser, não sou desse tipo. Só é meio foda, porque parece que eu sou a única pessoa com quem ele não quer papo, sabe? Estou começando a achar que ele me enganou e que não é tão legal quanto parece.
— Não enganou, não. Mas, se fosse verdade, quem se importa? Vocês ficaram, e você vai partir pra próxima como sempre. — Emilia coloca o braço nos meus ombros e me puxa para perto, encostando a cabeça na minha enquanto tomo um gole da cerveja morna. — Se você me fizer ouvir você reclamar de macho o verão inteiro, vou falar pra sua mãe que você vai voltar a morar com ela.
— Não vou. Eu te disse, a partir de amanhã, vou ser uma nova mulher.

Capítulo nove
AURORA

Por que dizer que você vai trabalhar em você mesma é tão mais fácil do que fazer isso de verdade?

Quero deixar hábitos autodestrutivos para trás, mas estou aqui, no primeiro dia do Projeto Aurora, com o celular na mão, vendo os stories da Norah, mesmo sabendo que isso vai mexer comigo.

E é exatamente o que está acontecendo. Minha técnica de manifestação precisa melhorar, porque o time do meu pai arrasou no Grand Prix da Espanha e ele está superfeliz. Algo que eu sei graças a um dos vídeos fofinhos que Norah postou dele comemorando com a filha dela em casa.

Enfio o celular no bolso traseiro do short de novo, tentando esquecer a família perfeita da qual não faço parte, e acelero o passo até o treinamento de incêndio para o qual já estou atrasada.

Os exercícios de trabalho em equipe acontecem em grupos maiores, mas os treinos específicos são feitos em grupos de seis, o que não me permite passar despercebida.

— Você está... — Jenna olha para o relógio de pulso. — Seis minutos atrasada, Rory.

Geralmente não me importo com atrasos, mas sentir todo mundo me olhando me deixa vermelha. Bom, todo mundo, menos uma pessoa. Respondo com um "desculpa" e mantenho a cabeça baixa ao me sentar entre Emilia e Clay. Ele se aproxima e fala baixinho:

— Você não perdeu nada. Resumindo, fogo é ruim.

— Vou me lembrar disso.

Controlo a vontade de rir e tento me concentrar na Jenna, que está começando a falar dos treinos de emergência. Clay me oferece uma uva, o que, depois de ontem, parece uma oferta de paz.

Enquanto Jenna está explicando as regras da fogueira, sinto algo puxar meu pé. Olho pro chão, e lá está uma bolinha de pelos mordendo meu cadarço. Ao pegar o filhote gorducho, viro seu pingente para mim.

— Quem é você? — É o Salmão. — Cadê sua irmã, menino?

Assim que levanto o olhar, vejo Truta, aninhada feito um bebê, dormindo no peito do Russ. Fala sério, que sacanagem. Não consigo tirar os olhos dessa fofura, o que é um erro porque Russ finalmente tira o olhar da cachorrinha adormecida e me encara.

Ficamos um tempo assim, e é muito desconfortável e estranho, até Salmão decidir mastigar as pontas do meu cabelo, o que me distrai. Quando volto a olhar para ele, Russ está concentrado no que Jenna está falando.

O resto do treinamento passa voando, sem novas trocas de olhares, e, ao cruzarmos o campo principal a caminho da dinâmica de grupo, me sinto melhor do que a algumas horas atrás, olhando o que não deveria.

— Decidi que não me importo — declaro para Emilia.

— Que bom — responde ela, indiferente, tentando não tropeçar em Salmão, que corre entre nossos pés, tentando mastigar mais cadarços. — Do que você está falando mesmo?

— De tudo.

— Parece muito saudável e com certeza não vai sair pela culatra.

Tento acertar uma cotovelada nas costelas dela, mas Emilia desvia.

— Vou deletar meu fake e trancar meu celular na mala. O que os olhos não veem, o coração não sente.

— Eu apoio. Já falei: confiar em homem nunca dá certo. Deixe Chuck e Norah brincarem de família feliz no Instagram e concentre-se em você mesma.

— Nossa, por um segundo tive a sensação de que minha mãe estava aqui — falo, de brincadeira.

Cansada de desviar do cachorro, Emilia se abaixa para pegar Salmão e o coloca debaixo do braço.

— Você é muito irritante — reclama.

Ele fica com a língua pendurada para fora enquanto Emilia tenta lidar com o peso do golden retriever. Estico a mão para fazer carinho atrás da orelha do Salmão, e seguimos em direção ao local da atividade.

— Ah, ele não é irritante. Ele é só um neném.

Emilia franze o cenho ao olhar para mim.

— Eu estava falando de você.

Finalmente encontramos os outros orientadores ao lado de várias tábuas e plataformas organizadas em grupos de quatro.

— Não sei que porcaria é essa que vamos ter que fazer — comenta Maya.

Já vi essa atividade, mas nunca participei.

— Você precisa levar a equipe inteira da primeira plataforma até a última, mas fica cada vez mais difícil porque o espaço entre elas fica maior e o espaço na plataforma, menor. Ninguém pode encostar no chão.

— Um caos, então. — Ela sorri. — Vou dar oi pros meus amigos, já volto.

— Será que você me irritaria menos se ainda tivesse sotaque britânico? — diz Emilia, baixinho, observando Maya se afastar de nós.

— Nunca tive o mesmo sotaque da Maya. Sempre foi mais americano. Meu sotaque ficava mais forte dependendo de quanto tempo eu passava no trabalho do meu pai.

Xander, Russ e Clay finalmente param de sussurrar entre si e se viram para nós.

— Ok, o plano é o seguinte — diz Xander, sério. — Vamos pular de uma plataforma para a outra.

Emilia começa a rir alto, e eu balanço a cabeça.

— Não vamos, não.

— Por que não? É o jeito mais fácil — rebate ele de imediato.

Emilia ainda está rindo da ideia de tentarmos pular entre as plataformas. Xander parece genuinamente surpreso com essa reação, e Clay está segurando o riso também, mas Russ está... observando.

— Talvez para você, sr. Otimista da NBA, mas para o resto de nós, mortais, pular essa distância é impossível.

— Vamos ajudar. Vai dar certo.

A boca de Xander não se mexe, e é nessa hora que percebo que quem falou comigo foi Russ.

— Ah. — Diz alguma coisa, Aurora. — Beleza.

Eu me odeio.

Russ faz aquele aceno com a cabeça que todo cara faz, sem dizer mais nada. Foi bom ouvi-lo falar alguma coisa, pois agora sei que ele é real, e não a minha imaginação me assombrando, que nem um fantasma de ficantes passados.

— Isso aqui tá ligado?

Todos se viram para Orla, em pé na última plataforma com um megafone nas mãos. Ela tem esse megafone desde que eu a conheço e, sempre que ele quebra, ela pede para a manutenção consertar em vez de comprar um novo.

Eu o roubei uma vez e usei para dar um susto na Jenna quando ela estava dando em cima de um dos orientadores, o que me deixou de castigo pelo resto da tarde, mas valeu a pena.

Orla explica as regras: você só pode ir para a próxima plataforma quando a equipe inteira estiver junta. Se alguém cair, a equipe inteira deve começar do zero, e ganha quem chegar no final e ficar trinta segundos na plataforma sem cair.

Maya volta para o nosso grupo e Xander se vira para ela:

— Vamos pular.

— Não vamos, não — dizemos eu e Emilia ao mesmo tempo.

— Você é alto — diz Maya, olhando-o de cima a baixo.

— Obrigada por notar...

— Se é tão confiante assim, por que não se deita entre as plataformas e nós andamos em cima de você como se fosse uma prancha?

— É, Xan — diz Russ, rindo. — Por que não andamos em cima de você como se fosse uma prancha?

— Engraçado, acho que não tô a fim de ser esmagado por um jogador de hóquei.

— Não desdenha antes de experimentar — digo baixinho, sem pensar.

Por sorte, a maioria do grupo não ouviu a minha confissão, mas Russ e Xander ouviram, e o rosto de Russ começa a ficar vermelho.

O olhar de Xander vai de mim para Russ em um segundo, e na hora soa o apito que o impede de comentar. Nós todos corremos para a primeira plataforma que mal comporta os seis.

— Estamos em clara desvantagem porque vocês três são gigantes — resmunga Emilia para as costas de Clay, que está na sua frente.

— Aurora, desculpe encostar na sua bunda, não consigo mudar de posição — diz Maya.

— Tá encostando na minha também — comenta Xander.

Russ solta um suspiro.

— Não, essa é a minha mão.

A plataforma range quando Russ pula para a próxima, seguido por Clay e Xander. Agora que os meninos saíram, temos espaço para nos mexer, e começamos a mover nossa prancha para andar até a plataforma seguinte.

— É só pular! — grita Xander.

Maya abre os braços para se equilibrar enquanto anda até a próxima plataforma.

— Não vou pular se tem uma ponte!

— Vem logo, Mary Poppins — diz Clay, esticando a mão para ajudar Maya nos últimos passos. O caminho é fácil, e quando estamos todos na segunda plataforma, começamos tudo de novo.

— Xander, você vai me fazer cair! — Eu me seguro em Clay atrás de mim e suas mãos vão direto para minha cintura. Mudo o apoio para Emilia, que está ao meu lado, e olho para ele por cima do ombro. — Tá tudo bem, não precisa me segurar.

Percebemos que a prancha mal toca na próxima plataforma, que está mais longe do que a primeira, e os meninos montam um plano em que um deles vai pular por último, assim vão poder ajudar as pessoas que não são meio humano, meio canguru. Ouvir o barulho das outras equipes gritando instruções entre si e perceber que estamos na frente ativa o meu espírito competitivo.

Xander pula sem problemas para a próxima plataforma, se ajoelha e agarra a prancha, que não é longa o suficiente para formar uma ponte. Ele a segura firme, lhe damos um tapinha na cabeça depois de atravessar, e ficamos o mais próximo possível das bordas para Russ e Clay terem espaço para pular.

— Meu Deus — grita Emilia. — Alguém pula logo antes que a gente caia.

Todos os meninos pulam, fazendo parecer algo muito fácil, mas, assim que chegam na plataforma final, fica claro que não há espaço suficiente para seis pessoas. Mesmo se houvesse, seria impossível pular essa distância.

— Como caralhos vamos fazer isso? — Eu colocaria as mãos na cintura, mas é impossível fazer isso sem empurrar Maya.

— Mais alguém está preocupado com o limite de peso dessas plataformas? — pergunta Clay, olhando para a caixa rangendo sob seus pés.

— Alguém aqui foi líder de torcida? — pergunta Xander.

— Esse não é o tipo de espírito de equipe que a gente precisa agora, amigão — diz Emilia em um tom sarcástico.

Revirando os olhos, ele aponta para a distância entre nós.

— Duas de vocês lançam a outra até aqui. Vamos pegar. — Todos continuam em silêncio. — Estão me dizendo que ninguém aqui foi líder de torcida na escola?

— É... — diz Maya. — Isso não existe lá onde eu moro.

— Aurora foi expulsa da equipe de torcida no primeiro ano — diz Emilia. — No meu caso, balé e pirâmides humanas não se misturam.

— Você também não é muito animada — resmungo baixinho.

— Por que você foi expulsa? — pergunta Clay.

— Não impor...

— Ela roubou o mascote do outro time e perdeu.

— Emilia!

Xander olha para os outros times e se volta para nós com uma expressão preocupada no rosto.

— Gente, precisamos fazer alguma coisa..

— Como você perdeu um mascote? — pergunta Russ, olhando para mim.

— Eu... Ah, ele fugiu. — Isso chama sua atenção. Seus olhos se arregalam, e sinto uma necessidade urgente de explicar. — Era um porco, não uma pessoa. Acharam o bicho algumas horas depois, ficou tudo bem. Ele estava brincando com o cachorro do zelador, mas disseram que minhas ações não refletiam os valores da equipe. Enfim, podemos seguir em frente? Quem vai ser arremessada?

— Galera, se a gente perder porque vocês são todas baixinhas e a Aurora é uma ladra de porcos, vou ficar puto — diz Xander, irritado.

— Você que é um gigante. Maya, vai ser você — digo, entrelaçando os dedos e me abaixando para servir de apoio para o pé dela. Emilia faz o mesmo e Maya se segura em nós enquanto sobe.

— Quero deixar registrado — diz ela, quase sussurrando — que eu acho essa uma péssima ideia.

— Preparem-se para pegar! Três... dois... um...

Quando Emilia e eu lançamos a coitada da Maya, talvez com um pouco de força demais, na direção dos meninos, parece que estamos jogando uma espécie de boliche humano. Por sorte, eles a seguram e a colocam entre si na plataforma. Não tem mais espaço para ninguém ali, e não faço ideia do que fazer agora.

— Sobe nos ombros de alguém, Maya! — grita Emilia. Russ e Clay seguram os braços de Maya e ajudam Xander a colocá-la nos ombros dele, criando um espaço minúsculo para uma pessoa.

Emilia me cutuca de leve, algo que consegue fazer agora que temos um pouco mais de espaço.

— Sua vez.

— De jeito nenhum. Vai você.

Mais uma vez, Xander olha para os outros grupos.

— Aurora, por mais que ache que não, você é alta o bastante para pular.

Se ele acha isso porque eu sou dez centímetros mais alta que Emilia, claramente não sabe que ela consegue atravessar um palco saltando que nem uma gazela.

— Emilia, tenho uma ideia. Você confia na gente?

— Nem um pouco — responde ela. Balanço a cabeça, tentando não rir do semblante irritado de Xander.

— Você consegue confiar na gente por cinco segundos? Pula para cá com os braços esticados, como se estivesse se jogando para pegar uma bola.

— Eu pareço o tipo de pessoa que gosta de cair de cara no chão? — responde ela, irritada.

Começo a rir antes mesmo de falar.

— Você gosta de cair de boca...

— Não! Não! Não!

Apesar de Emilia me empurrar para fora da plataforma, deixando nossos colegas de equipe em pânico, ainda consigo me manter no lugar, me segurando nela.

— Meu Deus, que coisa estressante — resmunga Clay. — Estica os braços, Emilia. Eu e o Russ vamos agarrar suas mãos e te puxar; você só precisa pular o suficiente pra gente conseguir te alcançar.

— Eu te odeio por ter me convencido a vir pra cá — murmura ela antes de pular da beirada da plataforma com os braços esticados. Xander tinha razão e o plano dá certo, e em poucos segundos Emilia está do outro lado, sentada nos ombros do Clay.

Com ela nos ombros, é impossível ele me ajudar a atravessar, então vou ter que pular. A vontade de descer da plataforma e entregar a vitória fica cada vez maior.

— Tô com medo — grito, sem conseguir me ver pulando uma distância tão grande.

— Você consegue, Rory — grita Emilia, sentada nos ombros de Clay. — Por favor, vai logo. Acho que tô começando a ficar com medo de altura.

— Acho que não consigo...

— Aurora — diz Russ em um tom gentil, se ajeitando para ficar no último espaço vazio da plataforma. — Olha pra mim. Você consegue, só precisa pular nos meus braços, e eu vou te pegar, tá bom?

— E se você cair?

— Então vamos cair juntos. — Ele sorri para mim, e meu coração bate forte, traindo meu cérebro. Não era para a gente se importar tanto assim, lembra? — E o Xander vai ficar puto com nós dois.

— Eu vou *mesmo* ficar puto com vocês dois — resmunga ele.

— Ignora ele, só foca em mim — diz Russ. — Eu acredito em você. Respira fundo. Vou contar até três, e aí quero que você pule com toda a força que puder.

— E você vai me pegar?

— Prometo que vou te pegar. Três... Dois...

Ele se inclina para a frente com os braços esticados, e eu me esqueço de tudo e me concentro em saltar na direção dele. Suas mãos alcançam meus braços imediatamente e me puxam até eu me aninhar no peito dele.

— Ursos-Pardos! Trinta segundos e serão campeões! — anuncia Orla com seu megafone.

— Ninguém se mexe! — grita Xander.

Eu baixo os braços, que estavam presos contra o peito de Russ, mas ele não me solta. Meu corpo continua espremido contra o dele, nos mantendo na plataforma.

Ele cheira a roupa lavada, sândalo e baunilha, e quando olho para seu rosto, ele está de olhos fechados e murmurando nomes de times de hóquei.

É aí que sinto algo pressionar minha barriga e ele começa a me soltar, mas é tarde demais.

São os trinta segundos mais longos da minha vida. Russ está desesperado para a ereção passar.

— Ursos-Pardos são os vencedores! — anuncia Orla, e Xander fica radiante.

Saio da plataforma e me afasto de Russ. Por sorte, os meninos estão distraídos tirando Maya e Emilia dos ombros, e quando Russ olha para mim, dou uma piscadinha em resposta.

Agora, até suas orelhas ficam vermelhas.

Capítulo dez
RUSS

— Você vai falar alguma coisa ou vai só ficar me encarando?

JJ não tira a expressão arrogante do rosto, o que me faz querer desligar a chamada de vídeo na cara dele.

— Fico honrado, e nada surpreso, por você estar me ligando para receber conselhos. O que posso fazer por você, amigo? Quer aprender sobre a taxa de juros? Previdência Social?

— Sim, eu liguei para você do acampamento para fazer meu plano de aposentadoria — digo, sarcástico, revirando os olhos. — Eu devia ter ligado pro Nate.

— Retire o que disse. — JJ, que estava deitado no sofá, se levanta imediatamente. — Você tem minha total atenção. O que rolou?

Estou no prédio principal na hora do almoço, porque é o único lugar com wi-fi. Olho ao redor para me certificar de que estou sozinho.

— Aurora. A menina com quem fiquei no sábado à noite. Ela está aqui.

— Boa. Adoro um romance de verão — diz ele, empolgado.

— Não. Não tem nenhum romance. Ela, hum, meio que foi embora quando eu estava no banheiro. — Eu me afundo na cadeira, com vergonha de admitir isso. — Além do mais, funcionários não podem ficar, e ela não está interessada.

JJ fica em silêncio, e estou esperando ele reagir.

— Russ, você vai ter que me explicar isso como se eu fosse uma criança, porque não entendi qual é o problema.

— Eu estava me preparando para chamar ela pra sair e, quando saí do banheiro, ela já tinha ido embora. Eu sei, é humilhante, mas agora ficou um climão, porque a gente está aqui e estou mantendo distância, e…

— Espera aí, Callaghan. Você gosta dessa mulher e está mantendo distância por quê?

— Não quero que ela se sinta desconfortável. Ela não queria me ver nunca mais, e agora não consegue fugir de mim. Estamos no mesmo grupo.

JJ solta um longo suspiro.

— Ela disse que não queria mais te ver?

— Eu não falei direito com ela ainda. Como disse, estou mantendo uma distância entre a gente. Não quero...

— Que ela se sinta desconfortável, sim. Você disse. Ai, Russ. Você é incorrigível, mas eu te amo mesmo assim.

— Valeu?

— Isso não é verdade a menos que ela te diga com todas as letras. A menos que ela diga que não quer mais te ver, você está criando coisas na sua cabeça.

Maravilha.

— E agora?

— Bom, você está parecendo ser o tipo de cara que conseguiu o que queria e agora está ignorando a garota, e você não é assim. Você é um cara legal que não entende que, às vezes, ir embora depois de transar não é nada de mais. Você não vai ter chance nenhuma se continuar sem falar com ela, gênio.

Não tenho jeito mesmo.

— Não quero ter uma chance com ela. Não quero ser demitido.

— Então por que você está me ligando para falar de uma garota com quem não quer nada?

— Só quero saber o que fazer quando ela estiver por perto, já que a gente vai ter que trabalhar juntos por semanas. — Coço o queixo, me sentindo completamente perdido. — A gente teve que se apertar ontem... Para de me olhar assim, foi uma dinâmica de grupo. E ela estava tão perto que eu senti o cheiro do xampu e, bom...

Abaixo o volume do celular e dou mais uma olhada em volta para me certificar de que estou sozinho quando JJ solta uma gargalhada. Ele se recompõe, e sinto o rosto pegar fogo.

— Acontece com todo mundo, amigão. Ela percebeu?

— Bom, estava cutucando a barriga dela. — Solto um suspiro e esfrego o rosto, me preparando para mais uma risada. — Quando ela se afastou, piscou pra mim.

JJ só parou de rir quando minha contagem chegou a trinta e três.

— O verdadeiro motivo dessa ligação.

— O que eu faço?

— Aceite que você interpretou errado a situação e fale com ela em vez de ignorá-la feito um babaca. O melhor jeito de lidar com ela é realmente lidar com ela. É fácil.

As portas atrás de mim se abrem, e, por cima do ombro, vejo Xander entrar com os cachorros.

— Tenho que ir, mas eu agradeço a ajuda, cara. Obrigado por me ouvir.

— Tchau, Romeu, manda notícias — diz JJ antes de desligar.

Agora que meu celular está com sinal, as notificações começaram a chegar enquanto eu falava com JJ. A última mensagem no grupo é uma foto de Mattie, Bobby e Kris na praia, em Miami, e uma de Lola, Tasi e Joe no voo para Nova York.

Faço um vídeo da Truta subindo do outro lado do pufe e escorregando até o meu colo e mando no grupo. Estou prestes a fechar a janela de mensagens quando vejo algumas da última pessoa que gostaria de ver.

PAI

Tudo bem?
Viu meu pedido??

E, algumas horas depois:

Bom demais pra me responder?
Acha que é melhor do que eu, né
Bom demais pra nossa família

— Cara, eu tô acabado — resmunga Xander, se jogando no pufe gigante ao lado, o que me faz bloquear a tela do celular e guardá-lo imediatamente. — Esse sol tá foda.

Demoro para entender o que ele disse porque meu coração está acelerado, graças às mensagens do meu pai.

— É, tá foda mesmo. Cadê todo mundo?

Ele tira os tênis e estica as pernas.

— Pegando sol, acho. Preciso de uma sombra, senão vou derreter.

Morar com Xander tem sido muito bom. Tirando o fato de ser muito competitivo, como descobri ontem; ele é muito tranquilo, organizado e parece ter um sexto sentido para saber quando deve parar de fazer perguntas. Quando ele entendeu que eu, Aurora e Emilia estudamos no mesmo lugar e perguntou se nos conhecíamos, respondi só com um "mais ou menos" e um dar de ombros. Ele não perguntou mais.

Ficamos sentados ali, em silêncio, outra coisa de que gosto muito, e Xander começa a mexer no celular. Tenho medo de pegar o meu, então me concentro na Truta e penso no que JJ disse.

— Empolgado pra amanhã? — pergunta Xander, tirando os olhos do celular.

Apesar de termos enfermeiros no acampamento, todo mundo tem que fazer treinamento de primeiros socorros. Qualquer coisa é melhor do que o treino de segurança em escaladas que a gente fez hoje de manhã, no qual passei a maior parte do tempo com o pau do Xander na minha frente. Pior do que isso só os exercícios para quebrar o gelo, que são a pior parte.

— Depois de hoje, qualquer coisa que não seja um quebra-gelo tá ótimo pra mim.

Ele resmunga, jogando a cabeça para trás com força no pufe. Truta pula, assustada.

— Alguém avisa pra eles que o gelo já quebrou. Vi o Clay pelado sem querer hoje de manhã; não dá pra ter menos gelo do que isso.

Eu estava tentando tirar meus seguidores caninos da cabana hoje de manhã quando Xander apareceu, horrorizado.

— Entrei na cabana errada — gaguejou ele, cobrindo a careta com uma mão. — Não prestei atenção. Meu Deus.

— Talvez a gente precise congelar algumas coisas de novo, então — brinco. — Quer que eu encha a sua garrafa d'água antes de sair?

Ele assente e passa a garrafinha para mim.

— Valeu, cara.

Estou indo em direção aos bebedouros quando alguém vira a esquina e esbarra em mim. Deixo as garrafas caírem no chão e seguro a pessoa que quase tropeçou.

— Mil desculpas. Não olhei para onde estava... — Aurora finalmente levanta o olhar. — Ah, oi.

— Oi.

Ela se mexe, e então percebo que ainda estou segurando-a e que seus olhos estão inchados.

— Você tá bem?

— Tô ótima — responde ela na hora, me dando um sorriso que parece completamente falso.

Eu conheço seu sorriso de verdade — fazê-la rir e sorrir é algo que não sai da minha cabeça — e não é esse.

— Tá tudo ótimo — ela repete.

Não parece estar tudo ótimo. Pego as garrafas que derrubei e uso os poucos segundos sem que seus olhos verdes e tristes estejam em mim para tentar adivinhar qual é o problema. Ouvi ela falar pra Maya hoje de manhã que não gostava de fazer par com Clay porque não gosta do jeito que ele olha pro seu corpo quando estão trabalhando juntos.

Também não gosto de como ele olha para ela quando os dois trabalham juntos, ou de como ele deixa as mãos se demorarem nela por mais tempo do que o necessário. Mas pensei que isso fosse ciúme, e não um desconforto real. Aurora e Maya concordaram que ele é inofensivo, apesar de irritante, o que fez eu me sentir melhor e um pouco menos a fim de jogá-lo no lago ou em cima de um urso.

— Eu só estava indo pegar água pra mim e pro Xander.

— Boa ideia! — diz ela, mais empolgada do que necessário. — É importante se hidratar.

Coloco as garrafas embaixo do braço e pigarreio.

— Aurora, aconteceu alguma coisa?

— Nada fora do esperado, na verdade. Tá tudo bem. Eu estou bem. Tá tudo ótimo — repete ela. Não sei quem está tentando convencer de verdade: a mim ou a si mesma. Antes que eu possa perguntar mais alguma coisa, ela dá um passo para trás, ainda com o sorriso falso no rosto. — Te vejo no treinamento.

Ela vai embora antes que eu possa responder.

Os ventiladores movidos a energia solar virados para nós não são suficientes para combater o calor insuportável da tarde.

— Não consigo viver assim — resmunga Xander, se abanando com a mão. — Por que não podemos fazer isso lá dentro?

— Como acha que eu estou me sentindo? — diz Maya, sacudindo a camisa do time Ursos-Pardos. — O sol da Inglaterra não é assim.

— Eu tô mais preocupado com os bonecos, acho que vão derreter — digo, gesticulando para os manequins de plástico.

— Oi, oi. Cheguei. Desculpa, pessoal. Meu nome é Jeremy e vocês devem ser... — Ele olha para a prancheta. — Alexander, Aurora, Clay, Emilia, Maya e Russ, certo? Ótimo.

Viro um fã do Jeremy na hora, porque ele imediatamente reclama do calor e nos leva para a sombra. Ele também não me escolhe para fazer a demonstração, o que o faz ganhar pontos comigo.

Emilia está suando e bufando quando enfim consegue colocar Xander na posição certa, mas quando termina, ela se senta e admira o trabalho bem-feito, mãos na cintura, feito um pai orgulhoso do resultado.

— Os outros podem formar pares e praticar, por favor — diz Jeremy. — Estarei observando; por favor, chamem se tiverem alguma dificuldade.

Na mesma hora, Clay vai em direção à Aurora, mas eu estou mais próximo.

— Vamos — digo, apontando para um dos tapetes vazios. — Eu faço primeiro.

— Ah, ok. — Acho que, desde que chegamos, nunca a vi tão quieta quanto hoje. Sei que não posso criar expectativas depois de ignorá-la por quarenta e oito horas,

mas ainda não sei o que a deixou chateada mais cedo, e isso está me incomodando.
— Obrigada.

Tomamos nossas posições, ela no tapete e eu ao lado, e de repente não lembro de nada que deveria fazer. O treinador Faulkner nos obriga a fazer treinamento de primeiros socorros todo ano, dizendo que nunca se sabe quando vamos precisar, então não é a minha primeira vez, mas aqui estou eu de novo, perdido.

Observo Xander mover a Emilia e, de repente, tudo volta. Seguro a parte traseira da coxa e começo a levantar a perna dela para colocá-la na posição certa.

— Você devia falar para ele que não gosta quando ele encosta em você assim.

Esse exercício é a desculpa perfeita para não olhar diretamente para ela, mas sinto Aurora me encarando.

— E como você sabe disso?
— Sua linguagem corporal muda quando ele está perto de você.

Ela bufa.

— Parece que você sabe muito sobre o meu corpo para alguém que mal olhou na minha cara desde que chegamos aqui.

Suas palavras me fazem congelar, mas apenas por uma fração de segundo. Em seguida, coloco seus braços em ângulos retos e rolo o corpo para que ela fique na posição certa.

— Fala pra ele, Aurora.
— Tá com ciúme? — pergunta ela, voltando a ficar deitada de costas, depois sentada. Ela se inclina para trás e se apoia nas mãos, o cabelo bagunçado por causa dos movimentos, com sardas começando a decorar suas bochechas. Ela é linda pra caralho, mas tem alguma coisa diferente. Claro que estou com ciúmes de como é fácil para Clay conversar com ela e tocá-la sem se importar com as consequências.

— Não, não tô com ciúme.

Ela parece meio triste.

— Então não precisa se preocupar com isso, né?
— Aurora, eu...

Ela se levanta antes que eu possa responder.

— Com licença, vou ao banheiro.

Assinto e a observo se afastar, me deitando no tapete para não ter que ver todo mundo seguindo para a próxima tarefa de boa. Depois de uns cinco minutos, ela volta e se senta na grama ao meu lado.

Ela coloca o cabelo atrás das orelhas, abraça os joelhos e fala:

— Desculpa por agir assim. Estou tendo um dia ruim. É o aniversário do meu pai e, bom, temos uma relação péssima. Na verdade, chamar de "relação" já é forçar a barra... e agora estou falando demais. Podemos começar do zero? Eu quero te colocar na posição de segurança.

— Eu quero ser colocado na posição de segurança por você.

É fofo vê-la tão concentrada. Ela tenta levantar minha perna, como fiz com a sua, mas acaba bufando e precisando usar as duas mãos.

— Você quer que eu te ajude?

— Não! — responde ela, mexendo na minha perna até colocá-la no lugar certo.

— Se você estivesse desmaiado não poderia me ajudar.

— Beleza então.

— Meu Deus, parece que eu tô na academia. Por que você é tão grande? — Ela vai me matar tentando me salvar. — Ah, esqueci de checar se você tá respirando!

Antes que eu possa enfatizar que estou — por enquanto —, me afogo em um mar de cabelos loiros com cheiro de pêssego. Depois que todos os membros estão no lugar certo, ela me puxa para si, me deixando na posição final.

— Muito bem, Aurora — diz Jeremy, atrás de nós. Não percebi que ele estava ali. — Vocês podem ir para os curativos agora. Temos um passo a passo para seguir; vou pegar os materiais e vocês me avisam quando terminarem.

— Bom trabalho, parceiro — diz ela, levantando a mão no ar para eu bater. — Somos uma boa equipe. Você é muito bom... posicionando pessoas.

Meus lábios formam um sorriso enquanto a ouço tagarelar, ficando mais sem graça a cada palavra.

— Você também é boa posicionando pessoas.

— O sol tá derretendo meu cérebro. Vamos pegar os curativos. Você pode me atar primeiro. — Ela balança a cabeça e bate a palma da mão na testa. — Isso soou estranho, né?

Aurora é linda quando fica tímida.

— Aham. Bom trabalho, parceira.

Capítulo onze
RUSS

Aurora está muito, muito bêbada, então estou mantendo distância de novo. Por mais que Xander tenha me avisado que todo mundo bebeu quando ele trabalhou aqui ano passado e nada aconteceu, prefiro me manter fora da brincadeira caótica que está rolando, uma mistura de Verdade ou Consequência e Eu Nunca, que depende da sua posição ao redor da fogueira.

Nossa cabana é uma das oito dos orientadores que ficam na margem do lago, o que me dá uma posição privilegiada de onde posso ver o que todo mundo está fazendo enquanto fico tranquilo com meu livro.

Meu amor pela leitura começou quando eu era criança. Como a maioria das pessoas viciadas em apostas, meu pai é péssimo apostador e volta e meia ficava de mau humor por causa disso. Ler era a coisa mais divertida que eu podia fazer em silêncio, e sempre evitei chamar atenção quando ele estava pronto para comprar briga sem motivo.

É curioso como a leitura continua me mantendo são e salvo mesmo depois de adulto.

Sei que isso faz todo mundo achar que sou chato, mas estou amando estar aqui e, além dos motivos óbvios, é outra razão para não querer ser mandado embora. Posso tentar não me preocupar com o que as pessoas pensam ou sabem sobre mim, algo que eu tenho dificuldade de fazer na faculdade. Fico repetindo para mim mesmo que provavelmente nunca mais vou ver metade dessas pessoas, então tento ser eu mesmo e participar.

Porém, há uma pessoa que talvez eu continue encontrando e, no momento, ela está bebendo cerveja do gargalo e rindo alto. Não parece sincero, é como se fosse uma máscara. Isso é algo em que penso com frequência, quanto Aurora finge ser feliz, com sorrisos largos e risadas altas, mas sempre parece forçado.

Mais cedo, quando ela veio para perto de mim e vi a garrafa de tequila na sua mão, provavelmente querendo me chamar para interagir, andei na direção oposta, seguindo para minha cabana, e me senti o maior babaca do mundo. Peguei Aurora olhando para cá algumas vezes, mas, quando ela encontra o meu olhar, desvia rapidamente e volta a atenção para o jogo.

Pego a garrafa d'água no corrimão ao meu lado, estico as pernas e vou em direção aos bebedouros perto do campo principal. É estranho não ter que me preocupar em tropeçar em um cachorro, e sinto falta dos meus seguidores.

Jenna disse que eu deveria me sentir honrado por ter sido escolhido, e eu concordo. Nunca fui a primeira escolha de ninguém, então quero aproveitar esse momento. Mesmo que seja com cachorros.

Estou passando pelas cabanas vazias das crianças do outro lado do campo e então ouço passos no caminho de cascalho. As bochechas de Aurora estão rosadas e os olhos, vidrados.

— Eu simplesmente odeio correr. — Ela bufa, se apoiando nos joelhos enquanto recupera o fôlego. — O que você tá fazendo?

— Pegando água. Tá tudo bem?

Ela assente, ficando em pé de novo antes de começar a balançar.

— Tudo ótimo. Amo a minha vida.

Não parece que ela ama a vida; ela está com a fala arrastada, alta, artificial e desconfortável. Não sei o que aconteceu entre o exercício hoje de tarde e agora, mas parece que ela está a um drinque de se tornar uma bêbada chorona.

— Tem certeza que…?

— Você não tá participando. — Ela tropeça para a frente, recupera o equilíbrio logo em seguida, e anda na minha direção até estar perto o bastante para eu tocá-la, se quisesse. O aroma da fogueira está no ar, e é uma boa distração para não me perder nas lembranças do cheiro do seu xampu. Seu lábio inferior treme quando ela respira fundo. — É por minha causa? Fiz alguma coisa errada?

— Não. Eu não quero me meter em confusão por estar bebendo — explico. — E você tá muito, muito bêbada. É melhor ir dormir, temos treinamento de segurança aquática amanhã e tá tarde.

Ela continua balançando, e eu quase consigo ouvir as engrenagens na sua cabeça girando com dificuldade graças à tequila.

Reconheço o som familiar de uma coleira de cachorro e patas andando no cascalho. Decido não descobrir com quem estão, pego o braço de Aurora e a puxo para um canto escuro entre duas cabanas.

— Tem alguém vindo — explico quando ela olha para mim, assustada.

Esse seria um péssimo momento para encontrar criaturas não tão fofas que com certeza circulam pelo acampamento à noite.

Rápida e silenciosamente, nos coloco em meio às sombras, praticamente carregando Aurora, que está com uma crise de riso. Sim, ela acha que é engraçado.

— Para de rir — sussurro.

Ela se inclina para a frente, enfiando o rosto na minha camiseta, tentando abafar o barulho. Não funciona, e, quando ela solta um ronco, cubro sua boca com a mão.

— Shhh.

Peixe fica parada onde eu e Aurora estávamos e encara a escuridão e, por consequência, nós. Prendo a respiração, o coração batendo tão forte que fico surpreso por Aurora não conseguir ouvi-lo. Estou pensando em todas as possíveis desculpas que poderia dar quando percebo que estar em um canto escuro do acampamento com uma garota bêbada é muito pior do que estar conversando com uma. Então, Peixe late e juro que meu coração para.

— Para, sua curiosa.

Jenna repreende a cachorrinha e dá um comando para os filhotes a seguirem.

— Peixe, vem — diz, e assovia.

Eu espero até não conseguir mais ouvir os passos no cascalho para respirar de novo.

— Merda! — Tiro a mão da boca de Aurora. — Você me mordeu?

— Você esqueceu que eu tava aqui. — Como se isso fosse possível. — Você faz isso muito bem.

Como me meti exatamente na situação que estava tentando evitar?

— Vem, Edward Cullen. Vamos voltar antes que algo maior e mais assustador do que você decida me morder.

Levá-la até a via iluminada segurando seus braços é como guiar um bebê que está aprendendo a andar.

— Russ, eu tô enjoada — murmura.

— Quer água?

Ela assente. Existe uma possibilidade muito real de Aurora vomitar em mim. Eu a levo até as escadas de uma cabana com o nome "Guaxinim" na porta, faço ela se sentar e vou correndo para o bebedouro. Não demoro, mas quando volto, ela está pálida.

— Não tô me sentindo bem.

Ela solta um gemido e cobre a boca com as mãos.

— Imagino. Você bebeu que nem um peixe. Toma aqui — digo, e lhe entrego minha garrafa d'água.

Ela levanta o olhar, seus olhos verdes se concentram em mim entre piscadas demoradas.

— Eu bebo que nem um cachorro?

— O quê? Não, quis dizer... Ah, deixa pra lá. — Ela bebe a água e limpa o canto da boca com as costas da mão. — Quer que eu te acompanhe até a sua cabana?

Assentindo, Aurora estica a mão para mim e eu a puxo devagar, ajudando-a a ficar em pé; seus dedos se entrelaçam nos meus e ela começa a me guiar para sua cabana, que fica em uma área diferente da minha.

Estamos no meio do caminho quando ela se vira de repente, me fazendo parar.

— Quer ir nadar pelado?

Meu Deus.

— Você precisa ir dormir.

— Eu não quero ir dormir.

Ela faz um bico que me lembra de Tasi e Lola quando ficam bêbadas. Seria fofo se eu não estivesse tão tenso.

— Bom, você precisa — digo, puxando-a.

— Me obriga.

— Não vou te obrigar a nada.

— Você já me levou pra cama uma vez, não vai ser difícil.

Eu devia ter ficado lendo meu livro.

— Se você não for dormir, vai se sentir péssima amanhã e só vai poder culpar a si mesma por isso.

— Meu pai é o culpado por todos os meus problemas, então isso não é verdade, tá?

Por mais bêbada que esteja, suas palavras parecem certeiras e sinceras. É algo que eu entendo, mas falar sobre problemas de família é a última coisa que quero fazer nesse verão. Lidar com uma pessoa bêbada é definitivamente o oposto do que preciso agora.

— Você não manda em mim, meu bom senhor. Você não é meu dono — insiste ela.

— Mas você *acabou* de me falar para obrigar você a fazer algo. Sei que não sou o seu d... — Paro de falar porque estou tentando argumentar com alguém que provavelmente não vai lembrar de nada disso amanhã. — É por isso que ficou tão bêbada? Seu pai fez alguma coisa?

— Hoje é o aniversário dele. — Ela olha para o relógio no pulso e franze a testa. — Isso é doze ou dois? Ontem foi aniversário dele. Dei um jeito de entregar um presente. Pobre Rory burrinha, sempre esperando demais e confiando nas pessoas erradas.

— Ele não gostou?

— Ele nem abriu. Falei com a assistente dele, Sandra… Não, Brandy? Brenda. Falei com a Brenda porque ele não atendeu minhas ligações e ainda estava no trabalho. — Ela deu de ombros e seu comportamento mudou de novo. Parece que toda vez que fala sobre algo que a deixa triste, ela se força a parecer feliz. — A namorada e a filha levaram ele para a Disney, de surpresa. Ele odeia a Disney. Nunca foi com a gente quando minha mãe me levava com a minha irmã. Mas tudo que Norah e Isobel quiserem, elas vão ter, e eu sempre tenho que ficar com os restos.

— Sinto muito. — Não sei o que dizer, mas chegamos na cabana 22, e ela sobe as escadas. Eu me lembro da história de Xander entrar na cabana errada e seguro sua mão. — Tem certeza de que essa é sua cabana?

— Uhum. — Ela aponta para as luzes decorando a varanda. — Cabana dois-dois. Meu número de anjo.

Paro no primeiro degrau e solto sua mão.

— Número de quê?

Ela se vira tão rápido que quase perde o equilíbrio, mas a caminhada até aqui, somada com a garrafa d'água e um tempo longe da tequila, a deixou um pouquinho mais sóbria.

— Por que você parou?

— Não podemos entrar nas cabanas dos outros.

Ela bufa e coloca as mãos na cintura como se eu estivesse falando besteira.

— Ninguém tá nem aí pras regras. Ninguém se importa o bastante para me punir.

— Eu me importo, Rory. E você entenderia se não estivesse tão bêbada.

Ela me puxa para subir as escadas e, relutante, eu sigo.

— Entra, por favor.

— Vou ficar na porta — digo, firme, mas é inútil, porque ela me empurra para dentro. — Aurora, não posso ficar aqui. Preciso desse trabalho.

— Gostei quando você me chamou de Rory.

— Rory, vai pra cama, por favor. Dorme de lado para caso queira vomitar. — Fico surpreso quando a vejo tirar os sapatos e se jogar na cama. — Muito bem. Ok, boa noite.

— Espera — grita ela quando me viro para ir embora. — Tô com fome.

Parece mesmo que estou lidando com Tasi e Lola.

— Não posso fazer nada a respeito disso agora. Te trago café da manhã mais tarde.

— Não vai trazer, nada. — Ela entra debaixo do cobertor com a roupa que está vestindo mesmo e, apesar de não ser ideal, não me sinto preparado para ajudá-la com isso. — Amanhã você vai voltar a me odiar.

Minha boca abre e fecha logo em seguida, mas as palavras não saem. Tento de novo.

— Eu não te odeio.

Ela boceja e começa a perder a força que mantém os olhos abertos.

— Pode esperar até eu dormir, por favor? Não vai demorar.

Ainda estou em choque de saber que ela acha que eu a odeio, mesmo que seja papo de bêbado.

— Claro, por quê?

— Porque é mais fácil acordar e você não estar aqui do que te ver ir embora.

Eu me sento na beirada da cama, refletindo sobre o que ela disse e tentando montar um plano para, a partir de amanhã, começar a desfazer a confusão que criei. Ela não demora para cair no sono e na mesma hora sinto inveja, porque sei que vou passar a noite acordado, me perguntando se teria sido mais fácil vê-la ir embora depois de transar, ou se foi mais fácil descobrir que já tinha partido.

Sem a presença de Aurora, o café da manhã está mais silencioso do que o normal, e eu odeio isso.

Depois de ter vindo para cá por tantos anos, ela é praticamente uma expert em Honey Acres, e passa uma boa parte das refeições, enquanto estamos todos sentados juntos, respondendo a perguntas sobre como vai ser quando as crianças chegarem.

Emilia chega até a mesa com sua comida e dá uma desculpa sobre Aurora estar doente e não querer tomar café, sem revelar que ela com certeza está é de ressaca.

Espero todos estarem concentrados conversando sobre as vantagens e desvantagens de fazer um semestre de intercâmbio para sair escondido e ir em direção à cabana 22 com uma garrafa de suco de laranja e barrinhas de cereal.

Aurora já está na varanda quando chego e sinto uma pontada no coração ao ver sua expressão mudar quando me vê.

— Ei. Trouxe café da manhã pra você, como prometido.

Ela aceita, relutante, olhando para a comida como se eu fosse um gato que lhe trouxe um rato morto.

— Valeu.

— Queria ver como está se sentindo. Emilia disse que você...

— Russ, o que você tá fazendo? — pergunta ela, me interrompendo.

— Eu disse ontem que ia te trazer café da manhã. Você não deve lembrar, tava bem bêbada.

— Não, quis dizer aqui. Agora. — Ela balança a cabeça e passa a mão pelo cabelo. — Ou você é supergentil, ou me ignora. E agora, está aqui, sendo legal, e não sei se isso vai durar o dia todo, e eu tô cansada de tentar adivinhar o que eu fiz para você não gostar de mim.

— Eu gosto de você. Desculpa, Aurora. Eu gosto de você, sim.

Ela se senta no primeiro degrau e coloca a comida de lado. Consigo sentir sua frustração.

— Você é sempre legal com todo mundo, menos comigo, Russ. Todo mundo. Eu tô cansada de ser tratada assim quando estou em casa...

A culpa dói para caralho. A última coisa que quero é fazer ela se sentir mal, ainda mais porque ela tem razão. Tenho me esforçado para ser assim com todo mundo, menos com ela. A primeira coisa que devia ter feito depois da minha ligação com JJ ontem era pedir desculpas. Em vez disso, achei que o assunto ia morrer e que poderíamos ignorar o que aconteceu. Eu deveria saber que as coisas não funcionam assim. Ficar com um grupo de pessoas em um lugar isolado, mesmo que seja por um período curto, faz tudo parecer mais intenso, e sei que isso fica pior com o passar do tempo.

Sei que preciso ser sincero para fazer com que ela entenda que o problema sou eu, não ela, mas as palavras não saem porque eu sou um covarde.

— ... e eu vim pra cá pra ficar longe desses sentimentos e focar em mim mesma. Não sei o que tô fazendo, mas seja o que for, não tenho visto nenhuma melhora, e a última coisa que preciso é dessas suas variações de humor. Se você só quer ser meu amigo parte do tempo, prefiro que, sei lá, nem tente. Melhor me ignorar totalmente. Vai ser mais fácil de aceitar.

Respiro fundo e me forço a responder:

— Rory, eu fiz besteira. Me desculpa. Quando você foi embora e não deixou seu telefone nem se despediu, achei que era o seu jeito de dizer que não queria mais saber de mim — explico, com calma, tentando conter a vergonha. — Depois viemos parar aqui, no meio dessa situação toda, e não queria que você ficasse desconfortável. Sei que não devia ter presumido nada, mas só não queria te magoar.

Ela fica de boca aberta enquanto me encara.

— Sei que eu tô de ressaca, mas tive uma alucinação em que você disse que o motivo de ter agido assim é porque eu fui embora da sua casa? Sendo que você queria que eu fosse?

— Eu não queria que você fosse embora. Do que você tá falando?

Ela se levanta de repente, e a diferença dos degraus nos deixa na mesma altura, me dando uma visão perfeita da expressão confusa em seu rosto.

— Você ficou mil anos no banheiro. Estava esperando eu ir embora. Ouvi você falar com alguém lá de dentro, então foi o que eu fiz.

— Eu tava falando comigo mesmo, Rory. Criando coragem pra te chamar pra sair, uma coisa que não queria ter que admitir em voz alta. Mas prefiro passar vergonha do que deixar você achar que sou o tipo de cara que fica trancado no banheiro até você ir embora.

— Meu Deus.

— Eu não sou do tipo que transa e vai embora, e achei que a gente se deu bem. Queria te ver de novo, mas você é tão bonita e…

— Ai, meu Deus. — Ela se senta de novo no degrau, e, dessa vez, me agacho na sua frente enquanto ela esconde o rosto nas mãos. — Falha de comunicação. Russ, nós não nos comunicamos. Você me transformou em uma pessoa não comunicativa!

Essa conversa é demais para mim.

— Uma o quê?

— A gente podia só ter conversado. Esse não é o tipo de cena de protagonista que eu quero na minha vida! — resmunga ela, olhando para mim por entre os dedos.

Estico a mão e tiro as mãos que cobrem seu rosto de forma que ela é obrigada a olhar para mim. Aurora inclina a cabeça para o lado quando me olha, sua expressão um misto de frustração e alívio.

— Desculpa, Rory. Eu sempre estrago tudo. Tô falando sério quando digo que não queria te magoar.

— Se você não tivesse me evitado ontem à noite, eu, bêbada, provavelmente teria perguntado bem alto e com muita gente olhando por que você estava tão estranho no meio do jogo, então teríamos resolvido tudo isso de um jeito ou de outro. — Sua mão esquerda continua segurando a minha, e a direita está acariciando a minha palma. Sei que deveria me levantar e ir embora já que resolvemos a questão, mas a falta de autocontrole é de família.

— Você, bêbada, quase fez a Jenna nos pegar no flagra ontem. — Eu solto um suspiro. — Não posso prometer que vou estar por perto sempre que você se meter em confusão, Aurora. Preciso muito desse trabalho e não posso correr o risco de ser demitido, então se acontecer de novo, por favor, não ache que é porque estou te evitando.

Ela resmunga mais uma vez, agora seguida por uma revirada de olhos, mas seus dedos continuam passeando pela minha pele.

— Não acho que vou beber de novo. Mas ninguém é demitido, Russ. As pessoas vivem quebrando as regras aqui e nada acontece.

A lembrança da pele macia de Aurora sob mim me ataca de repente.

Pense com o cérebro, não com o pau, Callaghan.

— Eu não quero testar essa teoria.

— Mas testar a teoria é a parte divertida. — Ela sorri para mim, um sorriso de verdade que faz linhas finas aparecerem no canto dos olhos. — E o segredo é não ser pego.

Seus olhos estão fixos em mim, e tento desviar o olhar, mas não consigo. Eles vão para a minha boca, de novo para meus olhos, e ela morde o lábio.

Quero beijá-la.

Ela parece querer ser beijada.

Preciso de todo o autocontrole que tenho para não ceder, ainda mais com ela fazendo essa cara. Suspirando, me forço a me lembrar por que estou aqui e o que estou evitando.

— Eu só quero coexistir em paz com você e não me meter em confusão, Aurora.

Ela dá de ombros e deixa as mãos caírem no colo quando me levanto.

— Tudo bem. Eu deveria estar focando em mim mesma, ou algo assim. Tinha isso bem claro na minha cabeça, mas agora parece meio confuso. Eu devia voltar a pensar nisso.

— Preciso ir antes que alguém venha me procurar. Não quero que pensem que é estranho estarmos aqui sozinhos. Mais uma vez, desculpa, e fico feliz que a gente tenha resolvido isso.

É uma resposta um tanto formal para uma conversa pessoal, mas quanto mais tempo passo perto dela, mais quero testar a teoria.

Por sorte, ela não comenta nada. Observo Aurora abrir a garrafa de suco e fazer um brinde para mim.

— À nossa coexistência pacífica.

Capítulo doze

RUSS

— Por que você parece um cachorro numa banheira de bacon? — diz Xander com uma expressão desconfiada ao me analisar de cima a baixo.

— O quê?

Vejo as orelhas de Truta e Salmão se mexerem ao ouvirem a palavra "bacon", e entendo de imediato por que Xander é o favorito deles hoje.

— É como a expressão "pinto no lixo", mas mais próxima da nossa realidade, sacou?

— É só bom humor. — E o alívio de não ter que evitar alguém que eu não queria evitar. — Pega aquele pincel pra mim?

Meu colega de quarto faz isso, mas não parece muito convencido.

— Você passou um bom tempo levando comida pra Aurora.

Imagino seu cérebro completando: "e agora está de bom humor", e, apesar de não falar mais nada, sua expressão é o bastante para entender o recado.

— Não acho que demorei tanto assim.

— Ela é muito gata. Acho que vou ver se ela quer ser meu par no treinamento aquático mais tarde — diz ele, devagar, como se estivesse jogando um verde. — O que acha?

Não olho para Xander, me concentrando em reunir tinta e pincéis o suficiente, ciente de que qualquer reação me entregaria na hora.

— Acho que é uma ótima ideia.

— Você é um puta mentiroso, Callaghan. — Ele ri. — Tá bom. Pode ficar com seu segredinho de verão. Vou ficar aqui, sozinho, na cabana, com meus cachorros.

— Nossos cachorros.

Ele se apoia na parede ao meu lado.

— São sempre os mais quietinhos.

— Eu não fiz nada. — Não olho para Xander. — Você tá imaginando coisas.
— Opa, relaxa. Foi mal. Vou avisar ao Clay que ele tem chance com ela então.
Preciso forçar as palavras a saírem da minha boca.
— Fica à vontade.
Xander solta uma gargalhada e me dá um soquinho no ombro.
— Seu segredo está a salvo comigo. Não me chamam de rei da serenidade à toa.
Dessa vez não me aguento e mordo a isca.
— Quem te chama de rei da serenidade?
— Eu.
— Tá bom, vossa majestade. Se precisar de mim, vou estar perto da quadra de tênis.

Junto meus materiais e passo o resto da manhã concentrado no meu projeto. Uma das nossas responsabilidades essa semana é preparar o acampamento para os campistas, e a atividade do momento é uma mudança bem-vinda em relação aos treinamentos e quebra-gelos que temos feito.

Ninguém me pede para falar de mim, não preciso lembrar qual é a ordem de amarrar nada, ou o que fazer se alguém parar de respirar. Estou pintando cercas, arrastando móveis e tirando o pó e, fora o Xander, ninguém vem me incomodar.

Estou me sentindo melhor depois da conversa com Aurora e menos preocupado sobre passar o verão inteiro perto dela.

— Pássaros são nojentos.

Eu me viro ao ouvir uma voz e abaixo a mangueira que estou usando para lavar uma mesa de piquenique que os pássaros usaram como banheiro. Aurora parece mais desperta agora, uma garrafa térmica em cada mão e um sorriso tímido nos lábios.

— Trouxe café pra você. Se quiser, claro.

Desde que chegamos aqui, eu a vi fazer pequenos atos de gentileza para os outros — encher a garrafa d'água de alguém, ser a primeira a ajudar uma pessoa com dificuldade em um treinamento, distrair a Maya quando ela sente saudade de casa. Fui o sorteado do momento.

— Café seria ótimo, obrigado.

— De nada — diz ela ao me entregar a garrafa. — Achei que ia precisar. Vi você correndo bem cedo hoje de manhã e esqueci de comentar. Você não dorme muito, né?

Odeio correr, mas é uma das poucas coisas que me ajudam a espairecer. Como Xander disse quando chegamos, às vezes meu celular volta à vida e as mensagens começam a apitar. Hoje de manhã, minha mente já estava exausta de ter que lidar com a Aurora bêbada, então, quando o telefone começou a vibrar logo cedo, eu o peguei.

A primeira coisa que vi foi uma mensagem da minha mãe com uma foto dela e do meu pai, jantando fora, sorrindo para a câmera como se tudo estivesse perfeito. Aquilo atiçou minha curiosidade e comecei a rolar a tela, e aos poucos entendi que meu pai deve ter ganhado uma grana e estavam comemorando. A frustração me fez sair pra correr antes que todo mundo acordasse.

O vício do meu pai nunca foi o álcool, e sim as apostas. O álcool o consola quando ele perde e, como a maioria dos viciados em jogo, ele perde com frequência. É o álcool que o torna maldoso, e é nesses momentos que suas mensagens ficam terríveis. Quando ele está em uma onda de sorte, é um homem completamente diferente, mas "onda" é o termo que jogadores compulsivos usam para fingir que há controle ou habilidade envolvida nas apostas, como se não fosse apenas uma série de coincidências de sorte ou azar.

Aurora ainda está esperando minha resposta.

Falar sobre meus pais é como abrir a caixa de Pandora. Às vezes me pergunto se seria mais fácil lidar com tudo se eu tivesse alguém com quem conversar, mas não consigo contar para ninguém. Apesar de Henry saber da minha história, ainda é difícil contar coisas novas para ele. É constrangedor admitir que meu pai se importa mais com apostas do que com o próprio filho.

Opto pela minha resposta vaga de sempre.

— Não muito, na verdade. Mas tô acostumado. Não acredito que você estava acordada cedo o bastante pra ter me visto correr.

Ela pega minha garrafa de volta, a mão tocando de leve na minha por uma fração de tempo, o suficiente para me fazer sentir arrepios, e coloca as duas na mesa limpa. Eu a observo abrir a garrafa, pressionar o botão e servir um copo de café.

— Acredita se eu disser que estava meditando?

— Não.

Aceito o café e a observo por cima do copo enquanto dou um gole.

— Eu estava passando mal. Por isso acordei tão cedo — diz ela, rindo de si mesma enquanto se serve da garrafa de chá. — Acho que foi intoxicação alimentar, e não a quantidade de tequila que bebi ontem à noite. Talvez você se lembre, eu estava agindo que nem uma idiota na sua frente.

— Eu me lembro vagamente de ter recusado um convite para ir nadar pelado.

Suas bochechas ficam vermelhas, e os olhos se arregalam. Nossa, como é bom não ser a pessoa que está ficando vermelha.

— Com licença, vou procurar um guaxinim faminto para me atacar. Tchau.

Seguro a mão dela quando Aurora tenta ir embora.

— Foi engraçado e estressante de um jeito meio "não quero ficar sozinho com essa garota bêbada que quer ficar pelada".

Quando vejo que ela não vai embora, solto sua mão. Aurora pigarreia e dá um gole na bebida, me observando atentamente.

— Quer ajuda com isso? Emilia me baniu da área de dança.

— Por quê?

Ela ergue uma perna, mostrando um hematoma roxo na canela.

— Fiquei entediada porque ela é controladora e tentei pular por cima da barra de balé.

Solto uma risada tão alta que mal percebo que estou rindo até ela começar a rir também. Passo a mão no rosto para me controlar de novo.

— Se eu deixar você me ajudar, vai se comportar?

— Bom, se tiver o incentivo certo.

Tenho o pressentimento de que não devo perguntar, mas não me controlo. Por mais que não queira, Aurora é um sol e eu estou preso na sua órbita.

— O que é o incentivo certo pra você?

Ela morde o lábio mais uma vez enquanto finge pensar e meu cérebro lembra de outro momento, completamente diferente, em que a vi fazer a mesma coisa.

— Você achar que eu sou boa.

Eu estou ferrado.

— Beleza, então. Pega um pincel.

AURORA ESTÁ COM AS PERNAS nos meus ombros. De novo.

Dessa vez, está sentada neles para pintar o topo do barracão de ferramentas, mas ainda assim, meus pensamentos são inapropriados. Estou com as mãos nas coxas dela, que esquentam minhas orelhas, e ela se segura no meu cabelo enquanto passa o pincel na madeira.

— Você já viu *Ratatouille*? — pergunta ela, passando os dedos pelo meu couro cabeludo.

É difícil não ter uma reação física com o arrepio que isso me causa.

— Claro que sim. Por quê?

— Estou me sentindo que nem aquele rato. — Ela puxa meu cabelo de leve. — Vamos ver se consigo fazer você cozinhar?

— Pode parar. — Aperto suas coxas de brincadeira, e ela puxa mais os fios. — O nome dele é Remy, não Russ.

— Perdão, não sabia que estava lidando com um especialista em *Ratatouille*. Ok, acho que terminei.

A cabana parece mil vezes melhor do que antes e provavelmente não precisávamos dedicar tanto tempo a uma construção aleatória, mas passar um tempo sozinhos foi bom.

— Russ?

— Sim?

— Qual mecha do seu cabelo eu preciso puxar pra você me descer?

— Droga, foi mal. — Eu me agacho o suficiente para ela descer dos meus ombros, e é patético que minha primeira reação seja pensar se precisamos pintar mais alguma coisa. — Ótimo trabalho.

Seus olhos brilham ao ouvir o elogio e, aos poucos, pequenos pedaços da Aurora que eu conheço começam a se encaixar.

— Não conseguiria ter feito isso sem você. Literalmente.

Há uma mancha de tinta em seu queixo; passo o polegar ali, mas não sai.

— Que bagunça, hein?

— Você não faz nem ideia — responde ela, baixinho.

Agora que estamos a sós, quero saber mais sobre o que ela disse hoje de manhã. Quero entender por que ela acha que precisa focar em si mesma. Com base nas poucas informações que ela compartilhou nos exercícios que fizemos e na nossa primeira interação na festa, é difícil acreditar que ela não seja tão confiante quanto parece. Sim, ela age de um jeito estranho às vezes, mas eu também. Meu problema com perguntas é que isso faz com que elas voltem para mim, algo que prefiro evitar.

Aurora julga meu silêncio como uma barreira e ambos ficamos ali com essa tensão no ar entre nós. Ela solta o pincel na bandeja e pega a mangueira que eu estava usando mais cedo, aperta o gatilho e aponta para o meu peito.

Meu queixo cai ao sentir a água gelada me encharcar e uma risada inesperada escapa. Seu olhar é o mesmo que me lançou quando a peguei no flagra na cozinha: travessura.

— Au... — A água me atinge de novo. — Ok, agora você pediu...

Quando eu a alcanço, sua reação está mais para um guincho do que um grito. Ela tenta manter o controle da mangueira me dando as costas quando me aproximo. Seu corpo está quente contra minhas roupas molhadas, vibrando com risadas, tentando se desvencilhar de mim. Não é difícil tomar a mangueira e apontar para o topo da sua cabeça.

— Tá gelada! — grita ela, tentando lutar. — Tá bom, chega! Chega!

Largo a mangueira no chão e me afasto. O tecido molhado está colando em meu corpo e Aurora tem razão, a água está muito gelada. Agarro as costas da camiseta e puxo sobre a cabeça para me livrar da sensação.

— Não foi uma ideia muito boa.

Ela espreme a água do cabelo, me observando. Suas roupas estão relativamente secas.

— Não sei, não. Não me pareceu tão ruim.

Antes que possa perguntar por que ela acha isso, ouço o barulho da coleira de cachorros se aproximando. O bacon de Xander deve ter acabado. Peixe, Salmão e Truta sempre me encontram onde quer que eu esteja, mas dessa vez, trouxeram uma amiga.

— Não sei se quero saber por que você tá sem camisa — diz Emilia ao se aproximar. Ela se vira para Aurora. — Você parece um rato molhado.

— Que mal-educada — murmura Aurora. — O nome dele é Remy.

— Hein? — diz Emilia enquanto ainda estou tentando secar minha camiseta o suficiente para vesti-la de novo e Aurora parece tentar se concentrar em Emilia, não em mim. — Eu vim te liberar do exílio. Jenna pediu para eu pegar a caminhonete e buscar um pedido de ovos na fazenda do lado do minigolfe. Não foi entregue e tá todo mundo ocupado.

— Por que a Jenna não vai? — pergunta Aurora, espremendo água das pontas do cabelo. Eu me sento no chão de pernas cruzadas e os dois filhotes imediatamente pulam no espaço entre minhas coxas enquanto faço carinho em Peixe.

— Ela disse que o fazendeiro é um pau no cu e ela odeia ele mais do que tudo na vida. Acho que brigaram quando ela ligou para falar da entrega. A caminhonete tem câmbio manual, então preciso de você.

— Você sabe dirigir câmbio manual? — pergunto, impressionado.

Ela assente e pousa o olhar em mim e no meu fã clube canino.

— Meu pai tem, tipo, uma empresa de carros, e eu passei muito tempo morando na Europa. Você vai ficar bem aí sozinho?

Não faço mais perguntas sobre a "empresa de carros" porque senão teria que admitir que falei sobre ela com meus amigos e que sei que seu pai é dono de uma equipe de Fórmula 1. Quero me oferecer para ir com ela no lugar da Emilia, mas acho que seria estranho.

— Claro. Vão buscar os ovos.

— A gente se vê mais tarde no lago — diz ela, andando ao lado da amiga.

Emilia acena quando se vira e então joga o braço sobre os ombros de Aurora, voltando pelo mesmo caminho.

— Que cena interessante — ouço ela comentar.

Quando começo a acreditar que a coexistência com Aurora vai ser fácil, ela pega dois pedaços minúsculos de pano com estampa de margaridas e chama de biquíni.

— É tão lindo — diz Maya para ela. — Adorei o modelo.

O modelo? Como Maya consegue se concentrar no modelo quando a bunda da Aurora tá completamente de fora?

— Aguenta firme, irmão — sussurra Xander para mim.

Eu o ignoro, tentando não alimentar suas suspeitas. Não que ele precise suspeitar de nada, mas ainda não acho que seja necessário contar o que aconteceu antes da nossa chegada no acampamento.

— Rory — suspira Jenna quando se aproxima do nosso grupo no fim do píer. — Cadê o seu maiô?

— Secando na cabana porque a estabanada aqui derramou suco de laranja nele — responde ela, gesticulando para Emilia. Jenna cruza os braços e Aurora a imita. — Ninguém vai morrer se minha barriga ficar de fora por uma horinha. Sei que não devo usar quando as crianças estiverem aqui.

Jenna aperta a ponte do nariz, balançando a cabeça. Se tivesse que adivinhar, diria que Jenna e Aurora são irmãs. Elas não têm nada em comum fisicamente — Aurora é alta e loira e Jenna é baixa e morena —, mas a forma como discutem e se amam me faz pensar nisso.

— Só vim avisar que o instrutor de vocês está atrasado. Não deve demorar muito.

O acampamento tem vários salva-vidas treinados, mas, como precaução, todos os orientadores passam por um treinamento de segurança aquática para garantir que todos fiquem a salvo.

Emilia espera até Jenna chegar na praia para empurrar Xander na água, o que gera uma luta generalizada. Mãozinhas tocam na base da minha coluna, mas a força mal consegue me tirar do lugar. Ouço Aurora bufando atrás de mim, tentando me empurrar, e isso torna muito mais fácil segurar suas mãos e puxá-la comigo quando pulo do píer.

A água está mais gelada do que eu esperava, mas é um bom contraste contra o calor do dia e, quando subo à superfície, encontro lábios fazendo um bico e olhos brilhantes.

— Que maldade — diz Aurora, jogando água em mim quando passa nadando ao meu lado. — Eu não estava pronta!

Tiro o cabelo molhado da testa, rindo de como ela parece irritada, ainda mais depois que eu jogo o dobro de água de volta. Ela solta uma risada que parece mágica. Alta, sincera, crua. Seus olhos encaram os meus enquanto ri, gotas d'água repousando nos cílios, sardas cobrindo o nariz.

Ela é linda de doer.

Droga. Não era para eu me sentir tão atraído por ela.

Por que eu me faço sofrer assim?

Ela ergue a mão e eu me preparo para mais uma leva de água na cara, porém, ela solta um guincho assustado que me faz segurar sua mão e puxá-la na minha direção.

— Alguma coisa encostou no meu pé! — Ela enrosca as pernas na minha cintura e se encolhe no meu peito. — Eu vou chorar.

Tenho certeza de que esse não é o tipo de treinamento de sobrevivência que esperava.

Tenho certeza de que não vou sobreviver ao fato de ela estar enroscada em mim.

— Deve ser uma planta ou qualquer coisa assim, fica tranquila.

Aurora se afasta, mas mantém as pernas enroscadas na minha lombar.

— Pode ser um tubarão.

Não consigo segurar o riso.

— Não é um tubarão. Estamos em água doce. Na Califórnia.

— O tubarão-cabeça-chata é um peixe diádromo, eles podem sobreviver em águas doces.

Levanto uma sobrancelha com a resposta.

— O quê? Eu vejo *Semana do tubarão*.

— Se for um tubarão, sinto informar que você já era.

Ela sorri ao prender as mãos na minha nuca.

— Se for um tubarão, já era pra nós dois, porque eu vou levar você comigo. Você é maior, vai ter um gosto melhor.

— Confia em mim, seu gosto é incrível.

Ambos ficamos em choque. Não queria ter dito isso em voz alta. Seus olhos voam para meus lábios, depois para meus olhos e sua respiração desacelera. Ela solta um "ah", baixinho, e isso é o suficiente para eu desejar que seja mesmo um tubarão que vai me salvar de mim mesmo.

Capítulo treze

AURORA

Os dois verões que passei sem vir para cá me fizeram esquecer quanto eu amo Honey Acres.

Depois de ter concluído a semana de treinamento com um número mínimo de incidentes e constrangimentos, nossos campistas chegaram há poucos dias, cheios de empolgação, energia e, principalmente, açúcar. A sensação é que não parei nem por um segundo desde então.

Viajei para muitos lugares graças à Fórmula 1, experimentei algumas das melhores coisas do mundo, e esse lugarzinho no meio do nada na Califórnia é meu lugar favorito no mundo.

Aqui me sinto tão feliz, vendo as pessoas que conheci se tornarem pontos de conforto para as crianças, algumas longe de casa pela primeira vez na vida. Poucos dias se passaram, mas finalmente sinto que tenho um propósito aqui. Estive tão cansada e ocupada que nem pensei em mexer no celular, e, depois de ter feito as pazes com Russ, passei um tempo pensando em como posso deixar as coisas mais divertidas e menos tensas.

Substituí Emilia por duas novas melhores amigas, Freya e Sadie, duas meninas de oito anos do nosso grupo, porque elas disseram que minhas sardas são bonitas e que eu sou bem alta. Emilia nunca foi tão legal assim comigo, então adeus. Ela entendeu minha decisão e confirmou que também me substituiu por Tammy, uma bailarina de nove anos que, depois de alguns dias aqui, não tentou pular sobre nenhuma barra de balé.

Xander e Russ ficaram só de olho enquanto eu e Emilia discutíamos de brincadeira por uns cinco minutos, movendo a cabeça de um lado para o outro como se estivessem acompanhando uma partida de tênis, até Xander finalmente passar o braço em torno dos ombros de Russ e dizer que jamais iria substituí-lo.

Nunca vi o Russ tão relaxado quanto nesses últimos dias. Ele é incrível com as crianças, sabe exatamente o que dizer para mantê-las entretidas ou fazer com que se sintam confortáveis. Tomo cuidado para não o admirar tanto porque crianças dessa idade reparam em tudo, e a última coisa de que preciso agora é brincadeiras sobre ele ser meu namorado.

Temos vinte campistas entre oito e dez anos no nosso grupo, os Ursos-Pardos, e antes de escolher esse grupo me esqueci de considerar que crianças nessa faixa etária são intrometidas pra caralho. Até agora consegui manter a boca fechada, mas é difícil, pois sou uma pessoa que fala demais da própria vida após receber qualquer tipo de afeto. Além do mais, Russ não tem intenção alguma de namorar comigo por causa das regras. Não que eu queira isso, mas um verão só semicelibatário seria bom.

Apenas oito semanas e alguns dias a mais pela frente.

As crianças têm uma hora de intervalo depois do almoço para fugirem do sol a pino e terem um tempo para descansar depois de uma manhã de passeio a cavalo, arco e flecha e vôlei. Ao atravessar o acampamento, vejo Russ e Emilia observando alguma coisa perto da cabana dos Ursos-Pardos.

— O que vocês estão fazendo? — pergunto quando me aproximo.

Eles fazem chiu, pedindo silêncio. Russ aponta para a parte coberta da cabana, onde vários campistas parecem estar se organizando para fazer algo. Uso a mão para me proteger do sol e me junto a eles para observar em silêncio por alguns minutos antes de perguntar de novo:

— O que vocês estão fazendo?

— Estamos há uns cinco minutos tentando entender o que eles estão fazendo — diz Emilia. — Não decidimos ainda se estão brincando ou fazendo um plano para derrubar o governo de alguma nação.

— Talvez seja um ritual — acrescenta Russ, dando de ombros quando eu o encaro.

— Vocês não deviam ser responsáveis por crianças. Está na cara que estão praticando pro show de talentos do fim das férias. Eles já devem ter vindo para cá outras vezes. São espertos de começar tão cedo. A gente devia ter pensado nisso.

— Desculpa, não entendi — diz Russ, parando na minha frente com o cenho franzido. — Por que temos que nos preparar?

Abaixo a mão.

— A coisa que eu mais gosto em você é que você é alto o suficiente pra bloquear o sol.

Emilia se aproxima de mim e fica na sombra que Russ cria com seu corpo.

— Ah, é verdade.

— Aurora, por que disse que a gente devia praticar? Praticar o que, exatamente?

— O Xander não te falou do show de talentos? Todo mundo tem que fazer alguma coisa, inclusive os orientadores. Deve ser anunciado no domingo; era assim quando eu era campista.

Nunca o vi tão desesperado e acabei de passar uma semana vendo-o lidar com exercícios de quebra-gelo que o forçaram a compartilhar demais sobre si. Sua mandíbula fica tensa ao morder a parte interna da bochecha, e tenho dificuldade para me concentrar na sua preocupação porque minha mente começa a imaginar ele dançando em um palco.

— Você vai vomitar? — pergunta Emilia, se afastando de nós.

— Eu não tenho nenhum talento.

Quero informá-lo de que isso não é verdade, pois testemunhei em primeira mão o que ele consegue fazer com a boca, mas isso não é muito produtivo para a nossa amizade tão fugaz.

— Com certeza deve ter algum — comento. — E o hóquei?

— Não posso jogar hóquei em um show de talentos. Posso dar apoio emocional da plateia? Vai ser melhor pra todo mundo se eu não estiver no meio disso.

— Não, você precisa participar. Amo o show de talentos. Passo o verão inteiro esperando isso. As crianças também.

Ele suspira, jogando a cabeça para trás antes de voltar seu olhar para mim.

— É mesmo importante pra você?

Faço que sim com a cabeça.

— Quando eu era criança, estudava com um professor particular, porque viajávamos muito por causa do trabalho do meu pai. Eu não tinha peças da escola ou show de talentos. Era minha única chance e fazia eu não me sentir tão sozinha.

— Tá. Eu participo.

— Promete? — pergunto, esticando meu dedo mindinho para ele jurar. — Você precisa ir para todos os ensaios.

Ele cruza o dedinho com o meu.

— Prometo.

— Esse foi o jeito supersaudável da Aurora de fazer chantagem emocional para você participar, Russ, e você caiu feito um patinho — diz Emilia. — Já pensou em fazer uma interpretação de hóquei usando dança contemporânea?

— Você é goleiro, né? — A reação dele muda para total surpresa antes de assentir. — Posso jogar coisas e você precisa se defender. Pronto. Talento.

Ele passa a mão pelo cabelo até chegar na nuca, apertando a pele para aliviar a tensão.

— Por que parece que você só quer uma desculpa para jogar coisas em mim?

— Você conhece ela tão bem… — brinca Emilia e dá as costas para nós, voltando a observar as crianças dançando.

Russ sorri e as covinhas em suas bochechas me fazem esquecer o que ia falar.

— Talvez esse seja o meu talento.

— Não precisa ficar nervoso — digo baixinho para apenas ele ouvir.

— Promete?

— Prometo.

Depois da semana de boas-vindas, o acampamento está funcionando a todo vapor, e meu time de futebol está quase completo. Estou muito empolgada.

Após o almoço e o intervalo, os campistas podem escolher o que fazer à tarde, se inscrevendo em diferentes atividades organizadas pelos orientadores. Eles têm a manhã toda pré-planejada, mas à tarde podem escolher fazer algo que combine melhor com suas personalidades.

A única coisa que eu sei fazer bem é me meter em confusão, mas Jenna disse que eu não podia colocar isso na lista. Pensei em copiar Emilia e oferecer aulas de dança, e na mesma hora ela disse para eu tirar meu corpo sem coordenação motora do seu estúdio. Então vou montar uma escolinha de futebol, porque é difícil estragar isso.

É praticamente impossível não entender sobre futebol quando passei a infância inteira ao redor de homens britânicos. Só preciso ser confiante e as crianças vão achar que sei do que estou fazendo.

Sei que ter a minha lista de inscrições quase cheia não significa nada, mas fico feliz de saber que estou oferecendo uma atividade que as crianças gostam e da qual estão empolgadas para participar. Também sei que não é pessoal, e sim porque querem jogar futebol. Mas parece um pouco pessoal, e fico feliz que elas gostem de mim o suficiente para quererem passar mais tempo aprendendo algo comigo.

Mesmo se eu tiver que fingir que entendo do assunto.

Russ se aproxima quando estou espalhando cones coloridos pelo campo.

— Precisa de ajuda?

— Você devia aproveitar o dia de folga.

Tranquila e casual. Não se distraia pela beleza dele.

— Eu tô aproveitando meu dia de folga. — Ele dá um sorrisinho, e suas covinhas aparecem. — E estou empolgado para aprender a jogar futebol.

Ele pega uma pilha de cones do banco e começa a me imitar, colocando-os no chão na distância certa para as crianças driblarem. Eu repito "tranquila e casual" na minha cabeça enquanto ele pega a escada de agilidade e a posiciona perto das outras. Estou me esforçando muito para não tentar preencher o silêncio com coisas aleatórias porque Russ é um cara reservado, e tenho medo de que ele se canse de mim, mas cada segundo parece uma oportunidade perdida de fazer ele se abrir um pouco mais.

Além do mais, quando estou perto dele, não tenho controle da minha boca.

Não tenho nada de útil para dizer, então jogo conversa fora, o que muitos consideram ser pior do que divagar.

— Cadê seu grande amor?

— Ela tá dormindo na cabana. Tá muito quente aqui pra ela, e lá é mais fresco.

Minha cabeça gira tão rápido que meu pescoço estala.

— Como é?

Russ para e, por um segundo, nos encaramos. Ele está tentando entender por que eu fiquei confusa e estou tentando entender se ele está me falando o que eu acho que está falando. É inútil criar teorias, mas eu não sou lá muito sensata.

Ele se aproxima até parar na minha frente com um sorriso gentil no rosto.

— Rory, eu tô falando da Peixe. Você tá falando do Xander?

Viu só? Vivendo e aprendendo.

— Sim, eu achei… Eu não queria presumir nada… Sim. Sim, eu estava falando do Xander.

Ele está tentando não rir de mim, o que eu agradeço, porque já estou pensando onde posso me esconder. Ao longo dos anos, achei vários bons esconderijos no acampamento onde ele nunca iria me encontrar. Poderia viver com os animais, que nem a Branca de Neve.

— Ele tá tirando um cochilo com os filhotes. Não mudei minha personalidade inteira e comecei a transar com estranhas no trabalho de repente.

O jeito como ele fala *transar com estranhas* me dá uma sensação estranha. Parece bizarro ouvi-lo falar isso.

— Achei que você estava pronto para ligar o foda-se para as regras. É difícil ser bonzinho o tempo todo.

Não é tão difícil agora que estou tentando fazer o mesmo. Precisei ficar bêbada e ouvir Russ falar sobre quanto esse trabalho é importante para ele para entender que precisava levar meu plano a sério.

Continuar o mesmo ciclo de mágoa e rebeldia não estava me ajudando, e não é por isso que queria vir para Honey Acres. Esse é o maior período de tempo que já passei comprometida com algo que não se originou de picuinhas.

— Ainda não, mas você vai ser a primeira a saber quando eu quiser quebrar algumas regras.

Ele está flertando comigo. Tenho noventa e nove por cento de certeza de que ele está flertando comigo. Tá, talvez uns oitenta e sete por cento. Cadê a Emilia quando preciso dela? Preciso de uma segunda opinião. Tenho que responder com alguma coisa engraçada e inteligente e, mais importante, algo que deixe claro que não sou contra a ideia de transar no meio do mato.

Tenho que lembrar que o universo conspira para zoar comigo, porque, dez segundos depois, vejo Clay e Maya vindo na nossa direção, seguidos por uma multidão de futuros jogadores de futebol empolgados. Talvez não seja o universo, talvez eu tenha esquecido que estou aqui para cuidar de crianças, não para encarar as coxas gigantes do Russ.

De qualquer forma, não é a segunda opinião que eu estava esperando.

A aula passa sem nenhum imprevisto, o índice de certeza do flerte diminuindo a cada minuto. Quando chega a noite, já sobrevivi a mais uma rodada de caos no refeitório e a uma dança, e também me certifiquei de que todos foram para a cama. O dia está no fim, e estou completamente exausta, o que reduz as chances de me meter em confusão. Emilia foi dormir há uma hora, logo depois de falar com Poppy pelo telefone, e estou há vinte minutos tentando juntar forças para sair dessa cadeira confortável ao redor da fogueira.

Salmão está roncando no meu peito, o calor do fogo nos aquece, e existe a possibilidade de pegar no sono aqui mesmo. Meus olhos estão querendo se fechar e estou me esforçando para mantê-los abertos, ciente de que, se eu dormir aqui, alguém vai desenhar algo na minha cara.

— Tá dormindo?

Abro um dos olhos e vejo Russ parado do meu lado, tão bonito quanto hoje de manhã.

— Sim, sai daqui.

Ele ri, e o fato de ele estar sempre bonito é muito irritante. Sei que ele dorme pouco e agora sei que passa o dia trabalhando muito, e, ainda assim, fica andando por aí com um brilho no olhar e uma disposição de milhões.

— Vamos, te acompanho até a sua cabana. Não pode dormir aqui. Xander disse que vai desenhar um pinto no seu rosto.

— Mas não posso acordar o neném — resmungo, apontando para a bolinha quente de pelos na minha barriga. — Acho que ele já dobrou de peso em tipo, uma semana, então não sei se consigo tirá-lo de cima de mim.

— Xander fez o adestramento usando bacon de peru. Eu carrego ele, vamos.

— Não pode carregar nós dois? Tô dormindo.

Tento não reagir quando a mão dele toca na minha barriga ao pegar o golden retriever, colocando-o contra o peito como se fosse um bebê. Não consigo, mas ele é educado o bastante para fingir que não percebeu.

— Você tem pernas e não está cheia de bacon.

Ele me oferece a mão e me puxa para ficar em pé.

— Como você sabe? É muita falta de educação da sua parte supor isso.

— Você é vegetariana, Rory. — Ele ri. — Se estiver sendo treinada com bacon de peru, temos problemas maiores do que um pinto na sua cara. — A piada está pronta. Eu poderia falar uma infinidade de coisas, mas mordo a língua. Russ balança a cabeça e me guia para me afastar da fogueira e seguir para a minha cabana. — Quieta.

— Tudo bem. Você deixou bem claro quem é o seu favorito. Salmão tem pernas também, mas tudo bem. Saiba que, se eu ficar amiga de um urso-pardo de verdade, você vai direto pro segundo lugar — digo, estalando os dedos.

— Eu... — Ele começa, mas para logo em seguida e, enquanto andamos em direção à minha cabana, toda vez que olho para ele, não consigo decifrar sua expressão. Meu olhar o tira do transe, e ele ri de um jeito forçado. — Acho que posso aceitar ser a sua segunda opção, mas não existem ursos-pardos na Califórnia. Desde que li o material de apresentação, não entendi qual é a ligação com porcos-espinho, raposas e guaxinins.

— Orla começou com a coisa de usar nomes de bichos para os grupos depois que assumiu o acampamento. Ela achou que seria mais divertido do que só usar as idades, e deixou a Jenna escolher os nomes quando ela estava com tipo cinco ou seis anos. Não lembro a história completa, mas, sim, a pequena Jenna não entendia muito de ursos.

— Jenna também vinha para cá quando era criança? — pergunta ele, acariciando o cachorro. — Que legal que ela trabalha aqui agora.

— O quê? A Jenna é filha da Orla. Você não sabia? Desculpa, achei que todo mundo sabia.

É difícil entender sua expressão, que parece um misto de comédia e desespero.

— Claro que minha chefe é filha da dona.

Finalmente chegamos nas cabanas, e eu queria ter um motivo para continuar andando e conversando. Ele para quando chego nas escadas. Subo o primeiro degrau e paro, sem querer me despedir.

Ele dá um passo para a frente e começa a falar mais baixo, acho que para não acordar Emilia, mas estou quase na mesma altura que ele e seu corpo está perigosamente perto do meu.

— Jenna disse que temos que parar de carregar os filhotes toda hora, porque daqui a pouco vão ficar grandes demais para isso, mas vão continuar querendo ser carregados. Ela disse que são cachorros, não bebês, mas é muito difícil.

Meu queixo cai.

— Como é, você acabou de confessar que está quebrando as regras?

— Foi mais uma sugestão...

— É uma regra, e você se rebelou. Meu Deus.

— Não estou. Eu só...

— Você está fora de controle, Callaghan. É assim que começa. Hoje você está carregando um filhote, amanhã, vai jogar um barco emprestado contra as rochas e arriscar ser deportado. — Seus olhos ficam confusos com a especificidade do meu exemplo. — Teoricamente. Enfim, eu te convidaria para entrar, mas diferente de você, eu respeito as autoridades, e parece que há uma regra sobre cabanas e não convidar homens nem animais.

— Quem diria que você é uma menina tão boa assim.

Quase me engasgo com o riso.

— Boa noite, Russ. Obrigada por me acompanhar.

Subo os degraus até a varanda da minha cabana. Ter espaço entre nós é bom. Espaço significa que não vou me aproximar e beijá-lo. Ou tentar escalar o homem que nem uma árvore.

— Boa noite, Aurora — diz ele, gentil. — Bons sonhos.

Dou as costas para ele e abro a porta com cuidado para não acordar minha colega de quarto. Quando olho por cima do ombro, ele ainda está parado na escada.

— O que você tá fazendo?

— Esperando você entrar para não ter que me ver ir embora.

Meu coração está na boca quando fecho a porta ao passar, e quando me deito na cama concluo que, com certeza, ele estava flertando comigo.

Capítulo catorze
RUSS

Não achei que em algum momento da vida iria voluntariamente seguir um conselho do JJ e que isso iria me ajudar de verdade, mas aqui estou eu.

"A única pessoa que sabe que você não é confiante é você mesmo" foi uma coisa que ele me disse para que eu fosse mais confiante com mulheres, mas estou aplicando a tudo e, acredite se quiser, está funcionando. Me preocupar com as coisas sem necessidade é um grande desgaste emocional e, por definição, ilógico. Faz eu me sentir sozinho, mesmo quando estou cercado de gente.

Nossa equipe criou uma rotina confortável com todos os campistas, e Aurora e eu criamos uma rotina para quando não estamos com as crianças. Cada vez que eu a acompanho até sua cabana fica mais e mais difícil não dar um beijo nela, ainda mais quando parece que ela está pensando o mesmo, mas sou grato pelo seu esforço de não nos meter em confusão.

Eu acho.

Estou tomando café da manhã com Emilia quando a mulher que não sai da minha cabeça aparece. Aurora se senta ao lado da amiga e bufa.

— Nunca mais. É sério. Eu pago alguém. Vou fingir que morri. Não tô nem aí.

Escondo a risada com a xícara de café e olho por cima do ombro para checar se alguma das crianças curiosas ainda estão por aqui. Xander se senta do meu lado com um prato cheio de bacon, muito suspeito. Eu me aproximo e sussurro:

— Para de dar comida pros cachorros.

Ele mantém o olhar fixo no prato quando balança a cabeça.

— Você não é minha mãe. Não preciso te obedecer.

— Tenho certeza de que não foi tão ruim assim — diz Emilia para Aurora, que está ao mesmo tempo irritada e segurando o riso.

Todos os campistas dormem na mesma cabana e nos revezamos dormindo lá, algumas vezes por semana, para supervisioná-los durante a noite. Sempre tem algum orientador sênior, como a Jenna, de plantão, em caso de emergências, então a menos que as crianças decidam se rebelar, é uma tarefa fácil.

Maya estava se sentindo mal ontem, então Aurora se ofereceu para cobrir o turno da noite, achando que iria trabalhar com Xander. Quando percebeu que seu parceiro era Clay, parecia que o mundo ia acabar.

Sim, foi mesquinho da minha parte me divertir com isso.

— É óbvio que foi ruim, Emilia — resmunga ela. — Ele me disse que não se importava de dormir de conchinha se eu tivesse medo do escuro. Eu sei que era brincadeira, mas ele é tão mais engraçado quando não tenta ser engraçado.

Emilia revira os olhos.

— O que você disse?

— Que eu sou sonâmbula e ataco as pessoas.

Quase me engasgo com o café.

— Achei que isso daria um ponto final na história, mas ele começou a me falar que achava que tinha algo embaixo da minha cama e que era melhor eu esperar na dele até ter certeza.

— A criatividade é de se admirar — diz Xander. — Ser babaca é difícil hoje em dia, mas ele está se dedicando.

Aurora o encara com um olhar violento.

— Jessica estava vindo me perguntar se eu podia pegar o ursinho dela que caiu embaixo da cama e ouviu Clay dizer que poderia ter um assassino lá, então começou a gritar. E aí todo mundo começou a gritar. Me impressiona que vocês não tenham ouvido nada. Meus ouvidos ainda estão zumbindo. Demorou, tipo, duas horas para todos se acalmarem e voltarem a dormir.

— Eu dormi que nem bebê — disse Xander, mordendo a torrada.

— Eu não. Você ronca — resmungo para a minha xícara de café.

— Caramba. — Emilia ri. — E eu achei que as crianças só estavam cansadas e irritadas por causa da fila para ligar para casa porque hoje é Dia dos Pais.

Meus ombros murcham na hora. É domingo.

Parece que alguém acabou de falar para Aurora que ela vai ter que trabalhar com o Clay de novo, e sinto o mesmo. É um dia normal, eu sei que é um dia normal, mas é um dia que parece mais difícil e pesado quando você não tem uma boa relação com seu pai.

Uma das atividades das crianças essa semana foi criar um cartão de Dia dos Pais para mandar para casa, e apesar de saber que estava chegando, sinto que fui pego de surpresa.

Xander começa a rir.

— O jeito mais fácil do mundo de descobrir quem tem problema com o pai: dizer que é Dia dos Pais. Que belo momento para todos nós.

— Fale por você — responde Emilia. — Meu pai é o melhor do mundo.

— E eu acabei de decidir que não vou surtar hoje, então pode ficar sozinho com as suas mágoas, muito obrigada — Rory adiciona e lhe lança um sorriso gentil. — Vou surtar mais tarde, sozinha, que nem uma pessoa normal. Ou, se eu estiver numa vibe aventureira, vou guardar esses sentimentos numa caixinha lá no fundo da minha cabeça e deixar isso estourar no momento mais inconveniente possível.

— O que podemos fazer hoje com as crianças? — pergunto, mudando de assunto para não me meter nessa conversa. — O que elas mais gostam de fazer?

— Jogar queimada com tinta — falam Xander e Rory ao mesmo tempo.

Ela arqueia as sobrancelhas, e Xander sussurra:

— Será que acabamos de nos tornar melhores amigos?

Aurora vai se servir e, enquanto pensamos sobre o que vamos precisar, Clay e Maya se juntam a nós e concordam com o plano. Domingos costumam ser dias tranquilos; depois de uma semana de agenda cheia, todo mundo está cansado, então fazemos atividades mais calmas, assim todo mundo ainda tem energia para o churrasco de domingo e a programação da noite, que costuma ser um filme ou uma série de TV.

Juntar tinta e queimada na mesma frase não é exatamente o que alguém chamaria de "tranquilo".

Quando está tudo pronto, Xander e eu levamos as crianças até a cabana para inspecionar a limpeza. Os Ursos-Pardos estão na liderança na competição do acampamento, algo que meus colegas atribuem a mim e minha mania de organização.

Fazer faxina é mais uma questão de hábito do que um hobby. O humor volátil do meu pai sempre foi imprevisível quando eu morava em casa; ele ficava irritado quando perdia apostas e parecia que estava sempre pronto para comprar uma briga. Eu odiava confusão, então fazia o que podia para evitá-la.

Cuidava do meu dever de casa assim que chegava em casa, às vezes durante os intervalos da escola. Tinha vários bicos na vizinhança para nunca ter que pedir dinheiro. Sempre mantinha tudo limpo e organizado para ele nunca ter motivos para reclamar.

Não adiantava de nada. Depois de perder e beber, meu pai sempre achava um motivo para explodir, mas mantive o hábito. Agora, ele vai me ajudar a ganhar pizza. Enfim.

A manhã de domingo segue seu curso. Nós preparamos um jogo de futebol de times de cinco para as crianças com muita energia, jogos de tabuleiro e artesanato para outras. Passo mais tempo observando Aurora correndo, incentivando seus jogadores, do que fazendo o pássaro de origami que preciso fazer.

— Você tem um crush gigante na Rory — comenta Michael, um menino de dez anos que aparentemente não sabe ficar de boa. — Você não para de olhar pra ela.

— Por favor, não diga esse tipo de coisa — respondi, de repente muito concentrado no meu origami. — Rory é minha amiga. Estou vendo o jogo.

— Você não disse que não tem um crush nela.

— Eu também não disse que tenho.

Ele deixa o assunto morrer, então solto um suspiro silencioso de alívio pelo fato de que os pais de Michael são atores, não advogados, como os de várias crianças aqui que gostam de discutir.

Quando chega a hora de levar todos de volta para o refeitório, meu passarinho está pronto. Maya e Xander começam a levar o grupo para almoçar, mas eu fico para trás para organizar os jogos e desenhos espalhados na mesa.

— Eu te ajudo — diz uma voz gentil atrás de mim.

— Tudo bem, não se preocupa. Pode se sentar — digo para Aurora. — Você deve estar cansada.

Ela se senta na frente de um quebra-cabeça incompleto, encarando-o antes de começar a desmontar.

— É assim que me sinto às vezes.

Estou olhando para ela; as maçãs do seu rosto estão vermelhas de tanto correr, o cabelo está preso para não cair no rosto, dando destaque às sardas novas que decoram seu rosto após três semanas no sol. Ela continua desmontando o quebra--cabeça, peça por peça, guardando-o na caixa.

— Como se quisesse me colocar em uma caixa? — brinco, incerto.

— Não, como se você fosse um quebra-cabeça e eu tenho toda a borda montada, mas ainda não consegui encaixar as peças do meio.

— Fiz uma coisa pra você — digo, mudando de assunto. — Não ficou muito bom. Eu me distraí vendo você perder todos os gols.

Seus ombros chacoalham enquanto ela ri.

— Eu sou péssima. O sonho de todo goleiro.

— É mesmo.

Ela finalmente olha para mim quando coloco o passarinho de papel na sua frente.

— Falando como goleiro, claro.

Ela pega o origami, segurando como se fosse a coisa mais preciosa do mundo apesar de estar horrível.

— Eu amei. Obrigada, Russ.

As regras de queimada com tinta são as mesmas de um jogo de queimada tradicional. A diferença é que a sua bola é uma esponja que você mergulha em um dos vários baldes de tinta espalhados pelo gramado antes de jogar no oponente. Cada rodada tem uma cor diferente para sabermos quem está jogando e quem já saiu.

Considerando meu histórico esportivo e que meus oponentes são, em sua maioria, crianças, não achei que iria ficar coberto de tinta. Mas quando a esponja me acerta no peito e tinta verde se espalha com o impacto, percebo que me enganei.

Enquanto chacoalha tinta verde das mãos, a expressão no rosto de Aurora é vitoriosa. A garota tem uma mira boa, o que é atraente pra caralho. Não sei se estou pronto para analisar por que fico excitado quando ela ganha de mim.

— Achei que você era bom goleiro — grita ela do outro lado do campo.

— Eu disse que não tenho talento!

— Sei de algumas coisas que você faz muito bem.

Prefiro mil vezes que ela ache que eu sou bom na cama do que em queimada com tinta.

Saio da quadra, já que ela me eliminou, e me sento ao lado de Maya, que está coberta de tinta de várias cores.

— Quando crianças de oito anos se tornaram tão competitivas?

Ficamos vendo o jogo. Fecho os olhos por um segundo enquanto viro o rosto para o sol, me deliciando com o calor no rosto. Nessa hora, sinto algo molhado bater na minha perna. Abro os olhos de repente e vejo Rory sorrindo.

Maya ri e me entrega uma toalha.

— Ela vai acabar entregando vocês dois.

Sinto um frio na barriga.

— A gente não... Não tem nada pra entregar.

— Claro, claro.

O banheiro comunal é grande o suficiente para eu e Aurora — e mais várias pessoas — termos espaço de folga, mas aqui estamos, tão próximos que consigo sentir o calor emanando do seu corpo.

— Não adianta — resmunga ela, passando um pano úmido pelo pescoço. — Estou destinada a parecer um dálmata colorido para sempre.

— Vem aqui.

Seguro sua cintura, colocando-a sentada na bancada, e pego o pano da sua mão. Seus joelhos se abrem para eu me posicionar entre eles enquanto inclino a cabeça dela para trás, ganhando acesso a todas as partes coloridas.

— Eles vieram com tudo pra cima de você.

Assim que as crianças perceberam quanto Aurora era boa na queimada, ela virou o alvo principal. Ela cantarola baixinho enquanto limpo sua mandíbula e, quando passo para o pescoço, ela estremece. Suas bochechas ficam vermelhas, mas ambos ignoramos o que aconteceu e o significado disso.

— Como você está hoje? — pergunta ela, interrompendo o silêncio entre nós.

— Você não gosta de silêncio, né?

— Você não gosta de responder perguntas, né?

— Ok, me pegou. Na verdade, hoje foi mais fácil do que pensei. A distração ajudou, acho. E você?

— A mesma coisa. Acho que eu sempre só quis que as pessoas tivessem vontade de ficar comigo. Porque meu pai nunca quis isso, não importa quanto as pessoas tentem amenizar esse fato, e minha mãe quer, mas... — Eu movo a cabeça dela devagar, inclinando-a para o outro lado. — Não sei explicar sem soar horrível. Tipo, não sei. Ela me sufoca às vezes. Mas as crianças me querem por perto porque acham que eu sou legal e, por mais patético que seja, isso significa muito pra mim.

— Não é patético.

— E elas não podem ir embora. — Ela força uma risada. — O que é bom.

— Você merece pessoas na sua vida que fazem você se sentir bem, Aurora.

— Você me faz bem.

Ela se vira para olhar para mim, seus lindos olhos verdes me encarando por baixo dos cílios longos. Quero passar meu polegar pelo seu lábio, beijá-la, descobrir se ela ainda tem o mesmo gosto das minhas lembranças. Ela hesita, mas conheço esse olhar. É o olhar que ela faz quando quer perguntar algo, mas não sabe como.

— Pode me perguntar, meu bem. Prometo que não vou fugir.

— Não é nada. A gente devia voltar pro churrasco antes que alguém comece a imaginar coisas. Não quero meter você em confusão.

Aurora desliza para a frente até seu corpo tocar o meu, e dou um passo para trás, um pouco depois do que deveria, mas eu mereço aplausos por ter conseguido me afastar. Minhas mãos seguram as dela enquanto a ajudo a descer, mas depois deixo que ela vá na frente.

— Rory — eu digo, e me encosto na bancada onde ela estava sentada. Ela para na porta e me observa, curiosa. — Você me faz bem também.

Capítulo quinze

RUSS

O TOQUE DO CELULAR interrompe minha playlist pela milionésima vez na última hora, e meu irmão conseguiu me irritar oficialmente a ponto de eu querer atender a ligação só para mandar ele se foder.

— O que você quer, Ethan?

Minha voz alta perturba a manhã tranquila em Honey Acres. Os cavalos pastando no campo ao lado da minha rota de corrida me observam com seus olhos grandes e soltam um relincho irritado antes de se afastar da cerca.

A melhor coisa desse lugar é que o sinal do celular é terrível, mas em alguns lugares a recepção funciona por tempo o suficiente para minha família me pentelhar.

— Você é um merda que nunca atende ligação nenhuma! — É um bom começo, mas nada fora do normal. — Você precisa crescer, porra.

Não importa onde eu esteja, não importa o que esteja fazendo, ou quanto siga as regras e reze para isso ser o suficiente, o universo encontra uma forma de me trazer de volta para a realidade.

— O que você quer, Ethan? — pergunto de novo, a frustração de antes se dissolvendo em suas palavras ácidas.

— O pai tá no hospital. A mãe tá perguntando por você; quer que você vá pra lá. Então para de enfiar a cabeça na areia e fingir que não faz parte dessa família que nem um merdinha egoísta e vai dar um apoio pra ela.

Seria de se esperar que a minha reação ao saber que meu pai está no hospital fosse mais emocional, mas a primeira coisa que passa pela minha cabeça é: o que será que ele fez para se meter nessa? Já passei por isso antes, não é a primeira vez: aconteceu quando ele penhorou as joias da minha mãe e a culpa fez com que bebesse tanto que precisou de uma lavagem estomacal. E quando se meteu em uma briga em um casino e precisou levar pontos. E quando bateu o carro, mas jurou que não estava bêbado.

— Não posso. Tô trabalhando.

— Vê se cresce, porra — diz ele, frio. — Se você não pegar a merda da estrada agora, eu vou até esse maldito acampamento e te arrasto pra casa eu mesmo.

— De que estado vai sair pra fazer isso? Vai interromper a turnê?

Ethan e eu nunca tivemos aquela conexão que muitos irmãos têm. Nossa diferença de idade de sete anos sempre foi grande demais, somada com o fato de que ele nunca quis lidar com os abusos verbais do nosso pai. Sempre tive raiva do fato de que ele me deixou sozinho, mas acho que teria feito a mesma coisa se fosse o filho mais velho.

— Eu tô em São Francisco. Não tô brincando, Russ. Ignorar as ligações não vai funcionar dessa vez. Esteja presente para a sua família. Você não pode pular fora só porque tem que lidar com algumas merdas às vezes.

Não sei se devo rir ou gritar. Quero lembrá-lo de que foi ele que pulou fora, se mudou pro outro lado do país e me deixou sozinho para lidar com tudo. Ethan diz que eu sou teimoso e mente fechada. Que eu não entendo como é lidar com uma doença tão agressiva e que ele entende melhor do que eu porque trabalha na indústria da música.

Ele disse uma vez que se lembrava de quando as coisas estavam bem e por isso não fica tão chateado quanto eu. É fácil dizer que entende e não está com raiva quando passa a maior parte do tempo do outro lado do país.

— Eu não quero falar com ele, Ethan. Você não entende. Ele é imprevisível. Pode ser um amor em uma hora e depois terrível, e eu odeio isso.

— Ele está sedado. Faz isso pela mãe, Russ. Não é culpa dela.

— Tá — respondo, irritado. — Te vejo mais tarde. Você vai, né?

— Você está fazendo a coisa certa. Cuidado na estrada, irmãozinho.

Tenho uma sensação ruim enquanto caminho de volta para minha cabana. É tão cedo que não há ninguém por perto e as crianças ainda não acordaram. Xander ficou com o turno da noite, então está dormindo na cabana dos Ursos-Pardos com Maya e não quero arriscar entrar lá para explicar.

Depois de um banho rápido, jogo algumas coisas na mochila e vou para o prédio principal. Demoro cinco minutos para criar coragem e bater na porta do orientador de plantão. Jenna mal está acordada quando abre a porta, e lá estou eu com uma mochila nas costas.

— Sinto muito por te acordar — digo quando não consigo explicar para onde vou.

— Não se preocupe. Está tudo bem? — pergunta ela, com cuidado.

Enxugo as mãos suadas na bermuda e me forço a me concentrar.

— Se eu te contar uma coisa, podemos manter isso entre nós? Porque você é minha chefe?

Ela assente devagar, aperta o roupão na cintura e se apoia no batente da porta.

— Se você quiser, será confidencial. Desde que não seja uma questão de segurança. O que aconteceu, Russ?

— Meu pai está no hospital e eu preciso um dia ou dois para ir para casa. Eu posso compensar depois os turnos que perder. Sinto muito, Jenna. Posso ir?

— Meu Deus. Claro que sim. Você está bem pra dirigir? Sua casa é longe? Sinto muito! O que aconteceu?

Nessa hora, percebo que estava tão ocupado brigando com Ethan que nem perguntei. Quando algo acontece com frequência, às vezes os detalhes deixam de ser prioridade. Talvez eu devesse me sentir mal por isso, mas consigo pensar em vários possíveis motivos que não devem estar tão longe da verdade.

— Não, meus pais não moram muito longe de Maple Hills. Mas eu não gosto de falar sobre a minha família, tudo bem se isso ficar entre nós? Eu não quero que a equipe saiba que estou indo pro hospital.

Ela assente, e me sinto melhor na mesma hora.

— Você pode só avisar que eu tive uma emergência pessoal ou algo assim? Mas que eu estou bem. Não quero que ninguém se preocupe.

Não é que eu não queira que meus colegas saibam que estou voltando para Maple Hills, mas posso inventar várias desculpas sem colocar o meu pai no meio.

— Claro. Espero que seu pai melhore logo. Se precisar de mais tempo, pode me ligar para avisar?

— Eu ligo, sim, mas com certeza volto antes disso. Obrigada, Jenna.

Sinto um frio na barriga assim que vejo as placas indicando Maple Hills, e, agora que estou pegando a saída, não sei se consigo respirar.

O café do posto de gasolina que estou bebendo está queimado e amargo, uma representação perfeita de como me sinto. Ignoro as placas que me levariam ao campus e, em vez disso, sigo as que me guiam para o hospital.

Assim que vejo o prédio, considero dar a volta, desligar o celular, voltar para Honey Acres e fingir que nada aconteceu. Quero fugir de tudo isso, ignorar todas as conversas que estou prestes a ter, evitar as pessoas de quem tento manter distância, mas não faço nada disso. Estaciono minha caminhonete na vaga de tempo limitado, como se isso fosse fazer com que a visita seja rápida e eu possa voltar para a vida que estou começando a amar.

Vejo minha mãe na área de espera antes que ela me veja. Ela parece mais cansada do que na última vez que a vi. Quatro meses atrás? Cinco? Suas olheiras estão escuras e fundas, em contraste com a pele clara, o cabelo está cada vez mais grisalho e o rosto, mais magro. Ela está segurando um copo de café nas mãos, olhando para o nada, e mais uma vez considero dar a volta e ir embora.

Meus pés me guiam até eu parar na frente dela. Nenhuma parte de mim, durante a longa viagem até aqui, pensou no que eu iria dizer quando chegasse. Agora, aqui estou eu, na frente dela, sem saber por onde começar.

Minha mãe se levanta sem falar nada e me abraça com força. Com o rosto enfiado no meu peito, ela começa a chorar.

— O que aconteceu? — pergunto com a voz firme.

— Ele se ofereceu pra ir no mercado antes do jantar e foi atingido por um motorista bêbado — diz minha mãe, enxugando os olhos na manga.

— Foi atingido? Ele estava bêbado também?

— Não! Não estava! — Ela fica ofendida, como se fosse inacreditável eu sequer imaginar que isso poderia ter sido culpa do meu pai. Ela me conta todos os detalhes e, ao descobrir o local do acidente, sei que ele estava voltando da pista de corrida. Não há um mercado sequer perto daquele cruzamento. — Você pode entrar pra falar com ele daqui a pouco, o médico não deve demorar.

— Falar com ele? O Ethan disse que ele estava inconsciente. E cadê o Ethan, aliás?

— Ele estava inconsciente e agora já acordou. E o seu irmão está em turnê, lá pelo Centro-Oeste, acho. Por quê? Você achou que ele viria?

Eu vou matar o meu irmão da próxima vez que ele aparecer.

— Eu não quero falar com ele, mãe. Não quero nem estar aqui.

Ela suspira e se senta, gesticulando para eu me juntar a ela. Não há mais ninguém na sala e nunca quis tanto estar rodeado por desconhecidos.

— Você precisa superar essa fase de rebeldia adolescente tardia, Russ. Não sei o que fazer contigo. Você é adulto, mas faz parte dessa família, quer queira, quer não. Precisa começar a colocar a gente em primeiro lugar.

Não percebo que o barulho que ouço vem de mim até sentir a cadeira se mexendo por causa das minhas risadas. A situação não é nada engraçada; nunca foi, na verdade, mas a risada vem subindo até quase me engasgar, e então eu paro.

— Vocês nunca me colocaram em primeiro lugar.

— Como você pode falar assim, Russ? Já deixou de comer? Ou de ter roupas para vestir? Gasolina no carro? E os treinos de hóquei? Um lugar para morar? — Seus olhos se enchem de lágrimas enquanto me encara, esperando uma resposta. — Você acha que eu fiz horas extras por diversão? O seu pai está doente, Russ. Você não vira as costas pras pessoas porque elas não são perfeitas.

— Você está sendo conivente. Toda vez que não faz nada, piora a situação. Você sabe que ele não estava indo ao mercado. Você sabe que, se ele tivesse ido mesmo fazer isso, nenhum de nós estaria aqui agora.

— Você não pode fingir que sabe como um casamento funciona ou o que uma pessoa casada precisa fazer — retruca ela, passando as mãos na saia. — Quando você ama muito alguém, você dá a vida pela pessoa para que ela fique bem. Não acho que esse é o lugar certo para ter esse tipo de conversa, Russ. Vamos conversar em casa mais tarde.

— Eu não vou pra casa. Não quero conversar sobre nada. Não quero estar aqui.

Minha mãe nunca falou tão abertamente sobre os problemas do meu pai. Percebo a dor em cada palavra, mesmo com a voz calma, mas isso não apaga o meu sofrimento. Há uma luta na minha cabeça em que ninguém consegue opinar, ninguém entende, e na verdade ninguém vence. De um jeito lógico, eu entendo que é uma doença que o domina completamente. Que ele nunca teve chance e que a sorte não está a seu favor, o que é irônico já que estamos falando de um vício em jogo, eu sei. Posso falar isso e entendo, de verdade, mas isso não anula a dor da situação.

— Então por que está aqui, meu amor? Se não quer falar sobre o que está acontecendo na nossa família, por que veio?

Podia contar que o Ethan mentiu para me fazer vir até aqui. Poderia explicar que só de imaginar ele chegando em Honey Acres e fazendo uma grande cena na frente dos meus novos amigos, sinto meu estômago embrulhar. Que imaginar a Aurora olhando para mim, cheia de pena, depois de descobrir que, enquanto o pai dela prioriza uma indústria bilionária, o meu prioriza um tipo diferente de corrida.

— Não queria que você ficasse sozinha, mas não dirigi por quatro horas para brigar com você — digo, massageando as têmporas.

Ela estica a mão e segura a minha.

— Eu não teria casado com ele se fosse um homem ruim. As pessoas não acordam um dia e decidem ser viciadas. Elas não escolhem magoar as pessoas que amam.

Meu corpo inteiro está doendo por causa da adrenalina de estar aqui, e me sinto exausto. Cada sensação, cada ressentimento, cada pedacinho dolorido está exposto feito uma ferida aberta.

— Você sabia que ele me pede dinheiro? — Antes que ela possa abrir a boca, já sei que a resposta é não. Ela nunca conseguiu disfarçar as emoções, assim como meu pai, ironicamente. — E, quando não mando, ele fala que eu sou um merda e que não sou seu filho.

Seus olhos se enchem de lágrimas, mas elas não caem.

— Sinto muito, Russ.

— Ele me faz sentir como se não merecesse ter coisas boas na vida. — Nunca disse isso em voz alta, e as palavras tentam voltar para a minha boca. — Ele me faz sentir como se ninguém nunca fosse me querer por perto, porque, se meu próprio pai prefere um jogo de pôquer a mim, quem vai me escolher?

— Isso é a bebida falando, o desespero. Ele te ama tanto. Nós te amamos tanto.

Sei que suas palavras deviam me tranquilizar, mas ela só está dando mais desculpas por ele. Não acho que ela sequer entenda o que está fazendo.

— Não sei fingir como você, mãe. Eu não deveria ter vindo, desculpa.

— Diga pro seu pai o que você está sentindo.

— Como é?

Minha mãe se levanta, arruma a roupa, o cabelo, se preparando para sair e fingir que as coisas não estão uma merda.

— Acha que ele não consegue melhorar, né? Você não quer nada com ele. Conosco. — Sua voz falha. — Então entra no quarto e diz pra ele o que está sentindo. O que tem a perder?

Eu me sinto atordoado ao seguir as instruções da minha mãe. Nunca falei com ela tão abertamente; acho que nunca falei com ninguém assim. O médico está saindo quando chego na porta do quarto.

— Familiar?

— Filho.

— Seu pai teve muita sorte — diz ele, me dando um tapinha nas costas ao passar.

Sorte.

Meu pai não fala nada ao me ver entrar no quarto e sentar ao seu lado. As máquinas ao seu redor apitam ritmicamente, me avisando que em algum lugar ali dentro há um coração.

O silêncio é ensurdecedor. Faz com que eu pense em Aurora e em como ela nunca aguentaria aquilo. Ela iria preencher o vazio com algum comentário bobo e suas bochechas ficariam vermelhas e eu ficaria ali, observando, absorvendo cada raio do seu brilho natural. Queria não ter atendido a ligação do Ethan. Queria estar jogando espirobol ou futebol ou qualquer coisa assim, *qualquer coisa*, em um lugar onde eu não precise lidar com tudo isso.

— Você está com cara de quem quer dizer alguma coisa — diz meu pai, com a voz rouca. Ele está com uma aparência terrível; cheio de hematomas e arranhões, cheio de fios.

Quero dizer muitas coisas. Todo pensamento ruim que já tive sobre mim mesmo. Todos os riscos que nunca assumi porque tive medo. Toda conversa que interrompi, com medo demais de que alguém fosse me conhecer de verdade. Todo relacionamento em que não investi porque não queria estragar tudo e decepcionar alguém.

— Você destruiu a nossa família e não sei como podemos consertar.

Ele não fala nada por um bom tempo, e o homem que conheço, mesquinho e agressivo, parece tão pequeno sob as luzes fortes do hospital.

— Eu sei.

— Por muito tempo, achei que o pai que eu amava estivesse aí dentro em algum lugar, perdido, mas ainda aí. Não acho mais isso. Você não é o homem que me ensinou a patinar ou andar de bicicleta. Não sei quem você é.

— Eu sei.

— Tenho medo de ir atrás das coisas que quero e estragar tudo, porque você me fez acreditar que eu sou um merda, e eu te odeio por isso. Eu te odeio por estar presente e ausente ao mesmo tempo.

— Eu entendo.

— Você é que nem uma erva-daninha. Não tem nada na minha vida que você não tenha invadido e arruinado. Não consigo passar nem um verão sem você estragar tudo. Eu não falo com você, não leio mais suas mensagens, e mesmo assim você está sempre na minha cabeça.

Tudo sai rápido e desenfreado, mas escolho cada palavra e estou com raiva de mim mesmo por engolir tudo por tanto tempo. Meu peito fica mais leve a cada sílaba, o peso que carreguei por tanto tempo finalmente sumindo.

— Você merece coisa melhor, filho.

Ele parece tão fraco, deitado na cama, me ouvindo falar.

— É. Mereço, sim. Minha mãe também. Bota a sua vida em ordem.

Meu pai não me chama quando me levanto e vou embora. Meu corpo está no piloto automático agora, a memória muscular me levando para longe. Ethan pode falar que estou me escondendo, mas fui mais honesto com o pai em uma conversa do que nossa família inteira nos últimos anos. Estamos destruídos, e ignorar os problemas não adianta nada.

Não processo o que está acontecendo ou aonde estou indo até minha caminhonete parar na frente da casa na Avenida Maple. A familiaridade é reconfortante e decido descansar e processar tudo antes de pegar a estrada de volta pro acampamento.

A porta não está trancada e, quando a abro, a última coisa que espero ver é a bunda do Henry enquanto ele está macetando alguém no sofá da sala.

Capítulo dezesseis

RUSS

A porta da frente abre, revelando Henry, completamente vestido dessa vez. Eu me afasto da minha caminhonete, evitando fazer contato visual enquanto passo pelo meu amigo ao entrar em casa.

Já vi a bunda do Henry antes; é o tipo de coisa que acontece quando você faz parte de um time de hóquei: vestiários e quartos de hotel compartilhados… Não é novidade.

Aquilo foi novidade.

— Desculpa, cara — digo, me jogando na poltrona e não no sofá, onde nunca mais vou sentar. — Eu devia ter avisado, não achei que estaria aqui. A sua *convidada* tá bem? Se servir de consolo, eu não vi nada dela.

— Por que você tá pedindo desculpas por entrar na própria casa? — diz ele, pegando garrafas d'água na geladeira para nós dois. — Ela tá bem, só um pouco envergonhada. Foi tomar banho e achei uma máscara hidratante e relaxante pro rosto. Vou dar uma olhada depois que você me contar o que tá fazendo em Maple Hills.

— Tretas de família. Cheguei hoje, por isso não mandei mensagem falando que estava de volta. Queria tomar um banho antes de voltar pro acampamento.

— Você não pode voltar hoje — diz Henry. — É muito tempo de estrada pra um dia só. Dorme aqui hoje, volta amanhã de manhã. Você quer conversar sobre essas coisas de família?

Balanço a cabeça, passando a mão pelo cabelo. Agora que a adrenalina passou, percebo quanto estou cansado.

— Você tem razão. Vou amanhã cedo. Mas não se sinta obrigado a passar um tempo comigo. Eu vou pro meu quarto pra não atrapalhar. Só não transa na poltrona, tá? É a minha favorita.

Ele me dá um sorriso contido quando se levanta e vai em direção às escadas.

— É fofo que você ache que alguma superfície dessa casa é segura. Vou te poupar e não descrever o que vi a Lola fazendo com o Robbie quando ele estava sentado bem aí.

— É, acho que consigo adivinhar.

— Foi um boquete.

Talvez seja melhor eu sentar no chão.

— Maravilha. Escuta, eu tô acabado. Vou tomar banho, talvez dormir um pouco. O Robbie ainda tá em Nova York?

— Aham, só volta semana que vem. Vou tentar não fazer barulho.

— Você é um bom amigo.

Dou uma risada.

Ele assente e sobe as escadas, me lançando um olhar por cima do ombro.

— Você também.

Nunca fui muito de tirar cochilos, mesmo quando não tenho mil coisas na cabeça. Coloquei o celular no silencioso depois que o meu irmão começou a ligar e mandar mensagens. Ficar sem sinal constante no celular por um mês curou qualquer tipo de dependência que eu tinha; quando escuto o telefone tocar, fico irritado.

Não sei quanto tempo passo olhando para o teto do meu quarto, mas sei que é o bastante para ficar irritado com a falta de sono. Talvez seja porque não consigo ouvir Xander roncando, ou porque não tem um cachorro tentando ocupar a cama inteira.

— Querida, chegamos!

Primeiro acho que estou ouvindo coisas, mas em seguida vem uma risada tão alta e ridícula que sei que não é coisa da minha imaginação. Henry está logo atrás de mim quando desço as escadas. Kris, Mattie e Bobby estão colocando caixas de pizza e cerveja na ilha da cozinha quando chego.

— Olha ele aí! — grita Kris, empolgado. — O bom filho à casa torna.

— Eu tô com muito jet lag para explicar os vários motivos de você não entender o que isso significa — diz Mattie.

— Não dá bola pra ele — diz Bobby, me cumprimentando e me puxando pra um abraço. — Ele só gosta de falar que está com jet lag pras pessoas perguntarem de onde ele tá vindo.

— Dá pra ter jet lag com três horas de diferença? — pergunta Henry enquanto abre uma das caixas de pizza.

— Como foi Miami? — pergunto, aceitando uma cerveja do Kris.

— Loucura, cara. — Mattie me entrega o celular, mostrando os três em frente a uma filial do The Honeypot em Miami. — Da próxima vez você vem junto.

— Eu tô de boa — diz Henry na hora.

Bobby entrega caixas de pizza para todo mundo e nos reunimos ao redor da ilha da cozinha. Controlo a vontade de gemer ao morder um pedaço da pizza de pepperoni e perceber que não havia comido nada o dia todo.

— O que vocês estão fazendo aqui, afinal? — pergunto depois de tomar um gole da cerveja.

— Hen disse que você apareceu aqui e empatou a foda dele — diz Kris.

Henry solta um grunhido.

— Não falei isso. Tá no grupo, não viu?

— Não, desculpa. — Tiro o celular do bolso e ligo as notificações, me sentindo culpado. — Não mexi nele desde que saí do acampamento.

— Estávamos com saudade, cara — diz Mattie. — E somos intrometidos pra caralho. Queremos saber por que você voltou do acampamento, já que Turner é bonzinho demais pra perguntar.

— Mas sentimos mesmo a sua falta — complementa Bobby. — Que é mais importante do que saber se você foi demitido ou não.

Henry solta um grunhido que eu não entendo. Sei que posso confiar nele e que ele não iria falar nada.

— Um motorista bêbado bateu no carro do meu pai. Ele tá bem. Eu fui fazer uma visita, mas vou voltar pro acampamento amanhã de manhã.

Assinto, aceitando todos os desejos de melhoras, agradeço e não digo mais nada sobre meu pai. Eles podem não ter o panorama completo, mas sabem que há algo de errado na minha vida pessoal para além da faculdade. Por mais que eu ame meus colegas de equipe, não acho que vou conseguir chegar a um ponto em que consiga explicar quanto me sinto envergonhado e frustrado com a situação toda.

— A Jenna ainda trabalha lá? — pergunta Bobby com um sorriso estranho no rosto. — Todo mundo era obcecado pela Jenna.

— *Você* era obcecado pela Jenna — responde Kris com a boca cheia de pizza. — Ele tinha certeza de que teria uma chance com ela quando fizesse dezoito anos. Fomos para lá uma vez só, mas ele ficou falando sobre ela por tipo, três anos.

— Sim, ela é minha chefe. Ela é demais, muito legal. Meio que odeia ter que gerenciar pessoas, mas, desde que você não faça nada de errado, é tranquila.

— Ela ainda tá bonita? Não sei por que tô perguntando isso, porque com certeza ela tá bonita — diz Bobby. — Merda, talvez eu vá trabalhar lá ano que vem.

Mattie, revirando os olhos para Bobby, pergunta:

— Como é o seu grupo?

— Na verdade, é bem legal. Tem um cara, Clay, que é meio babaca, mas não de um jeito insuportável. O cara com quem eu divido a cabana, Xander, é bem legal. Maya é demais, ela está num programa de intercâmbio de acampamento com os amigos, então costuma ficar com eles quando não estamos trabalhando, então não a conheço muito bem. Emilia e Aurora são legais.

— Peraí, volta um pouco — diz Kris.

— Aurora? — pergunta Henry logo em seguida. — Aquela garota que te deixou sozinho no meio da noite?

Massageio a nuca para aliviar a tensão que se espalha quando concordo. Precisamos de um jeito novo para identificá-la, porque as coisas mudaram bastante desde que ela foi aquela Aurora.

De repente, começam os gritos, eles pulam e se abraçam, comemoram... Eu literalmente não tenho ideia de por que estão tão felizes.

— O que vocês estão fazendo?

Mattie é o primeiro a parar de pular.

— Ela é a garota da F1, né? Você consegue uns passes pra gente?

— É impossível que vocês tenham passado um mês inteiro juntos sem ter transado — diz Bobby, empolgado.

— Não transamos. — Todos param de comemorar. — O acampamento tem uma regra contra relacionamentos entre membros da equipe e, pra ser sincero, eu meio que fugi dela na primeira semana. Estamos bem agora, ficamos amigos.

Tenho uma plateia inteira de expressões confusas me encarando. Meus amigos trocam olhares, e sem emitir uma palavra sequer, elegem Kris como líder.

— Você sabe que ninguém leva essa regra a sério, né? Um monte de gente de vinte e poucos anos, juntos por dois meses e meio, com uma regra dessas? Não fode.

— Eu não duraria uma semana — resmunga Mattie enquanto morde outro pedaço de pizza.

Henry faz uma careta para ele.

— Porque você não tem respeito por figuras de autoridade.

— Vamos ver como isso funciona, capitão. — Mattie sorri.

Henry revira os olhos, como se fizessem isso toda vez que mencionam seu novo título.

— Russ está seguindo as regras.

— Fodam-se as regras. — Dessa vez é Bobby quem responde. — A gente pode morrer amanhã.

— Eu preciso do trabalho, gente. Foi mal desapontar todo mundo. Ela é incrível, sério, como amiga. Ela é... incrível.

— Engoliu um dicionário — diz Mattie, rindo, e desvia do guardanapo que jogo nele.

Precisaria mesmo de um dicionário para descrever quanto Aurora é incrível. Penso no acampamento e no que estão fazendo. As crianças já devem ter jantado; devem estar tomando chocolate quente ao redor da fogueira. Aurora vai reclamar que a caneca não é grande o suficiente para comportar a quantidade absurda de marshmallows que ela quer, e Xander vai desafiá-la a tentar quebrar o recorde de marshmallows enfiados na boca.

Eu me pergunto se alguém vai acompanhá-la até a cabana hoje à noite e se vão esperar até ela entrar.

Kris termina a cerveja, dando de ombros ao colocar a garrafa na banca da cozinha.

— Você com certeza não é a única pessoa a fim de alguém da equipe, amigão, e eles não podem demitir todo mundo.

É ESTRANHO IR EMBORA DE novo.

Depois que os meninos desistiram de tentar me convencer a aproveitar tudo que a vida tem pra oferecer, começaram a contar sobre Miami e todas as loucuras que fizeram. Parei na primeira cerveja, mas quando eles chegaram na quarta, Bobby e Kris começaram a encenar o momento que Mattie foi confundido com um ator famoso e eles acabaram na área VIP com Tristan Harding, o cara de um dos filmes de romance que Lola e Tasi adoram.

Nós conversamos sobre os jogos da temporada anterior, nossa vitória no campeonato e previsões para a próxima temporada. Quando vou deitar, porque tenho que acordar cedo, eles parecem realmente tristes por eu estar indo embora de novo, o que me faz não querer ir.

Mattie e Bobby dormiram nos quartos do Robbie e JJ, e, depois de Kris perder cinco rodadas de pedra, papel ou tesoura, vai dormir no sofá que Henry profanou.

Apesar da ressaca, eles acordam antes do nascer do sol para fazer o café da manhã, assim posso comer algo antes de pegar a estrada. Ter amigos de verdade me mostrou que não preciso me esconder mais. Falar para o meu pai exatamente como me sinto me libertou do que estava me prendendo. Ninguém muda da noite pro dia, claro, mas volto para Honey Acres me sentindo um novo homem.

Infelizmente não pareço um novo homem. Mal dormi essa noite, e isso fica óbvio pela minha cara. Sinto o cansaço no corpo inteiro e estou todo duro depois de passar tanto tempo dirigindo.

Assino minha entrada de novo no acampamento e vejo que Jenna está no meio de uma reunião, então aceno para ela do outro lado das portas de vidro, o que é ótimo: assim não preciso responder a nenhuma pergunta. É pouco antes da hora do almoço, e sei que Emilia e Aurora estão cobrindo meu turno. Por mais cansado que esteja, quero mais do que tudo assumir meu posto para dar a elas a oportunidade de aproveitar o dia de folga que roubei.

Os Ursos-Pardos devem estar indo nadar, e o lago é do lado da minha cabana, então consigo colocar a minha camiseta do uniforme e guardar a mochila antes de começar o trabalho.

Ao descer para o quarto, vejo Aurora vindo na minha direção de cabeça baixa.

— Ei — falo quando estamos a cerca de dois metros de distância.

Ela ergue o olhar de repente, arregalando os olhos ao me ver. Percebo que estou prendendo a respiração, esperando uma resposta ou o sorriso que já me acostumei a ver quando estou ao seu lado, mas ele não vem.

— Você tá bem? — pergunta ela, se abraçando.

— Sim, tô bem. Sinto muito por você ter que cobrir pra mim. Estou indo pro lago agora para você e a Emilia terem o dia livre.

— É a vez dela, eu cobri ontem. Ela não vai deixar você assumir, então melhor deixar ela lá. Nós trocamos a natação e a dança porque achamos que ia chover, mas claro que ainda está fazendo um calor da porra. Você tá com cara de quem precisa dormir um pouco.

— Sinto muito mesmo. Eu vou cobrir pra você ter um dia a mais de folga ou algo assim. Vou te recompensar por isso.

— Você perdeu o ensaio do show de talentos — diz Aurora com a voz tranquila. A decepção em sua voz está acabando comigo. Ela franze o cenho, formando uma ruga profunda na testa. — Eu não me importo de cobrir seu turno, Russ. Você sumiu. Jenna disse que você teve um problema pessoal e que não era nada de mais. Então não entendo por que você não me falou que estava indo embora. — Sua voz falha. — Você me deixou. Deixou a gente. Todo mundo ficou preocupado. Eu e Jenna brigamos, porque ela ficou falando que você estava bem e eu fiquei puta.

— Aurora, sinto muito.

Dou um passo devagar em sua direção, depois outro, até puxá-la para um abraço. Nós nos encaixamos perfeitamente, com seus braços ao meu redor e meu rosto enfiado em seu cabelo.

— Aonde você foi? O que aconteceu? — murmura ela no meu peito. — Pode me contar.

— Não quero falar sobre isso — digo, sincero. — Desculpa ter perdido o ensaio. Desculpa ter te deixado preocupada. Não vou fazer isso de novo, prometo.

Algo na minha fala faz com que ela se solte de mim e dê um passo para trás.

— Tudo bem.

Não está tudo bem, e me sinto terrível de ver o sorriso que ela força para fazer as pessoas pensarem que ela não está triste. Não quero que essa barreira entre nós apareça de novo. As palavras saem voando de mim antes que eu saiba por que as escolhi.

— Me conta um segredo.

— Sério?

Quando aceno com a cabeça, ela respira fundo e fala:

— Estou triste que você saiu sem falar nada. Sem contar nada para ninguém, para mim. Eu acho, eu achei... que era mais importante para você do que os outros. Que talvez você confiasse mais em mim porque temos uma história juntos, ou algo assim.

— É verdade.

— Eu pensei em flertar com o Clay ontem à noite só para me sentir importante, que estranho, né? Mas não fiz isso. Liguei pra minha mãe, fui para cama cedo e passei o dia todo com a Emilia, sem me meter em confusão.

Saber que minha ausência quase fez Aurora ir parar nos braços do Clay faz eu me sentir péssimo.

— Você não é estranha, Aurora. Sinto muito por ter te magoado. De novo.

— Isso não tem a ver comigo, está na cara que tem coisas acontecendo com você. Estou tentando não ser o tipo de pessoa que faz besteira por causa das atitudes dos outros. É algo que faço com frequência, e não quero mais ser assim. É provavelmente o que faço de melhor, além de falar demais sobre mim mesma. — Ela aperta os lábios enquanto me encara. Queria poder falar sobre tudo, assim como ela, porém, mesmo depois do dia que tive, não consigo. Ela dá de ombros e se abraça de novo.

— Queria poder te apoiar, porque eu gosto de você. Acho que poderia ser uma amiga melhor se você se comunicasse melhor comigo.

— E por minha causa mais uma vez não estamos nos comunicando.

Ela assente.

— Mais ou menos. Você não precisa abrir seu coração inteiro, Russ. Estamos nos conhecendo; você pode ter limites e coisas que guarda para si. Algumas pessoas são boas em compartilhar informações, outras não. Temos que encontrar o meio-termo.

— Me desculpa por ter faltado ao ensaio. Sei como o show de talentos é importante pra você e não teria perdido se tivesse outra escolha.

Aurora descruza os braços, e sua postura relaxa aos poucos.

— Tudo bem. Temos muitos pela frente ainda. Emilia e Xander foram bem intensos.

Reparo na mochila que ela está carregando.

— Estava indo para algum lugar? Antes de me encontrar?

— Eu ia fazer uma trilha até um lugar que eu gosto, mas não sei se vai chover ou não, então estava indo procurar minha capa de chuva. Acho que o Xander deve ter inventado isso porque não queria ir nadar.

— Posso ir com você? Não vou conseguir relaxar, então nem adianta tentar. Não me importo se chover.

Ela sorri, e eu sinto uma onda de alívio.

— Se chover, vamos aproveitar o arco-íris.

Capítulo dezessete

AURORA

Acordei hoje de manhã e disse a mim mesma que iria esquecer Russ Callaghan. Que ele era apenas mais um homem que me deixou viciada em sua atenção e bem diferente do cara que eu achei que fosse. Emilia disse que meu nível de apego é tudo ou nada, e que não consigo lidar com um nível médio de felicidade, como a maioria das pessoas.

Preciso realmente questionar se alguém vale a pena se suas ações me fazem ligar para minha mãe para ouvi-la falar quanto está com saudade.

Fiz minha escolha e ia continuar firme, o que funcionou até ele voltar para o acampamento e parar na minha frente. É difícil ficar com raiva dele quando está com uma cara tão ruim. É difícil saber se eu teria a mesma reação se ele chegasse aqui sorridente e bonito como sempre.

Estava indo pegar coisas para fazer minha trilha quando decidi despejar todos os meus sentimentos nesse homem que eu constantemente obrigo a lidar com as minhas merdas. Não sei o que ele tem — se é a delicadeza do seu rosto, ou o jeito como seus olhos fazem eu me derreter quando ele me dá total atenção, ou aquelas malditas covinhas — que me faz vomitar todas as minhas inseguranças nele.

Ele deve estar exausto de ficar perto de mim.

Mas não o bastante para me deixar carregar a mochila.

Depois de tomar um banho, Russ está andando ao meu lado na trilha íngreme, fazendo-a parecer fácil.

— Consigo carregar minha própria mochila — repito pela milésima vez, ofegante. Preciso começar a me exercitar mais. — Parece que você é um daqueles burros de carga da Grécia.

— Gosto de ajudar — diz ele com a respiração normal. — E estou acostumado a carregar coisas, mas não a ser chamado de burro de carga. Valeu.

— Como pode você não estar nem suando? Pode me carregar se quiser, minhas pernas estão doendo.

Mal tenho tempo para dizer que estou brincando e minha bunda está no ar e meu nariz, enfiado na mochila. As mãos de Russ seguram a parte de trás das minhas coxas, me prendendo em cima do seu ombro enquanto ele continua andando sem perder o ritmo.

Não foi isso que eu pedi.

— Aurora, toda vez que você se mexe você esfrega a bunda na minha cara — diz ele, casualmente.

Dai-me forças.

— Não estava falando sério. Estava sendo dramática para parecer legal!

Seus dedos afundam na minha coxa e uma parte minha que tem se sentido profundamente esquecida começa a pulsar. Pensar na diferença de tamanho entre a minha coxa e a mão dele não deveria ser meu foco agora.

— Essa é a minha versão de ser legal — brinca ele. — Estamos quase no topo. Agora, sim, estou me sentindo que nem um burro de carga.

— Retiro o que disse. Você é o Shrek, e eu sou a Princesa Fiona.

Ele ri e me mexo com o movimento dos seus ombros.

— Bom, verde é a minha cor favorita.

— Que tom de verde? Verde-ogro?

— O tom dos seus olhos. — Ele começa a me colocar no chão de novo, mas minhas pernas estão bambas. — Caralho, como é bonito aqui.

Estou ocupada demais pensando no que ele disse sobre meus olhos para perceber que chegamos no meu lugar favorito. Não sei bem qual é o nome oficial desse acidente geográfico, mas a água é cristalina e morna, e estamos longe o suficiente para não sermos incomodados por ninguém. As pedras na margem eram a minha coisa favorita quando vinha para cá na infância, mas agora eu gosto do silêncio. Russ me ajuda a abrir uma toalha de piquenique na grama perto da água, e eu pego as garrafas d'água e barrinhas de cereal na mochila.

— É a primeira vez que ficamos completamente a sós desde que chegamos aqui. Ninguém por perto para atrapalhar — digo, tirando os tênis. Ele me observa, seus olhos dançando pela minha pele quando começo a tirar o short.

Ele me imita, se despindo devagar, e me observa tirar a camiseta pela cabeça enquanto faz o mesmo. Eu me sinto tonta com a expectativa, meu coração dispara e não consigo tirar o sorriso do rosto.

Ele joga as meias na pilha cada vez maior de roupas.

— Então vamos mesmo fazer isso?

Eu faço que sim, contando até três. Sinto um nervosismo se espalhar por mim e, quando digo "já", meu corpo toma conta e corro em direção às pedras.

Correr de biquíni deve ser a pior ideia que já tive — e olha que já tive várias ideias ruins. Se eu sofrer uma concussão por causa dos peitos batendo na minha cara, nunca vou superar a vergonha.

As pedras estão quentes sob meus pés quando começo a escalar. Não é difícil nem alto, mas estou muito consciente do homem atrás de mim, aquele que suspeito ter desacelerado o passo para me deixar ganhar e que, com certeza, ficou com a cara na minha bunda pela segunda vez hoje.

Nossa corrida era para ver quem entrava na água primeiro, mas, agora que estou aqui em cima, parece ser mais alto do que me lembro. Russ não me deixa pirar quando chega no topo. Ele me pega nos braços e caímos juntos na água.

A água gelada é um alívio do sol, mas estar com Russ só me dá mais calor. Ele afasta o cabelo molhado do rosto, seus bíceps aparecem sobre a água, e ele boia de costas, aproveitando a luz do sol. Ele parece melhor do que hoje de manhã; fico feliz de tê-lo trazido aqui. Esse é o lugar mais tranquilo que conheço, e sinto que ele precisava disso.

Talvez devesse ter lhe dado as instruções para vir sozinho, porque o silêncio está me deixando nervosa, mas faço o meu melhor para não preencher o espaço como sempre.

— Como achou esse lugar? — pergunta Russ, de olhos fechados, ainda boiando de costas. Meu Deus, que alívio poder falar de novo.

Boio para perto dele, como se fosse estragar tudo se falasse alto demais.

— Teve um ano em que um dos orientadores não gostava muito de esportes em equipe, então organizava trilhas por todo o terreno da família da Orla. Esse era meu lugar favorito.

— É lindo.

— Sim.

— Alguma chance de ter tubarões?

— Ínfimas.

Seus olhos se abrem, e ele sorri para mim, fazendo meu coração acelerar.

— Que alívio.

— Você já parece melhor — digo, com cuidado.

Quero que ele me diga por que teve que sair de repente, mas estou tentando não invadir sua vida e deixá-lo desconfortável depois que ele disse que não queria falar sobre o assunto.

Meu Deus, é exaustivo pensar tanto antes de fazer as coisas.

— Me sinto melhor. Obrigado por me trazer aqui.

— Se você... Você... — Ótimo começo, Rory. — Se você mudar de ideia e quiser conversar sobre o que aconteceu, não me importo. Podemos tentar encontrar um meio-termo.

— Não quero te sobrecarregar com as minhas coisas.

— Não me importo. Não é nada. Você acabou de carregar as minhas coisas, literalmente, ladeira acima. Posso lidar com qualquer coisa, Callaghan.

— Você já tem os seus problemas, não precisa lidar com os das outras pessoas.

Odeio minha boca grande. Falei isso há semanas, quando começamos a trabalhar aqui e alguém me perguntou por que não tenho namorado. Não sabia como dizer "não confio em homens, ainda mais porque sou um caos ambulante" de um jeito legal para pessoas que acabei de conhecer, incluindo o Russ. Então, respondi a primeira coisa que veio à minha mente, que infelizmente foi algo sobre não querer lidar com a bagagem emocional das pessoas.

— Eu quero lidar com os seus problemas.

— Aurora — diz ele em tom mais sério. — Confia em mim, você não quer, não.

Ele não está me ouvindo, e isso está me deixando irritada, mas sei que estou lidando com as consequências das minhas próprias escolhas. Sinto o rosto ficar vermelho enquanto tento verbalizar meus pensamentos.

— Quero, sim. Eu quero tudo. Pode fingir que eu sou um avião de carga. Quero a bagagem toda.

Na verdade, acho que eu estou sendo uma mala.

Russ franze o cenho, como se estivesse tão confuso quanto eu.

— Do que você tá falando?

— Aeroporto, bagagem. Sei lá. Não faço ideia do que eu tô fazendo ou falando na maior parte do tempo, mas falei sério mais cedo, Russ. Eu aguento.

Estou em território nada familiar e odeio isso. Ele estica a mão e coloca uma mecha de cabelo molhado atrás da minha orelha. Sua mão demora mais do que o necessário, e eu tremo inteira de alegria.

— A gente devia sair antes de começar a ficar com os dedos enrugados.

Na minha cabeça, estou gritando.

Ele não fala mais nada enquanto me ajuda a sair da água, e voltamos para a toalha. Eu me jogo no tecido macio com uma sensação de derrota e me deito para secar ao sol.

Bloqueio a luz com a mão e observo Russ se mexer, tentando achar uma posição confortável.

— Deita a cabeça na minha barriga.
— Tudo bem. Só preciso achar uma...
— Você vai ficar mais confortável assim, juro.

Relutante, ele se ajusta, deita e gentilmente se apoia na minha barriga.

— Se ficar desconfort...
— Emilia me usa de travesseiro direto. Você é mais gentil do que ela. Vai por mim, tá ótimo assim.

Não sei dizer quando finalmente me sinto confortável com o silêncio entre nós. Entretanto, sem o barulho da minha tagarelice, consigo ouvir a respiração dele. Depois de quinze minutos, ele começa a falar:

— Meu pai foi atropelado por um motorista bêbado. — Eu congelo, sentindo ao mesmo tempo alívio e pânico ao perceber que ele está se abrindo comigo. — Não vejo ou falo com a minha família com frequência porque... — Ele pausa e eu espero, passando a mão de leve na cabeça dele para que saiba que estou ouvindo. — Bom, porque meu pai não me faz muito bem. Ele era meu herói quando eu era criança. Nunca perdeu um jogo de hóquei, feira de ciências, reunião de pais e mestres. Quando me formei no ensino médio, mal nos falávamos mais.

— O que mudou? — pergunto com delicadeza.
— Ele. Não aconteceu da noite pro dia. Foram pequenas coisas que, com o tempo, foram tornando cada vez mais difícil conviver com ele. Ele ficou mais maldoso, e agora não suporto falar com ele.

— Que triste. E sinto muito sobre o acidente também. É muita coisa para processar. O seu pai estava bem quando você chegou lá?

— Ele vai se recuperar. Já o visitei algumas vezes no hospital e sempre foi ele quem se meteu naquela situação. Dessa vez, tecnicamente, não foi culpa dele, mas ainda acho que ele tem certa responsabilidade, sabe?

Minha mão continua acariciando o cabelo dele, e tenho medo de parar e ele fazer o mesmo.

— Tipo, se ele não estivesse fazendo o que estava fazendo, não estaria onde estava e o carro não teria batido nele.

— É, eu entendo.
— Eu não queria ir, mas meu irmão disse que, caso contrário, ele viria até aqui para me arrastar de volta para Maple Hills. Não queria trazer meus problemas para cá. No fim das contas, Ethan mentiu e não está nem perto daqui. Ele é esperto, na verdade. Sabia que eu iria ignorar suas ameaças se soubesse que estava mesmo longe.

— Vocês não são próximos?

— Ethan está puto com o mundo, e não sei por quê. Minha raiva é porque sinto que não consigo escapar. Ele fugiu há anos, então está reclamando do quê? É difícil nos aproximarmos, porque parece que ele está sempre gritando comigo. Isso me lembra o meu pai às vezes. Eu devia dizer isso pro Ethan da próxima vez que ele gritar comigo. Acho que nós lidamos com as coisas de jeitos diferentes. Ele acha que eu sou egoísta por alguns motivos, eu acho que ele é egoísta por outros, e no fim isso não é uma boa base para um relacionamento saudável.

— Eu também não sou próxima da minha irmã. Lidamos com as coisas de jeitos bem parecidos, na verdade, o que não é um elogio para nenhuma das duas, mas vivemos vidas bem diferentes. Então eu entendo.

— Ontem foi a primeira vez que eu falei para eles como me sinto de verdade. Foi bom finalmente dizer tudo que precisava. É bom contar tudo isso pra você, então obrigado por ter paciência comigo.

— Você é muito corajoso, Russ.

— Eu sou o contrário de corajoso. Ouvi isso tantas vezes do meu pai que não consigo tirar da cabeça.

A cada palavra, entendo um pouco mais sobre o Russ e fico grata por esse homem que compartilha tão pouco sobre si dividir a sua vida comigo.

— Você é corajoso. Vivemos em uma sociedade que nos diz que nossos pais são a melhor coisa das nossas vidas, e você... Nem sei explicar. Você está se colocando em primeiro lugar. Isso é coragem.

— Aprendi há muito tempo que, se eu não fizesse isso por mim mesmo, ninguém iria fazer. Perdoar as pessoas que te magoam constantemente é como enfiar a mão no fogo várias vezes, esperando não se queimar de novo.

— Parece muito com o meu pai. Mas eu já estou completamente queimada.

— Qual é a situação entre vocês?

— Elsa acha que ele nos odeia porque somos péssimas motoristas, mas eu acho que é porque pareço com a minha mãe, e ele odeia muito a minha mãe.

Ele se apoia nos cotovelos e me olha por cima do ombro.

— Peraí, a sua irmã se chama Elsa? Seus pais são tipo aqueles adultos viciados em Disney?

Já perdi a conta de quantas vezes me perguntaram isso.

— Cala a boca. Meu nome é em homenagem à aurora boreal. Poderia ter passado a vida inteira achando meu nome vinha de uma princesa, mas em vez disso minha mãe quis me traumatizar e me dizer que está ligado ao lugar onde fui concebida.

Ele ri enquanto se deita de novo.

— E Elsa?

— Foi antes de *Frozen* ser lançado. É um nome muito comum em várias partes da Europa. Meu pai gosta de fingir que fez um mochilão pela Escandinávia quando era mais jovem, mas na verdade ele ficou hospedado em hotéis chiques e comeu nos melhores restaurantes do mundo. Nada de albergue ou mochilão. — Minha mãe ama rir dessa história. — Ele é dono de um time de Fórmula 1 chamado Fenrir, que é um nome da mitologia nórdica, então é tudo meio interligado. Elsa contava para as pessoas que a gente tinha um irmão chamado Thor.

— Se te serve de consolo, meu nome é em homenagem a um cachorro que minha mãe teve quando era criança.

— Serve, sim. Me sinto meio besta de falar do meu pai depois de saber como o seu foi cruel com você. Meu pai não é cruel. Ele não diz coisas terríveis pra mim; ele só me faz sentir como se a vida dele fosse ser mais fácil se eu não existisse. Para ele, o trabalho sempre vem em primeiro lugar. E eu entendo, porque ele tem muitas responsabilidades. Por causa disso, eu tive muitas oportunidades e viajei para muitos lugares.

— Mas ter acesso a coisas caras não torna esses problemas aceitáveis — diz Russ.

— Eu daria qualquer coisa para saber que ele me ama. Nós estamos presos em um ciclo em que ele me ignora, então eu faço algo idiota para chamar sua atenção. Quando era adolescente, roubava coisas sabendo que ia ser pega. Consegui uma identidade falsa e fui a lugares que não devia. Brigava com os professores. Tirei uma foto em uma corrida usando coisas da equipe adversária, Elysium. As páginas de F1 falam disso até hoje.

— Caramba, Rory.

— E funciona, mas por pouco tempo, porque ele fica puto, mas pelo menos ele liga e me procura. Nada acontece. Não sou punida, ele não tenta entender a situação. Minha mãe justifica tudo porque é óbvio que eu sou assim por culpa dele. Então a raiva passa e ele volta a fingir que eu não existo. Toda vez eu penso, tipo, dessa vez ele vai provar que se importa de verdade, mas no fim das contas eu só acabo me magoando de qualquer forma.

Sei que estou divagando. Sei que estou tagarelando, mas quando estou prestes a parar, ele estende o braço e aperta a minha mão em seu cabelo, me pedindo para continuar falando.

— Eu repito o mesmo ciclo. Ele tem uma namorada chamada Norah, que tem uma filha da nossa idade, chamada Isobel. Norah posta sobre o meu pai como se fossem a família perfeita. Mas nunca vou fazer parte disso, o que me deixa triste e me leva a fazer coisas como beber quantidades excessivas de tequila e te convidar para ir nadar pelado comigo.

— Parece que isso faz tanto tempo.

— É por isso que eu amava tanto esse lugar quando era mais nova. Eram alguns meses em que eu me sentia bem e querida. Não tinha que me preocupar com o que estava acontecendo em casa. Sabia que voltar para cá era a única coisa que iria quebrar esse ciclo. Enfim, essa foi minha enxurrada de traumas. Divertido. Que combinação nós somos, hein?

— Uma propaganda ambulante para traumas familiares.

— Você odeia eles? Eu não odeio meus pais, apesar de serem a raiz de todos os meus problemas. — Ele não fala nada, e eu faço o mesmo. Talvez tenha ido longe demais, então continuo mexendo nas pontas dos seus cabelos e massageando sua cabeça. — Desculpa, não precisa compartilhar nada que não queira. Não queria te pressionar.

— Não é isso. Ontem eu disse pro meu pai que odiava ele, mas eu estava triste e magoado. Não acho que seja verdade. Acho que odeio como ele me faz sentir. Se ele parasse de fazer as coisas que sabe que não deveria fazer e começasse a agir como a pessoa que era na minha infância, aí sim poderia fazer parte da minha vida.

— E a sua mãe?

Ele solta um longo suspiro enquanto pensa.

— Eu amo a minha mãe. Mas sempre tive raiva dela por ser conivente. Depois que a gente conversou ontem, acho que finalmente ela percebeu que não sabia da história completa. Enfim, essa foi a minha enxurrada de traumas.

Saber sobre os relacionamentos complexos com os quais ele precisa lidar faz com que eu o entenda melhor, e fico feliz por ele ter confiado em mim para algo tão complexo.

— Obrigada por compartilhar isso comigo.

— Obrigado por se comparar a um aeroporto.

Tento parar de rir para não sacudir a cabeça dele, mas não consigo. Cubro o rosto com as mãos para me esconder da vergonha.

— Juro que geralmente não sou tão caótica. Você me deixa nervosa, acho. As coisas escapam e não consigo me controlar. Às vezes fico acordada à noite morrendo de vergonha. Emilia passa o tempo inteiro me zoando.

— Eu adoro isso, Aurora. — Ele se vira para deitar de barriga para baixo, apoiando o queixo na mão. Espio entre os dedos. — Você me ajuda a ser eu mesmo porque você é tão... você. Eu penso sobre tudo mil vezes antes de falar e você...

— Não penso nunca antes de falar nada?

— Fala o que está pensando de verdade. — Ele tira as minhas mãos do rosto, assim não tenho onde me esconder. — É incrível. Você é incrível.

— Você sabe mesmo como fazer uma garota se sentir especial, Callaghan. — Sinto como se estivesse prestes a explodir. — Lembre-se, você está sendo conivente com a minha tagarelice.

Ele ri, balançando a cabeça ao se deitar de novo, dessa vez colocando a bochecha na minha barriga.

— Tudo bem pra você? — pergunta ele com cuidado.

— Uhum. — Eu apoio a mão em sua nuca, fazendo desenhos aleatórios até os músculos tensos nos ombros dele. — Tudo bem pra você?

— Uhum.

Não sei que animal estou desenhando em sua pele quando ele dorme. Parece uma mistura de hipopótamo com pinguim. Então continuo a desenhar com o dedo, até minha mão relaxar e eu cair no sono também.

Capítulo dezoito
AURORA

— Rory, esse cheiro. Eu não aguento.

Emilia tapa a boca enquanto tenta abafar o som de ânsia de vômito. Não consigo não revirar os olhos quando ela dá um passo para trás, se afastando dos lençóis cobertos de vômito que estou colocando em um saco de roupa suja.

— Você é uma fresca. Não é tão ruim.

— Você não pode me obrigar a fazer isso no Dia do Orgulho. É um crime de ódio, Aurora.

Começamos a beber às escondidas dos nossos pais no primeiro ano do ensino médio. Perdi a conta de quantas vezes segurei o cabelo da Emilia enquanto ela vomitava, mas aparentemente, para ela, lidar com o vômito de outra pessoa é impensável.

Amarro o saco e entrego para ela.

— Pode, por favor, dar um jeito nisso e pedir para a enfermeira vir aqui?

Tirando o saco das minhas mãos, ela concorda com a cabeça e sai correndo da cabana, gritando um "te amo" por cima do ombro.

— Auroraaaaaaaa! — O som do meu nome ecoa do banheiro perto dos dormitórios das crianças, mas é logo seguido pelo barulho de alguém vomitando.

Esse chamado foi meu primeiro aviso do que seria conhecido como Vomitalipse.

Passamos o dia comemorando o Dia do Orgulho LGBTQIAP+. Estou com glitter em lugares onde nenhuma mulher deveria ter, o que não é uma surpresa considerando que Xander foi o responsável pela decoração e ele conseguiu cobrir o acampamento inteiro de brilho. Quando fizemos nosso treinamento de inclusão e diversidade, Orla explicou que só faríamos o evento de celebração do Orgulho depois do Dia da Independência, quatro de julho. A mãe de um dos campistas é agente musical e os cantores iniciantes que ela representa vinham fazer um show para as crianças, mas só estariam disponíveis depois do feriado.

Você perde a noção do passar dos dias aqui, então poderiam ter dito que ainda era junho e eu acreditaria.

Quando Jasmine disse que não estava se sentindo bem e queria ir direto para a cama depois do jantar, achei que seria uma noite tranquila. Maya e Clay estavam no turno da noite, mas eu disse que não me importava de ficar com a Jasmine até trazerem o restante das crianças para dormir.

Sua temperatura estava normal quando medi, então disse para ela ficar sentadinha na cama enquanto eu pegava um produto para limpar o glitter e o arco-íris das suas bochechas, e foi nessa hora que a ouvi me chamar.

Não sei como ela conseguiu cobrir a cama inteira e a si mesma de vômito, mas foi o que aconteceu. Mandei Jasmine ir para o chuveiro enquanto eu trocava a roupa de cama, bem na hora que Emilia apareceu para perguntar se eu queria um refrigerante.

Coloco a cabeça no cubículo do banheiro e vejo Jasmine sentada no chão com uma expressão terrível no rosto. Seus olhos se enchem de lágrimas quando me vê e seu lábio inferior começa a tremer.

— Desculpa.

— Você não precisa pedir desculpa por nada, querida. — Eu me agacho ao seu lado e seguro seu cabelo molhado enquanto ela coloca a cabeça no vaso mais uma vez. — Você vai se sentir melhor quando isso passar.

— Acho que comi doce demais.

— Também acho.

— Quero a minha mãe.

— Eu sei, meu bem. Mas vamos te limpar primeiro e depois podemos ligar pra sua mãe.

Depois de um tempo, seu corpo cansou e eu a ajudei a sair do chão bem na hora que Kelly, a enfermeira do acampamento, chegou para examiná-la. Como esperado, não parecia nada além de um excesso de doce e empolgação. Quando ficamos a sós de novo, coloco Jasmine sentada na bancada do banheiro enquanto mexo no seu nécessaire.

Não demoro para vê-lo, considerando que ele não é muito discreto, mas, mesmo assim, fico surpresa.

— Está roubando ursinhos de pelúcia, Callaghan?

Russ levanta o olhar da sua posição sobre o beliche de Jasmine, segurando um lençol.

— Sim. — Ele aponta para o saco de roupa em sua mão. — Gosto principalmente dos que tem aquele cheirinho de morte.

— Não sei como uma garotinha dessas é capaz de causar tanto strago. Obrigada, não precisava fazer a cama dela. Eu poderia ter feito isso.

— Você já está bem ocupada. Emilia não conseguiu contar o que aconteceu sem quase vomitar, então achei melhor vir dar uma olhada.

Pego o nécessaire e um pijama da gaveta na cama de Jasmine e levo de volta para ela o mais rápido possível. Ela está com a mesma expressão estranha de antes, mas a cor está voltando aos poucos para o seu rosto. Ela desce da bancada e se veste; eu penteio seus cabelos e faço uma trança enquanto ela escova os dentes.

Ouço uma batida na porta do banheiro e, quando abro, Russ está do outro lado com a garrafa d'água da Jasmine.

— Ela deve estar desidratada.

Por que você é tão fofo?

— Tem razão, obrigada.

— A cama está feita e vou levar o ursinho pra lavanderia. Vocês precisam de mais alguma coisa?

Balanço a cabeça.

— Tá bem, então. Vou indo.

— Obrigada.

Observo Russ sair andando antes de fechar a porta, me viro para Jasmine e entrego a garrafa d'água. Ela faz uma careta.

— Você tá estranha.

— Não tô, não.

— Tá, sim. Você tá tímida. Você nunca fica tímida, tá sempre falando sem parar.

— Pra uma criança que acabou de vomitar as tripas, ela está muito esperta. — Leon disse que o Russ é o seu namorado.

Controlo imediatamente o pânico e me concentro em limpar o glitter do rosto dela, porque aparentemente nem o banho foi suficiente.

— Leon está enganado.

— Leon disse que vocês ficam olhando um pro outro o dia todo e um tá sempre perto do outro.

Leon vai cair numa poça de lama amanhã.

— Somos amigos. Sou amiga de todos os orientadores. Se você ficar do lado do Leon, isso quer dizer que ele é seu namorado? Não.

— Leon disse que você iria negar.

Do que raios é feita essa tinta?

— Acho que o Leon precisa passar menos tempo fofocando e mais tempo brincando com seus amigos.

— Ele sabe tudo de todo mundo. Ele disse que a irmã mais velha da Mona tá no grupo dos Guaxinins e ela chorou porque tem um crush no Russ.

O arco-íris finalmente começa a sair e estou prestes a me ver livre dessa conversa. O pai do Leon é dono de um tabloide criado por paparazzis que infelizmente já postou coisas sobre mim, então não me surpreende que Leon não saiba cuidar da própria vida.

Suspiro, me sentindo culpada por ter passado tantos anos causando na vida da Jenna.

— A irmã mais velha da Mona tem catorze anos e é nova demais para qualquer orientador. Ela devia ter um crush em alguém da idade dela.

— Tá com ciúmes? Parece que você tá com ciúmes.

Dai-me forças.

— Adultos não têm ciúmes de crianças, meu amor. Mas, como está fazendo tantas perguntas, já deve estar se sentindo bem o bastante para sair do banheiro. Acho que está na hora de ir para a cama. Ainda quer ligar pra sua mãe?

— Não, eu tô bem.

Jasmine se deita na cama limpa assim que Jenna entra no quarto.

— Oi, querida.

— Oi — respondo.

— Não estou falando com você — resmunga ela para mim, se agachando ao lado da cama. — Ouvi dizer que essa moça aqui não estava se sentindo bem.

Jasmine conta para Jenna como estava se sentindo, elogiando minhas habilidades de cabeleireira, e quando Jasmine termina, Jenna diz que vai ficar com ela mais um pouco e que vai vir checar como ela está mais algumas vezes durante a noite, mas que é melhor dormir.

Jenna faz um "de nada" com a boca quando vou embora.

A festa ainda está acontecendo quando me aproximo, o karaokê está bombando, mas sei que estou fedendo e preciso ir para a minha cabana tomar um banho. Vou para eventos de celebração do Orgulho LGBTQIAP+ todo ano desde que Emilia saiu do armário aos quinze anos, e essa é a primeira vez que preciso ir embora para me livrar do cheiro de vômito.

Por mais que eu queira ir para a cama, volto ao evento para ajudar minha equipe com as crianças. Estou na metade do caminho quando Clay grita para mim do outro lado da trilha:

— Como tá a Jas?

— Tudo bem, foi só muito doce e muita empolgação.

Ele enfia as mãos nos bolsos do short e acena com a cabeça pro prédio principal.

— Pode me ajudar a pegar os marshmallows? Acabaram os sem gelatina.

Controlo um suspiro porque não é ele, sou eu e o meu desejo de me sentar na frente de uma fogueira com um cachorro, ou três, rodeada de biscoitos. Mas se ele não encontrar os marshmallows, não vou comer, então concordo e atravesso a grama para me juntar a ele.

— O que tá achando do acampamento? Não acredito que já estamos na metade da temporada.

Eu sorrio com sua tentativa de puxar assunto, e ele entende na hora.

— Foi uma pergunta besta. Desculpa, é que nunca mais consegui conversar a sós com você.

Desde a nossa noite juntos no turno da noite, tenho feito de tudo para evitar o Clay, porque não estou nem um pouco interessada nele, nem mesmo como amigo. Não sou inocente; sei que ele só quer me comer. Normalmente me sinto atraída por esse tipo de atenção, mas seus olhares longos me deixam desconfortável. Acho que passar tempo com pessoas que querem ficar comigo porque gostam da minha companhia está ajudando. Clay olha para mim como se estivesse me despindo. Russ olha para mim como se eu estivesse contando a história mais interessante do mundo.

É bom saber que tenho mais a oferecer. É bom sentir que mereço coisa melhor. Minha era do autodesenvolvimento e crescimento pessoal teve um começo complicado, mas estou quase lá.

Um dia, à noite, notei que o Clay tem se aproximado de uma das salva-vidas depois que as crianças vão dormir, então espero que ele tenha achado outra pessoa para conquistar.

— Eu amo estar aqui. Vou ficar triste quando o verão acabar. E você?

Imediatamente começo a pensar em outra coisa enquanto ele fala sobre todas as coisas que poderia ter feito nesse verão em vez de vir para cá. Quando menciona sua carreira de modelo em ascensão pela terceira vez, parece que está falando outro idioma. Ao entrar na despensa, ele me segue, contando sobre a viagem que vai fazer para Cabo com os amigos antes do início das aulas.

— Você pode vir, se quiser — diz ele, se apoiando nas prateleiras, oferecendo zero ajuda enquanto procuro a caixa de marshmallow.

— Muito gentil da sua parte, mas meu passaporte está vencido. — Não está, não. — Obrigada de qualquer forma.

Feijão, tomate, feijão... Por que temos tanto feijão?

— Bom, não tem nada decidido ainda. Talvez a gente vá pra Las Vegas.

Milho, molho picante, mais feijão...

— Tenho certeza de que vai se divertir com seus amigos onde quer que seja. Ah! Aqui!

Fico na ponta dos pés, me esticando para alcançar a caixa para poder ir embora dali.

— Deixa eu te ajudar.

Clay se aproxima de mim, mas não chega a me tocar. Ele se estica, pega a caixa que não alcancei e a coloca debaixo do braço. Ele não se afasta quando me viro e, quando olho para cima, ele está olhando para baixo. Ele continua assim e se inclina para a frente enquanto fecha os olhos.

Sinto um arrepio na nuca, e minhas mãos suam.

— Eu não quero que você me beije!

Minha intenção era falar isso de um jeito calmo e de boa. Legal, até. Algo que dissesse: "Não, obrigada, não estou interessada." Bem adulto. Mas o que acontece é que solto um grito tão alto que Clay dá um pulo, abrindo os olhos de repente. Sua primeira reação é de confusão, porque imagino que ele raramente seja rejeitado, mas disfarça logo em seguida.

— Eu não estava tentando te beijar, Aurora.

Eu controlo meu impulso de argumentar que estava, sim, tentando me beijar. Afinal, quanto mais rápido pudermos deixar isso para trás, melhor, mas não posso perder a oportunidade de ser debochada.

— Desculpa, erro meu. Você é um ótimo amigo, Clay.

A expressão dele quando digo a palavra *amigo* é memorável.

— Claro — murmura ele, se virando com os marshmallows no braço e saindo da despensa.

Não tenho pressa para chegar na área da fogueira, evitando esbarrar com meu grande amigo Clay no caminho, e quando me aproximo de todo mundo, as crianças estão bebendo chocolate quente e parecem exaustas após um dia de festa.

— Por que você parece tão feliz? — pergunta Emilia quando me sento na cadeira entre ela e Xander. Russ está conversando com Maya do outro lado, então é tranquilo falar sobre o assunto.

— Clay tentou me beijar na despensa, e, quando o impedi, ele disse que não estava tentando nada.

A risada de Xander é mais alta do que todos os campistas conversando e ele tampa a boca com a mão quando começam a olhar para ele.

— Desculpa. O que você fez?

— Falei que ele era um ótimo amigo. — Isso faz Xander rir alto de novo, e preciso esperar que ele pare. — Não foi impressão minha, juro. Ele estava bem perto, com os olhos fechados. E tinha acabado de me convidar pra ir pra Cabo.

— Que sorte, hein? — comenta Emilia com um sorriso nos lábios. — Você adora Cabo.

— Eu disse que meu passaporte está vencido.

As crianças estão exaustas demais para pedir qualquer coisa, então passo o resto da noite com Xander e Emilia, rindo, principalmente às minhas custas. Quando os campistas vão dormir e estamos voltando para nossas cabanas, acho que Emilia e Xander já contaram todas as histórias possíveis sobre mim.

É estranho ouvir essas histórias agora e perceber como um pouco de esforço e um novo cenário fazem você se sentir diferente. Não estou dizendo que nunca mais vou fazer algo irresponsável, mas estar em Honey Acres é como estar em casa. Passar um tempo longe do celular me deixou mais pé no chão, e sou grata por um monte de coisas. É difícil me lembrar disso quando fico pensando nas coisas que não tenho quando meu pai me decepciona.

Emilia vai ao banheiro para tomar banho e trocar de roupa, e eu visto uma camiseta bem larga. Na primeira vez, acho que estou imaginando, mas na segunda vez que alguém bate na porta, ouço um ganido logo em seguida. Por mais esperta que Peixe seja, ela não sabe bater na porta, então não fico surpresa ao ver Russ ao lado dela, no pé da escada, quando abro a porta. Iluminado pela luz da varanda, ele me olha de cima a baixo, fazendo cada centímetro da minha pele exposta pegar fogo.

Eu devia ficar ali no batente.

Não há motivo algum para sair e conversar com ele. Consigo vê-lo e ouvi--lo perfeitamente bem de dentro da cabana. Mas é óbvio que paro em frente a Russ. Ele está com glitter no lábio superior; me forço a manter as mãos ao lado do corpo.

— Oi.

— Oi. Queria ver se você estava bem.

Arqueio as sobrancelhas em resposta.

— Xander.

Fofoqueiro. Ele é tão ruim quanto Leon.

— Tô bem. Não foi nada.

Ele assente e se mexe, incomodado. Não consigo imaginar Xander relatando que eu precisava de apoio emocional, porque eu não estava chateada.

— Por que você veio aqui, Russ?

Ele esfrega a nuca, algo que não o vejo fazer há um bom tempo.

Você, caro senhor, está nervoso.

— Não sei, Rory. — Ele suspira e toca o meu cabelo, tirando-o do rosto. — Queria ver você.

Eu me aproximo dele e sinto o aroma suave de sândalo e baunilha. Vejo uma fagulha de incerteza em seu semblante antes de dar um passo na minha direção. Respondo baixinho:

— Tá com ciúme?

— Claro que estou — diz ele, com tanta sinceridade que me pega desprevenida.

— Minha vontade é de dar um soco nele e nem sei por quê.

Uso todo o autocontrole que tenho em mim para não me jogar nele. Adoraria levá-lo por esse caminho, provocá-lo e ver o que ele faz. Mas ciúme só é divertido quando você pode fazer algo a respeito.

— Não precisa ficar com ciúmes nem socar ninguém. Primeiro porque isso é bobagem, mas também porque você precisa desse trabalho, lembra?

— Eu preciso desse trabalho. — Ele assente uma vez, depois de novo, como se estivesse tendo uma briga interna que não consigo ouvir, e na terceira vez, ele dá um passo para trás. — Quer fazer uma trilha amanhã?

— Tenho que trabalhar.

— Xander disse que pode trocar com você para tirarmos uma folga juntos.

— Quando diz fazer uma trilha, quer dizer trilha, trilha? Ou me ouvir reclamar da ladeira até o nosso lugar pra gente ficar deitado no sol?

Suas covinhas aparecem quando ele sorri, e eu me derreto inteira.

— Nosso lugar.

— Seria legal, mas só se o Xander não se importar.

— Ele não se importa. — Russ se afasta mais um passo e eu queria tanto, tanto que ele me desse um beijo de boa noite. — Boa noite, Rory. Te vejo amanhã.

— Boa noite, Russ.

Ele espera eu entrar na cabana para não ter que vê-lo ir embora, como sempre.

Emilia está secando os cabelos com uma toalha quando volto. Ela acena com a cabeça para a porta.

— O que eu perdi?

— Estou tendo meu momento de protagonista.

— Porra, finalmente, hein? — diz ela antes de ligar o secador.

Capítulo dezenove

RUSS

— Você tá agindo por conta própria, irmão — diz JJ, orgulhoso. — Eu apoio.

Não era minha intenção começar o dia com uma chamada de vídeo com JJ, mas não tenho nada a perder, né? Não queria contar tudo para ele, mas me senti bem em compartilhar algo que me deixa empolgado.

— Não faço ideia do que eu tô fazendo, JJ — resmungo. — Não posso viver fingindo ter autoconfiança. Eu devia estar fugindo de problemas. Fiz todo um discurso sobre como preciso desse trabalho e agora estou sendo um hipócrita.

— Essa mulher gosta de você, não gosta?

Eu massageio a tensão acumulada na minha nuca.

— Acho que sim, mas posso estar errado.

— Não, não foi uma pergunta. Essa mulher gosta de você e não parece que você esteja fingindo nada. Você fez um convite pra fazerem algo juntos hoje porque gosta dela também. Você finge alguma coisa quando estão a sós?

Ao pensar sobre isso, a resposta é simples.

— Não. Sinto que posso ser eu mesmo com ela.

— Escuta, amigo — diz JJ, limpando a garganta. — Sei que está preocupado com todas essas coisas acontecendo com a sua família ou seja lá o que for, e também sei que gosta de ficar na sua. Mas não perca a oportunidade de se divertir e ser feliz de verdade porque está ocupado demais ficando na sua e tentando passar despercebido. Você sabe que pode ficar aqui se precisar de um lugar pra fugir do drama familiar até as aulas começarem.

— Valeu, JJ.

— Eu fico puto que só depois que eu me formei as pessoas perceberam como sou sábio — resmunga ele. — Imagina quanto a vida de todo mundo seria melhor se as pessoas me dessem ouvidos.

— Eu sempre te dei ouvidos — respondo. — Estou fingindo ser confiante há semanas.

— Lembre que não é mais hora de fingir. Você é confiante. Você é um jogador de hóquei alto, gostoso e inteligente. Mulheres ignoram qualquer *red flag* em um homem de um metro e noventa. Então pare de esperar por algo ruim e vai se divertir.

— Acho que não tenho nenhuma *red flag*...

— Ah, meu bom menino. — Ele ri. — Você é um homem hétero branco. Isso já é uma.

— Justo. Obrigado por conversar comigo. De verdade.

— Te amo, irmão. A gente se fala.

Um dia, Aurora vai tirar a roupa na minha frente e eu não vou mais ter que listar presidentes mentalmente.

Ela tira o short e o joga em cima da camiseta, e então uma meia de cada vez, aumentando a pilha, e deixa tudo na toalha de piquenique. Estamos mais preparados do que da última vez, com toalhas de banho e um almoço de verdade.

— Tá tão quente hoje — diz ela, ajeitando o biquíni.

Já vi o que está por baixo daquele biquíni, então não sei por que me sinto tão intimidado.

— A previsão é de tempestade mais tarde. Vai melhorar amanhã.

— Aff. Odeio trovões e relâmpagos. E a Emilia vai trabalhar hoje de noite.

Eu me agacho ao lado da pilha de roupas para dobrá-las e as coloco em cima das minhas. Ela se levanta, se apoiando nos cotovelos para me observar.

— Por que você sempre dobra tudo? Tá sempre organizando as coisas.

É nesse momento que eu normalmente perguntaria algo sobre ela. Quando eu mudaria de assunto, faria com que ela falasse sobre si mesma até ficar distraída o suficiente para não lembrar que fez uma pergunta primeiro. Mas a ansiedade de controlar a conversa é desgastante, e estou cansado de erguer essas barreiras entre nós.

Eu me sento de pernas cruzadas ao seu lado e respiro fundo.

— Às vezes, meu pai chegava em casa de mau humor e implicava com qualquer detalhe: a casa que estava uma bagunça, o jantar que não estava pronto, meu irmão e eu que não tínhamos feito o dever de casa ainda... Eu odiava esperar ele chegar em casa e não saber como ele estaria.

Ela senta na minha frente, também de pernas cruzadas, seus joelhos tocando minhas canelas. É uma coisa tão simples, e quando suas mãos se apoiam nas minhas panturrilhas, quero continuar.

— Eu tentava fazer tudo antes que ele pudesse reclamar. Deixar tudo organizado virou um hábito. Gosto de ajudar, e organizar as coisas é um jeito simples de ajudar as pessoas.

— Desculpa eu ser tão desleixada. — Ela me lança um sorriso tímido. — Eu costumo deixar um rastro de destruição por onde passo, tanto físico quanto emocional.

— Como um incêndio.

Ela assente ao abraçar os joelhos.

— Não é minha intenção.

Meus dedos passeiam pelos seus tornozelos enquanto ela apoia a cabeça nos joelhos.

— Essa é a hora de você falar sobre você para eu não me sentir idiota por ser o único que está se abrindo. — É uma meia verdade, mas ela sorri. — É assim que funciona, né? Um segredo por outro.

— Eu amo que, para você, estou me abrindo pra equilibrar as coisas, e não porque sou completamente incapaz de me segurar quando você está por perto. O que quer saber? Sou um livro aberto, Callaghan.

— Você já falou algumas vezes que gostaria de mudar. Por quê? Eu te acho perfeita, então não entendo o motivo.

Ela levanta a cabeça e me encara. Parece que passamos uma eternidade ali. Piscinas verde-esmeralda estão me observando, e, dessa vez, ela está em completo silêncio.

— Há anos falo pra mim mesma que me conheço bem e que sou uma pessoa independente, mas não sou — diz ela, enfim. — É difícil admitir que é você quem está se impedindo de ser feliz, mas já entendi isso faz um tempo. Só não sabia por onde começar as mudanças. Já se sentiu como se tivesse pegado uma característica sua e transformado isso na sua personalidade inteira? A tal ponto que não sabe como se distanciar disso?

— Como assim?

Ela apoia a cabeça nos joelhos de novo, se encolhendo.

— Eu sei que sou um caos, tá? E, tipo, vou admitir sem problemas, porque assim outras pessoas não podem usar isso contra mim. Se eu for a primeira a dizer que tenho muitos problemas psicológicos, as pessoas não podem usar isso como desculpa pra se afastar, porque eu já tinha avisado. Faz sentido?

— Faz.

— E eu sei que tenho problemas com rejeição, então não dou abertura para ninguém me rejeitar. Vou atrás de relações puramente físicas para me sentir validada e porque preciso que alguém prove que gosta de mim. Então eu digo que me conheço, mas na verdade não sei nada. Digo que sou independente, porém todas as minhas escolhas são baseadas no que outras pessoas dizem. Isso não é ser independente.

— As pessoas gostam de você, Aurora. Você é incrível e pode ser, sim, independente.

— Tem alguma coisa em Honey Acres que me faz sentir bem — diz ela, baixinho. — Ainda parece muito frágil por enquanto, mas comecei a me lembrar de coisas que gosto em mim mesma. Quero fazer escolhas que me deixam feliz e tenho medo de que, quando voltar pra Maple Hills, não vá mais fazer esse esforço porque estarei cercada de tantas distrações que vou esquecer essa sensação.

— Não vou deixar você esquecer, não se preocupa.

Minhas palavras ficam no ar, causando um estranhamento, porque nenhum de nós mencionou que, quando o verão acabar, vamos voltar para o mesmo lugar. Passei dois anos na faculdade sem que a gente se conhecesse, e é um campus tão grande que não seria absurdo pensar que poderíamos passar mais dois anos sem nos vermos de novo.

Aurora deita de barriga para baixo, os braços dobrados sob a cabeça, o quadril encostando em mim. Seu toque me traz uma sensação de segurança, um sentimento quase desconhecido. É íntimo e seguro, como se o toque da nossa pele criasse um acordo silencioso. Caímos em um silêncio confortável, algo cada vez mais comum entre nós. Não questiono, e ela não tenta preencher o vazio e, pela segunda vez, pego no sono ao seu lado.

Enquanto dormia, as sombras das árvores me recobriram, algo que só percebo quando acordo sozinho.

Sozinho.

Sinto um aperto no peito, e minha pele formiga ao ver o lugar vazio ao meu lado. Queria estar surpreso, mas no fundo, venho me preparando para esse momento há semanas. O momento em que vou longe demais, falo demais, e Aurora simplesmente não consegue mais lidar com isso. Não a julgo por ir embora; sabia que isso aconteceria se eu me abrisse com alguém.

Eu me levanto da toalha de piquenique e, logo em seguida, vejo Aurora boiando na água. Meu coração não sabe o que fazer. Acho que fiquei desnorteado ao ir tão rápido do desespero para a felicidade.

Eu sou um babaca.

Estou a poucos metros de distância quando as ondas avisam que me aproximo e ela para de boiar.

— Ei, dorminhoco — diz, sorrindo ao me ver.

Pego sua cintura com cuidado e a puxo para perto, me sentindo mil vezes melhor quando ela me envolve com as pernas e os braços, exatamente como eu quero.

— Você tá com uma cara triste. O que aconteceu? — pergunta ela.

Enfio o rosto na curva do seu pescoço enquanto a abraço e sinto o cheiro de pêssegos e protetor solar.

— Achei que você tinha ido embora.

Ela me abraça mais forte.

— Desculpa. Precisei me refrescar. Tá tudo bem?

Eu faço que sim com a cabeça e solto o abraço o suficiente para ela conseguir me encarar. Aurora tira o cabelo do meu rosto, e meus olhos vão para os seus lábios.

— Não precisa se desculpar. Achei que tinha feito você querer sair correndo. Reagi mal, mas tá tudo bem.

— Posso não ter passado pelas mesmas coisas que você, mas entendo como se sente, Russ — diz ela em um tom gentil enquanto passa os dedos pelo meu rosto, entre a têmpora e mandíbula. — Sei como é esperar mais de alguém e ser decepcionado. Você não vai me assustar com seus sentimentos ou experiências, prometo. Sei que não é uma solução pra outras coisas, mas eu escolho estar aqui com você, e nada do que disser vai me fazer mudar de ideia.

Engulo em seco quando os dedos dela descem pelo meu pescoço até a clavícula.

— Obrigado.

A sensação de pânico seguido de alívio passou, mas ainda não quero soltá-la. Ficamos bem assim, só nós dois, longe do resto do mundo. Onde ela quer ser desejada e eu quero ser uma prioridade. Onde ignoramos a realidade de que ficamos íntimos por causa da proximidade forçada de estar aqui e que, na vida real, isso não iria acontecer.

Sinto sua barriga tocar na minha quando ela respira fundo. Aurora morde o lábio enquanto tenta articular a próxima frase:

— Ficar vulnerável é difícil. Compartilhar coisas que acha que ninguém vai entender é difícil. Mas se tem uma coisa na qual eu sou boa é em ignorar todos os sinais de que eu deveria parar de falar. Posso te ensinar, mas pra ser sincera, é mais fácil quando você bebe.

— Não acho que nós dois bêbados no mesmo lugar seria uma boa ideia. Na verdade, eu não costumo beber. Aquela festa foi uma exceção. Estava tentando ser mais confiante e achei que ia ajudar. — Ela estremece quando passo os dedos pelas suas costas e me aperta com as coxas. Ela morde o lábio para segurar o riso. — Não funcionou muito bem, né?

Ela balança a cabeça e ri.

— Sabia que você esfrega a nuca quando fica nervoso? Sempre faz isso. E as pontas das suas orelhas ficam vermelhas também, é fofo. — Tento nadar para longe quando sinto o rubor no rosto, mas ela não me solta e só me puxa para mais perto.
— Desculpa, desculpa, desculpa!
— *Fofo* — repito, com o rosto a poucos centímetros do dela. — Que nem um filhote.
Ela abaixa o olhar por um segundo, depois se volta para mim.
— Fofo que nem um cara que não age feito um babaca pra transar com alguém em uma festa.
Eu me aproximo.
— Ninguém nunca falou essa frase antes na história da humanidade.
— Fico feliz em ser a primeira — sussurra. — É a pura verdade.
Nenhum dos dois percebe o céu começar a escurecer, ou as nuvens cobrirem o sol, e quando a chuva começa a cair e agitar a água ao nosso redor, parece que o universo está intervindo mais uma vez, porque nenhum de nós dá o passo seguinte.

Capítulo vinte
AURORA

— O que mais eu preciso fazer pra ganhar um beijo? — resmungo para Emilia enquanto ajudo a colocar as canecas de chocolate quente na bandeja.

A chuva está indo e vindo desde hoje de tarde, algo incomum para essa época do ano na Califórnia e muito inconveniente para mim, porque eu e Russ fomos forçados a voltar correndo para o acampamento. De acordo com Alexander "eu-sei-de-tudo" Smith, a chuva tem a ver com os vestígios de uma tempestade tropical que está indo para o norte, e vamos ter que aguentar esse clima horroroso pelas próximas doze horas. Odeio trovões e relâmpagos e fico nervosa só de pensar que vou ficar na nossa cabana sozinha. Logo, passei os últimos vinte minutos reclamando para a minha melhor amiga, que está indiferente a essa situação.

— O que aconteceu com a história de seguir as regras, dormir em paz e saber que não fez ninguém ser demitido?

— Acho que eu nunca disse isso.

Ela semicerra os olhos enquanto tenta me intimidar a confessar.

— Sei que não se lembra de tudo que fala, considerando essa sua boca grande, mas eu lembro. Disse isso umas cinco vezes. Acho que preferia quando você era mais rebelde. Assim falava menos de homem.

Dou um peteleco em sua testa com uma das mãos e com a outra roubo um marshmallow. Emilia pode reclamar à vontade. Durante toda a nossa amizade, eu só gostei de um cara; ela passou um total de quatro dias solteira e eu vivi todas as fases de todos os seus relacionamentos.

Ela está me devendo por eu ter aturado uma garota obsessiva que, no final das contas, era uma traficante de drogas com amigos assustadores.

— Não sei como lidar com meus sentimentos. É o oposto do medinho de sentimento. O que eu faço?

— Você gosta *mesmo* dele? Não é só porque ele te dá atenção? E porque sabe que ele gosta de você e que não vai te rejeitar?

— Eu gosto *mesmo* dele. Acho que ele é um cara legal, divertido. Sinto que ele me entende. E não quero estragar tudo porque não sei me comportar que nem uma pessoa adulta normal. Por que você não me fez ir pra terapia? Que péssima amiga.

— O que aconteceu com "eu não preciso pagar um psicólogo pra saber que tenho problemas de intimidade"? — pergunta ela, revirando os olhos. — Certo, quer um conselho? Já aviso que não vai gostar...

— Manda. Eu aguento.

— Você precisa esperar até a gente voltar para Maple Hills. Ver como se sente quando estiver livre de novo e não mais sob o efeito do feitiço do acampamento.

— Grrr — resmungo. — Péssimo conselho. Por que você não me deixa cometer erros?

— Porque eu te amo. Agora, vem — diz, pegando uma das bandejas de chocolate quente e gesticulando para a outra. — Se vai me irritar, pelo menos ajuda.

Estou tentando, mas não consigo parar de pensar em Russ. Com a tempestade e essa situação toda com ele, meu corpo está cheio de energia nervosa. Parece que o mundo está se movendo mais devagar, então decido fazer a única coisa que consegue baixar a minha bola.

Eu me encosto na parede ao lado do telefone compartilhado do prédio principal, para não ter que sair na chuva e pegar meu celular na cabana, e conto os toques até minha mãe atender. Tentei me lembrar de ligar toda semana, mas os dias têm sido tão cheios que as semanas passam em um piscar de olhos e tenho esquecido.

Ela está puta. E toda vez que eu ligo deixa bem claro que está chateada por não ser a prioridade número um da minha vida. Ao ouvir os toques, percebo que está quase indo para a caixa postal porque ela está ignorando minha ligação. Está tentando provar algo, só que a verdade é que não me importo se ela não atender, porque pelo menos tenho provas de que liguei.

— Alô? — Ela atende como se não tivesse o telefone do acampamento salvo no celular.

— Oi! Sou eu. — Forço o máximo de entusiasmo que consigo. — Ligando para dar um oi.

— Ah — diz ela em um tom casual. — Oi.

— Tudo bem?

— Tudo. Não posso falar agora, Aurora. Estou muito ocupada.

É uma noite chuvosa de quinta-feira. Ocupada com o quê? Ela nem sai de casa se chover, porque não quer correr o risco de molhar o cabelo.

— Fazendo o quê?

— Ah, agora você quer falar comigo? Não posso largar tudo porque você finalmente tem tempo pra me ligar.

Sinto a energia nervosa sumindo do meu corpo. Como se essa interação previsível me colocasse de volta nos eixos.

— Eu entendo, mãe. Podemos conversar outra hora. — Ouço um barulho no fundo e, em seguida, ouço um ronronar. — Isso foi um gato?

Mais barulhos.

— Sim, é um gato.

Parece uma pegadinha. Olho ao redor, me certificando de que Emilia não esteja escondida em algum lugar, pronta para me dar um susto.

— De quem é esse gato?

— É meu.

— Você não tem gato. Desde quando gosta de gatos?

— Eu gosto desse gato porque ele é meu. Eu o adotei.

Tenho uma visão da minha mãe virando uma maluca dos gatos e enchendo a casa gigantesca com felinos.

— Quando?

— Ele apareceu um dia no deque quando eu estava tomando café da manhã. Parecia estar com fome, então dei um pedaço do meu salmão defumado. Ele voltou algumas vezes, então deixei ele entrar em casa e decidi adotá-lo.

Apoio a testa na parede com o telefone pressionado na orelha.

— Ele tinha coleira?

— Sim, mas não era muito bonita. Comprei uma nova na Louis Vuitton. Pode conhecer ele se decidir fazer aquela viagem longa e cansativa de que tanto reclama.

Eu tenho o direito inalienável de reclamar do trânsito de Los Angeles e ela não pode me culpar por isso.

— Mãe! Você roubou o gato de alguém!

— Eu o resgatei, Aurora. Ele está perfeitamente bem aqui comigo.

O ronronar fica mais alto, e em parte penso que ela está inventando isso só para me fazer ir visitá-la e checar se ela roubou mesmo o gato de alguém.

— Você precisa procurar algum número de telefone na coleira antiga! Sei que a única coisa que gosta de escutar é barulho do mar e fofocas do Chuck Roberts, mas em algum lugar em Malibu tem uma criança chorando por ter perdido o bichinho de estimação dela.

— Você está muito dramática hoje, querida. Está menstruada?

Dai-me forças.

— Não.

— Viu que seu pai está passando as férias no iate com a garota do tempo e a família dela? — comenta, casualmente. — Elsa está muito chateada com isso. Ela queria ir para Mônaco.

— Mãe, como eu veria isso? Estou no meio do nada, quase sem sinal no celular, tentando manter vinte crianças vivas — respondo, bufando.

Não me surpreende que ele esteja fazendo isso, e o fato de que saber disso não me dá vontade de chorar é libertador. Não diria que espero que eles se divirtam, mas estou muito feliz onde estou.

— Não sei o que você faz o dia todo, Aurora. Você não me conta nada. Preciso ir, está hora do jantar do Gato.

— Você chama o gato de Gato?

— Do que mais chamaria? Ele é um gato. Tchau, querida. Não esqueça de ligar.

Atordoada, volto para o filme que todo mundo está assistindo, e mesmo quando Emilia e Xander juntam os Ursos-Pardos para a hora dormir, ainda não consegui processar o fato de minha mãe ter me substituído por um gato roubado.

Já tive momentos de folga da atenção dela quando ela acha um novo interesse. Vinhos, pilates, um corretor imobiliário chamado Jack… Mas nunca um bicho de estimação. Por mais estranho que seja, fico feliz por ela não estar mais sozinha naquela casa.

— E SE EU DORMIR na sua cama com você? — pergunto para Emilia.

— E se você dormir na sua cama sozinha? — responde ela. Há dois quartos conectados à cabana das crianças para os orientadores do turno da noite. Enquanto a área das crianças é grande e espaçosa, os nossos quartos são o oposto disso. — É uma chuvinha de nada. Você vai sobreviver. Sabe a que eu não iria sobreviver? Dividir a cama com você.

— Você pode dormir na menor cama do mundo comigo, Rory — provoca Xander. — Só estou me oferecendo porque sou um bom amigo.

Reviro os olhos, pois sei que, mesmo se eu aceitasse, ele sairia correndo.

— Nem pensar, mas obrigada.

O meu medo de tempestades começou aqui mesmo, durante uma chuva bem pesada. Um incêndio florestal causado pelos raios começou perto do terreno da Orla, e quase tivemos que evacuar a área. Por sorte, os bombeiros conseguiram controlar o fogo. Eu era muito nova e desde então sempre tive medo.

Estou ajudando Freya com sua capa de chuva quando as portas se abrem e Russ entra, vestindo uma calça e um moletom dos Ursos-Pardos. Ele sacode o cabelo molhado de chuva e analisa o lugar até me encontrar. Assim que me vê, ele sorri, e não consigo conter um sorriso também. Meu Deus, eu preciso me controlar. Freya tosse alto, chamando minha atenção.

— O Russ é seu namorado?

Se isso for fofoca do Leon de novo, juro que vou trancar aquele moleque do lado de fora da próxima vez que eu ficar no turno da noite.

— Não. Ele é só meu amigo. Não é meu namorado.

— Então por que vocês sempre passam os dias de folga juntos?

— Você gosta de passar seu tempo livre com seus amigos? — pergunto para ela, puxando o capuz para cobrir os cachos castanhos. — Porque eu gosto, e é por isso que passo minhas folgas com eles.

— Eu não sou um bebezinho, sabia? — diz ela. — Eu sei guardar segredos.

— Não tem segredo nenhum, bobinha. Agora vai para a fila, por favor.

— Tá bom — responde ela com um tom de derrota. — Mas o Russ olha pra você do jeito que meu pai olha pro papai, então eu acho que ele te ama.

— Boa noite, Freya — resmungo em resposta.

É uma regra não oficial do acampamento que seus campistas vão te aterrorizar com teorias sobre relacionamentos. Sei disso, porque eu já fui a terrorista.

A melhor coisa a fazer é ignorar, porque quem vai acreditar na palavra de uma criança? Porém, aqui estou eu, me perguntando como os pais da Freya se olham.

Ainda bem que nenhuma das outras crianças decide se intrometer na minha vida e Russ fica distante de mim, o que diminui a força da fofoca de Leon. Não o via desde o nosso quase-beijo, que virou uma corrida na chuva.

Achei que ele ia me beijar daquela vez. Estávamos tão perto, e o jeito como ele me segurou pareceu tão certo, mas acho que, diferente de mim, ele tem autocontrole. Não esperava ter um verão intenso com várias ficadas, óbvio, mas ninguém vai morrer se a gente der um beijinho.

Se ele quiser me comer atrás de uma árvore, inclusive, eu topo fácil.

Caramba, como eu queria ter trazido meu vibrador.

— Parece que você tá bem concentrada. — Russ ri ao parar do meu lado. — Tudo bem?

— Esqueci meu vibrador. — Congelo e tomo a ótima decisão de não olhar para a reação dele. Tenho certeza de que suas orelhas estão vermelhas, nem preciso olhar. Eu sei. — Não era para eu dizer isso em voz alta.

— Quer que eu te acompanhe até sua cabana? — oferece ele, e fico grata por mudar de assunto. — A chuva está terrível.

— Não precisa — murmuro, olhando pro céu escuro. — Vou ficar aqui até todo mundo ir dormir.

— Se importa se eu ficar também?
— Nem um pouco.

O TROVÃO PARECE MAIS ALTO na cabana do que na sala de TV, e estou considerando a oferta do Xander. Um turno da noite com três pessoas é uma boa ideia, não?

Tento ouvir música com fones de ouvido. Tento meditar. Tento me distrair com um livro, mas a tempestade está tão forte que nem um bilionário sexy em um parque de diversões consegue tirar minha atenção. Toda vez que ouço um trovão, a cabana parece tremer. Já me convenci a não ir atrás do Russ umas três vezes. Eu estava parecendo um personagem dramático de filme que se levanta, vai até a porta, coloca a mão na maçaneta e depois se afasta balançando a cabeça.

Nada de bom vai acontecer se eu fizer isso, mas não consigo deixar essa ideia para lá. Ele não pode parar a tempestade e eu não posso entrar na cabana dele, então não há motivo para sair noite adentro.

Com a sorte que eu tenho, vou ser atingida por um raio no momento em que colocar o pé para fora.

Estou argumentando comigo mesma pela quarta vez quando ouço uma batida na porta. Qual é a chance de Russ ter passado pelo mesmo conflito interno? De que ele vai finalmente cruzar a distância entre nós e me beijar?

Ao abrir a porta, percebo que a resposta para a minha pergunta é zero.

Zero chance.

— Nossa, como vocês são bagunceiras — reclama Jenna ao enfiar a cabeça pela porta. Ela olha para as roupas no chão e faz uma careta. — Como vocês conseguem andar aqui?

— Posso ajudar, srta. Murphy? — resmungo, tentando esconder a decepção por ela não ser um jogador de hóquei de quase dois metros com olhos azuis e uma tendência a corar quando fica com vergonha.

— Nossa, que rabugenta. Pelo visto não superou o medo de tempestade. — Ela coloca a mão na bolsa e tira uma lanterna. — Caso a energia acabe.

Talvez eu fique sem luz. Maravilha.

— Me lembra mais uma vez por que eu decidi vir trabalhar com você em vez de ficar em um iate ou algo tão babaca quanto, mas legal?

— Porque você me ama — responde Jenna, toda orgulhosa. — Claro, iates são legais, mas já esteve debaixo de uma chuva tão forte que inundou tudo? Esse tipo de coisa não acontece em Dubai.

— A vida dos sonhos, Jen.

— Isso aí — responde ela, sorrindo. — Ok, você foi a minha última entrega da noite. Vou para a cama, porque meu turno acabou e esse tempo tá uma merda. Não fica nervosa, tá? Amanhã de manhã já vai estar tudo bem.

Alguma vez dizer para uma pessoa não ficar nervosa a ajudou mesmo a não ficar nervosa? Volto para a cama, tento ler de novo e desisto cinco minutos depois. Pela primeira vez na vida, não estou a fim de ler um bom romance.

Como uma eterna solteira, acho que gostar tanto desse tipo de livro é um choque. Pensando bem, é meio que um enigma que eu tenha tanta fé em finais felizes, mas nunca pensei sobre como seria o meu.

Outra batida na porta. Ao abri-la, vejo Orla na varanda. Agora tenho certeza de que o universo está zoando com a minha cara. Na minha cabeça, começo a recapitular tudo que fiz até agora para cair no radar da Orla, mas não consigo pensar em nada de mais. As únicas besteiras que fiz foram na minha mente, nada na vida real, e como ela não pode ler pensamentos, não faz ideia de que estou desejando loucamente uma pegação, que nem uma adolescente cheia de hormônios.

— Oi, querida. Acho que estou no lugar errado. — Ela pega o celular e checa as mensagens. — Aparentemente alguém está com uma goteira e preciso tirar uma foto para o registro de manutenção. Não há mais vantagem em ser uma senhorinha hoje em dia. Ter que sair na chuva para lidar com esse tipo de coisa...

Ela me entrega o celular enquanto tira os óculos embaçados para limpá-los e sacode a água da gola da capa de chuva.

— Aqui diz vinte e sete, não vinte e dois — explico. — Vinte e sete é perto do campo principal. Acho que é na frente da cabana dos Porcos-Espinho.

Orla fecha bem o capuz ao redor do rosto, pega o celular e o coloca no bolso.

— Obrigada, querida. Desculpa o incômodo e boa noite.

Estou encarando o teto, ouvindo a chuva cada vez mais fraca e tentando dormir, quando um trovão ecoa como se estivesse dentro da cabana.

— Ok, já chega. Eu vou lá — falo para mim mesma, saindo da cama e pegando os tênis. As luzes piscam, e começo a mexer nas coisas espalhadas pelo chão. Jenna tem razão: somos bagunceiras. Onde caralhos foi parar minha capa de chuva?

Aceitando a derrota, visto meu moletom dos Ursos-Pardos e, com o short, parece que estou fazendo cosplay do Russ.

Isso é uma péssima ideia.

— Ideias ruins formam caráter — digo para mim mesma em voz alta na hora que a luz da minha cabana acaba. — Mas que merda. Isso não é um sinal.

Repito isso enquanto procuro pela lanterna que Jenna me deu mais cedo e começo a tatear no escuro até a porta. Quando saio, vejo que outros lugares estão com as luzes acesas. É apenas a área da minha cabana que está sem luz.

Claro.

É um milagre eu nunca ter pesquisado quais são as chances de alguém ser atingido por um raio, o que me faz correr pela trilha em direção ao lago.

Há um risco real de que ele vá me mandar embora.

O que eu estou fazendo? A Aurora antiga iria me xingar e morrer de vergonha se me visse agora.

Fico feliz de estar com a lanterna quando me aproximo da fileira de cabanas e conto os números até chegar na 33. Meu coração quase sai pela boca enquanto subo os degraus até a porta do Russ.

O pior que pode acontecer é ele me mandar voltar para a cama. Acho que isso é o pior. Sei que não devia estar aqui, então não posso julgá-lo se não quiser lidar comigo agora.

Um raio corta o céu, incrível e aterrorizante, e eu bato na porta de madeira. Vejo a luz acesa atrás das cortinas, mas ele não abre. Bato de novo e espero, pensando que talvez ele esteja no banheiro ou algo assim, mas ele não atende.

Decepcionada e envergonhada, aceito a derrota e saio de baixo da proteção da varanda e volto para a chuva. Foi uma ideia idiota, eu não devia ter vindo para cá. Talvez eu tenha entendido tudo errado. Com certeza vou me divertir muito remoendo isso pelo resto da noite. Quando estiver velha e enrugada, vou acordar suando frio, pensando no dia em que saí no meio da chuva vestindo um moletom de ursinho e fui ignorada pelo homem que dominava meus pensamentos.

Virando na primeira esquina, paro de repente quando vejo Russ vindo na minha direção. Ele está cabisbaixo, mas logo em seguida levanta o olhar até mim e para.

— Ei — diz ele em meio à escuridão.

Ele está ensopado, vestindo a mesma roupa de antes, agora mais escura por causa da chuva.

— Oi.

— Fui até a sua cabana. Achei que talvez estivesse com medo. Queria ter certeza de que estava bem.

Não sei como responder com palavras, então eu me aproximo e ele faz o mesmo. Estou tão hipnotizada que nem me assusto quando um raio ilumina o céu de Honey Acres, porque ele finalmente cruza o espaço entre nós e me beija.

Capítulo vinte e um
AURORA

Agora entendo por que tantas músicas falam sobre beijar alguém na chuva.

Russ me pressiona na parede da cabana, e minhas pernas envolvem sua cintura como já fizeram várias vezes, mas agora ele enfia os dedos no meu cabelo e puxa minha cabeça para o lado para beijar, lamber e chupar meu pescoço.

É diferente da outra vez. Ele está mais confiante, mais certo do que fazer para arquear minhas costas da parede e me arrancar gemidos. Arranco o moletom dele, impaciente para ver seu corpo de novo e senti-lo contra o meu. Ele me ajuda a tirar o tecido molhado e imediatamente tira o meu também. Nossas barrigas úmidas grudam uma na outra, o calor se espalha pela minha pele como um incêndio florestal.

— Você é tão linda — sussurra ele na minha orelha. — Não acredito que demoramos tanto para fazer isso de novo.

Concordo. Devíamos receber uma medalha pela eminente demonstração de autocontrole apesar de saber quanto é bom estarmos juntos.

— Alguns de nós respeitam as regras, Callaghan — brinco.

Suas mãos agarram minha bunda, e parece que meu corpo inteiro vai entrar em combustão.

Russ me deita devagar na cama, e o tecido macio é uma mudança bem-vinda. Ele tira as calças e a cueca, e preciso me controlar para não ficar de queixo caído. O tempo mexeu com a minha memória do tamanho impressionante dele, e depois de semanas matando a vontade sozinha no chuveiro, temo estar um pouco fora de forma.

— Você faz ideia de como vai deixar meu ego se ficar me olhando assim? — diz ele, se ajoelhando na cama no meio das minhas pernas, completamente nu.

Tenho certeza de que existe alguma regra sobre ser falta de educação falar com alguém e não olhar nos olhos da pessoa, mas, para ser sincera, quem inventou essa regra não sabe como o pau do Russ é lindo.

— Tô avaliando a probabilidade de você me rasgar no meio com isso aí.

Ele ri e se inclina sobre mim, me beijando devagar.

— Tem certeza de que quer fazer isso?

— Faz semanas que eu só penso nisso — admito. — Não tenho medo de um pouco de perigo.

Russ abre o meu short e o tira, depois puxa a calcinha e abre minhas pernas. Esse é o momento em que, sem ter um pingo de álcool no corpo, eu sentiria um pouco de vergonha. Não com ele.

— Do que você precisa? — pergunta ele, acariciando a parte interna das minhas coxas.

De tudo.

— Eu quero estar com você.

Russ se deita na cama comigo e me coloca de lado, fazendo nossas barrigas se tocarem. Ele coloca minha perna por cima do quadril dele e passa o braço por baixo da minha cabeça.

— Assim?

— Perfeito.

Devagar, Russ passa a mão pela minha cintura, descendo pelas costas até segurar minha bunda. Nossas bocas e línguas se tocam, e ele desliza os dedos para o meio das minhas pernas.

— Cacete, Aurora — geme ele, encostando a testa na minha. — Você tá muito molhada.

O pau dele estremece contra minha barriga.

— Posso tocar em você?

— Você pode fazer o que quiser comigo. — Ele geme quando envolvo seu pau, subindo e descendo as mãos devagar. Ele me penetra com um dedo, depois outro. Meu coração acelera, e estou ofegante enquanto mexo a mão entre nós em um ritmo que ele adora. — Você é tão gostosa, meu bem.

Ele é paciente e observa cada reação minha para aprender exatamente do que eu gosto. A perna apoiada no quadril começa a tremer, a sensação crescendo no meu ventre até meus ossos vibrarem.

— Eu vou gozar.

Seu polegar encontra meu clitóris e quero puxá-lo para mais perto. Não sei como isso seria possível, mas aperto a nuca dele com a mão livre e gemo na sua boca.

— Ai, Russ. Meu Deus.

— Isso. Quero ver essa sua carinha linda enquanto te faço gozar.

Meu corpo cede e estremece nos dedos dele, ainda prendendo-o na palma da mão. Ele retira os dedos de mim, movendo o quadril no mesmo ritmo até que para, colocando a mão sobre a minha.

— Não quero gozar ainda.

— Cadê as camisinhas?

Vejo a expressão no seu rosto ser tomada pelo terror.

— Merda.

— Por favor, me diz que tá xingando porque vai ter que se afastar de mim por dois segundos para pegar a camisinha.

— Não tenho camisinha — admite ele, tímido. — Não me olha assim, não achei que ia transar enquanto estivesse aqui!

Ele se deita de costas e usa minha perna para me puxar para cima dele. Seu pau está duro feito pedra, convenientemente apoiado na barriga dele, mas entre minhas pernas. Rebolo, de leve, e seus olhos se reviram, as mãos de imediato vão para a minha cintura, me segurando no lugar enquanto ele imita o meu movimento.

Tudo está inchado, dolorido e molhado, e isso faz com que eu perca meu bom senso. Não posso culpá-lo por não trazer camisinhas, porque eu também não trouxe.

— Podemos não usar? Quando foi o seu último teste? — pergunto. — Eu tomo anticoncepcional, e está tudo bem comigo. Sempre uso camisinha. Um de nós pode ir até Meadow Springs essa semana comprar.

— Fiz um teste algumas semanas antes de te conhecer e deu tudo negativo. Você é a única pessoa com quem transei desde então, mas não me sinto confortável transando sem camisinha. Não vou curtir se estiver preocupado com a eficácia do seu anticoncepcional.

— Tudo bem, eu respeito isso. — A gente deveria ter tido essa conversa antes de tirar a roupa, mas pelo menos está acontecendo agora. Russ parece envergonhado, mas não precisa. Eu o puxo para se sentar. Ele se apoia nas mãos enquanto eu coloco os braços ao redor do pescoço dele e dou um selinho na sua boca. — Tem vários jeitos que posso te satisfazer. Vamos contar quant... Ah, aposto que Xander trouxe camisinha.

Acho que nunca me movi tão rápido quanto agora. Saio correndo para o lado de Xander da cabana. Russ coloca os pés no chão, sentando-se na beirada da cama.

— Rory, acho que não devia mexer nas coisas do Xander.

Russ tem razão — eu vou ignorar completamente o que ele disse, mas Russ tem razão.

— Acha que, se o Xander soubesse que você precisava de uma camisinha, ele negaria?

— Justo.

Procuro nos lugares óbvios, tipo a mesa de cabeceira, o nécessaire, a gaveta de meias, o guarda-roupa, e não encontro nada. Se eu fosse Xander, onde esconderia as camisinhas? Eu me deito no chão e olho debaixo da cama, e, apesar de ter uma chance real de encontrar algo peludo e com garras, vejo uma bolsa de viagem.

— Caralho, Aurora — resmunga Russ, que parece estar sofrendo fisicamente.

Minha bunda está no ar, os peitos perto do chão, e não preciso de mais nada para adivinhar o que ele está pensando. Puxo a bolsa e encontro o que estava procurando. Seguro as embalagens no ar como se fossem um prêmio e tento não correr até a cama. Nunca vi Russ se mover tão rápido quanto agora, abrindo o plástico e colocando a camisinha.

Ainda na beirada da cama, ele puxa minhas coxas para colocar minhas pernas ao lado dos seus quadris. Eu me movo devagar enquanto ele me posiciona e me encaixo nele. A sensação dele me preenchendo me paralisa.

— Vai devagar — murmura Russ, baixinho, beijando meu peito. Ele me segura pela cintura, me guiando enquanto eu subo e desço, guiando-o cada vez mais para dentro de mim. — Isso, boa menina. Você é tão gostosa, Aurora. Vai me deixar louco.

O elogio deixa o sexo ainda melhor, e não tenho vergonha de admitir isso.

Russ Callaghan pode me chamar de boa menina sempre que quiser.

Nós entramos em um ritmo perfeito. Suas mãos vão parar na minha bunda, me ajudando a quicar nele, enquanto Russ explora meu pescoço e peitos com a boca. Esfrego o meio das minhas pernas com os dedos e o aperto com força.

— Quase lá — digo, ofegante.

Suas mãos me guiam, e nossas bocas se chocam, e estamos nos tocando em tantos lugares que parecemos uma pessoa só. Meu corpo é como uma bola de luz prestes a explodir, e me seguro nele com força, aproveitando a sensação, pulsando contra ele.

— Tudo bem? — sussurra Russ.

— Minhas coxas estão pegando fogo. Vale a pena.

Russ me levanta, me coloca na cama de novo e se deita atrás de mim. Ele passa o braço por trás da minha cabeça, o peito colado às minhas costas. Parece que vamos deitar de conchinha, e então sinto seu pau me cutucando.

— Levanta um pouco a perna, meu bem.

— Na bunda não pode.

Sinto um arrepio me atravessar quando ele ri no meu pescoço.

— A ideia não era essa, mas obrigado por avisar.

Russ me penetra de novo, de uma só vez, e a sensação é tão diferente nesse ângulo. Eu abaixo a perna, e ele passa o braço ao redor do meu pescoço para alcançar meu peito e começa a brincar com meu mamilo. A outra mão passeia pela minha barriga antes de se enfiar entre as minhas pernas, e na hora sei que ele me estragou para qualquer outra pessoa.

Seus quadris se movem devagar, a mão continua me tocando e ele sussurra no meu ouvido. Russ está em todo lugar ao mesmo tempo, e sei que estou prestes a gozar de novo. Eu me sinto valorizada, endeusada. Como se a única missão da vida dele fosse fazer eu me sentir bonita e desejada. Jogo os quadris para trás quando ele me penetra e entramos em um ritmo louco, buscando o êxtase em sincronia.

— Isso, me mostra que você me quer — diz ele no meu ouvido. — Você vale qualquer risco, Rory.

O som da nossa pele se chocando abafa o barulho da tempestade. Caralho, eu nem sei se ainda está chovendo. Russ controla todos os meus sentidos. Eu estou gemendo, ele está gemendo. Eu rebolo com mais força, e ele também. A pulsação no meu pescoço vibra na boca dele, e suas estocadas ficam mais irregulares e fortes. Ele geme meu nome e me esfrega mais rápido e eu chego lá, me derretendo com ele.

Estou exausta, dolorida e completamente satisfeita.

Ficamos deitados, imóveis, ele ainda dentro de mim. Russ solta um suspiro.

— Acho que eu tô obcecado por você.

É como se fosse outro orgasmo.

— Isso é o sexo falando.

— Não é.

Ele sai de mim devagar, me beijando delicadamente quando estremeço, e vai ao banheiro para se livrar da camisinha. Pela primeira vez, não acho que o cara com quem acabei de transar vá fechar a porta e esperar eu ir embora.

Ao se deitar ao meu lado de novo, ele se aproxima do meu rosto, afasta uma mecha de cabelo e beija minha testa.

— Quer alguma coisa? Água? Banho? Alguma coisa confortável?

— Estou bem. Obrigada.

Russ me cobre e se deita ao meu lado, beija minha testa de novo e me puxa para si com um abraço. Nunca fiquei de conchinha depois de transar, mas me sinto tão segura e feliz que chega a ser assustador. Ele pega um livro e diminui a luz do abajur. Quero perguntar o que ele está lendo, mas já estou quase de olhos fechados. Estou prestes a dormir quando sua voz me para.

— Você vai estar aqui quando eu acordar?

— Vou, prometo.

Capítulo vinte e dois

RUSS

Não me lembro da última vez que dormi mais do que algumas horas. As cortinas fechadas me impedem de adivinhar o horário, mas sei que dormi pesado essa noite. Posso sentir.

Procuro por algo que me diga que horas são, mas um dos meus braços está envolvendo Aurora, ainda adormecida, e o outro está apoiado na pele delicada da barriga dela. Quando dou um beijo no seu ombro, ela se mexe e se esfrega em mim, a bunda encostando no meu pau e me fazendo gemer.

Ela repete o ato, desta vez de propósito, mesmo fingindo que está dormindo. Forço os quadris para a frente e me aproximo do seu ouvido.

— Sei que você tá acordada, Rory.

Ela ri, e é meu segundo som favorito do mundo. O primeiro é ela gemendo meu nome, claro.

— É um ótimo jeito de acordar — diz ela em meio a um bocejo.

Eu a acordaria como ela quisesse se pudesse dormir sempre ao seu lado.

Esticando a mão para trás, ela toca meu joelho, depois a coxa, subindo e subindo, parando para avaliar minha reação, até tocar de leve minhas bolas e meu pau.

— Tudo bem? — pergunta, envolvendo a base com os dedos e fazendo um movimento hesitante.

— Aham. — Não consigo dizer mais nada, movendo os quadris no mesmo ritmo da mão dela para facilitar. — Você é muito boa nisso, meu bem.

De repente, ela para e eu entro em pânico, achando que fiz algo errado, mas então ela se vira para mim. Ainda está com cara de sono, o cabelo antes molhado agora está seco e ondulado, e o jeito como me olha faz meu coração parar. Queria poder guardar esse momento, colocá-lo em um potinho e protegê-lo de qualquer coisa que possa estragá-lo.

Aurora se inclina e me beija, e imediatamente não me importo com mais nada. Ela se afasta, depois me beija na clavícula e no peito, se movendo cada vez mais devagar até eu não conseguir mais respirar com a expectativa e aquele olhar sonolento se transformar em algo mais travesso.

Ela beija a parte interna da minha coxa, meu quadril, tudo menos o lugar que mais quero. Coloco o cabelo dela atrás da orelha e seguro seu queixo, fazendo-a olhar para mim.

— Está tentando me fazer implorar, Aurora?

Aqueles olhos verdes me encarando, com um puta ar de inocente, como se meu pau não estivesse tão perto da sua boca. Ela beija a base enquanto mantém os olhos fixos em mim.

— Não. — Outro beijo, um pouco mais para cima. — Não precisa implorar por algo que quero fazer há semanas.

Entrelaço os dedos no topo da cabeça dela, puxando o cabelo e flexionando o abdome, tentando estabilizar minha respiração ofegante.

— Esses vão ser os melhores sete segundos da minha vida.

— Não me faz rir quando eu tô tentando te seduzir — resmunga ela, em meio às risadas.

— Não precisa tentar, já conseguiu. Considere-me seduzido. Obcecado. Consu... — Os lábios dela envolvem a cabeça do meu pau, e esqueço o que são palavras. Estava brincando quando falei dos sete segundos, mas agora não sei mais se foi só uma piada. — Cacete, você não existe.

O cabelo cai em seu rosto quando Aurora envolve mais do meu pau com a boca. Eu afasto as mechas do rosto dela, segurando o cabelo em um rabo de cavalo. Ela gosta disso e me avisa com um gemido feliz, me levando até o fundo da garganta.

Eu gosto também.

Tenho medo de piscar e perder um segundo sequer. As unhas da mão livre da Aurora tocam de leve a minha barriga enquanto a outra trabalha em sincronia com a boca para me levar ao clímax. Seguro o cabelo dela com força, os músculos ficam tensos, e um calor intenso começa a subir.

Ela me observa por entre minhas pernas com aqueles olhos verdes e brilhantes, muito concentrada.

— Vou gozar.

Minhas palavras só servem de incentivo, e estou quase lá quando a porta da cabana se abre e Xander chega do turno da noite com os cachorros, acabando com qualquer possibilidade do meu pau ficar duro de novo.

— Merda! — gritamos ao mesmo tempo, ele cobrindo os olhos e eu correndo para cobrir o corpo nu da Rory com um cobertor.

— Desculpa, desculpa — grita Xander, saindo da cabana em um piscar de olhos.

— As pessoas não colocam mais meias nas portas? Meu Deus.

A única palavra para descrever meu estado é horror.

Olho para Aurora, esperando encontrar a mesma expressão de horror, mas claro que isso não acontece, porque é a Aurora. Ela tapa a boca com a mão, fazendo o possível para segurar o riso.

— Desculpa — sussurra. — Não tô rindo, eu juro. Você tá bem?

O cobertor que joguei por cima dela está cobrindo metade da sua cabeça, e ela está nua e ajoelhada no meio das minhas pernas. Meu pau definitivamente não está mais duro. Esfrego o rosto e começo a rir, o que é a deixa que ela esperava. Puxo-a para mim e beijo sua testa enquanto ela se aconchega.

— Não conseguimos passar nem seis horas até nos pegarem no flagra.

— Vamos ser mais espertos da próxima vez — diz ela, passando o dedo pela minha pele. — Preciso voltar pra cabana antes que alguém perceba que não estou lá. Desculpa por você não ter gozado.

Aurora diz "da próxima vez" de um jeito tão casual que não sei como responder. Não quero abrir mão dela, mas também não quero ser demitido se formos pegos. Mas eu *realmente* não quero abrir mão dela. É a única coisa na minha vida que não foi arruinada por todo o resto. Aurora me dá esperança, e ainda não estou pronto para me despedir desse sentimento.

— Vamos tomar mais cuidado — digo e beijo sua testa de novo.

Ela passa por cima de mim e começa a se vestir, fazendo uma careta ao pegar as roupas ainda úmidas do chão.

— Você não dobrou minhas roupas, Callaghan — comenta. — Estou orgulhosa.

Visto a cueca e a bermuda e me sento na beirada da cama, observando ela vestir o moletom toda sorridente. Está calçando os tênis quando a puxo para ficar em pé entre minhas pernas. Suas mãos repousam no meu rosto e ela sorri enquanto acaricio suas coxas.

Ouço uma batida, seguido pelo barulho da porta se abrindo.

— Não quero estragar essa bela união, mas eu vim para cá porque preciso muito ir no banheiro. Então, se puderem terminar logo pra eu não ter que ir cagar na floresta que nem a porra de um urso, seria ótimo.

Aurora olha por cima do ombro para a porta entreaberta, sem tirar as mãos do meu rosto.

— Você sabe que tem outros banheiros no acampamento, né? A sua próxima alternativa é mesmo a floresta?

— Um homem não pode mais ter uma preferência de lugar pra cagar em paz? É nessa sociedade que vivemos?

— Tô saindo, seu exagerado — grita ela antes de me beijar e se despedir.

Quero levá-la de volta para a cama e trancar a porta, mas, no fim, é bom termos sido interrompidos. Não faço ideia de que horas são e duvido que fosse me importar.

Os cachorros entram correndo assim que Rory abre a porta, e Xander tenta lhe cumprimentar com um "bate aqui" quando ela passa, mas abaixa a mão quando recebe uma cotovelada nas costelas.

— Te roubei, desculpa. Tchau.

— São sempre as riquinhas! — grita ele de volta. É impossível não perceber o sorriso dele quando Xander entra e fecha a porta, e não consigo conter meu sorriso bobo. — Vou no banheiro, e depois vamos falar do que aconteceu aqui.

Eu me concentro nos cachorros enquanto ele vai ao banheiro e, quando volta, ainda estou com o mesmo sorriso bobo no rosto. Xander e eu não trabalhamos hoje — é o meu segundo dia de folga e o primeiro dele depois de trocar de turno com Aurora ontem —, mas mesmo sem termos conversado sobre o assunto, sei que vamos passar o dia ajudando o pessoal.

Não me leve a mal, as crianças podem ser bem cansativas, mas é um cansaço bom. Mantêm minha mente ocupada, e gosto de ajudá-las a se sentirem mais confiantes. De certa forma, quando eu era criança, colocava as crianças ricas em um pedestal: achava que, se minha família fosse rica, os problemas acabariam. Isso não mudou quando fiquei mais velho, ainda mais quando entrei na faculdade e tive a impressão de que todo mundo ali era mais privilegiado do que eu.

Acho que trabalhar aqui me ajudou a cuidar da minha criança interior. Vejo crianças aqui com as mesmas inseguranças e preocupações que eu tinha e percebo como fui bobo.

E, sim, talvez parte da minha motivação para ajudar hoje seja a Rory.

Xander se joga na cama, quase acertando Truta, que está mordendo uma das meias dele.

— O que será que a srta. Mão Leve roubou? Por acaso foi uma camisinha? — pergunta ele. Faço que sim em resposta e seu sorriso fica maior. — Fico feliz que vocês, jovens, estejam sendo responsáveis e que não eu não precise explicar sobre a dona cegonha.

Prefiro ser atacado por uma cegonha do que ter essa conversa com Xander.

— Você sabe que a gente tem a mesma idade, né?

— As crianças de hoje em dia... — insiste ele, desviando do sapato que jogo. — Reflexos de um gato, meu caro. Mas, falando sério, fico feliz por você. Tô com uma inveja da porra, mas feliz. Vai viver toda a coisa do amor de verão. Esse é o sonho.

— Valeu, cara. O que vai fazer hoje? — pergunto, trocando de assunto antes que ele pergunte mais.

Algumas coisas não mudam.

— A primeira coisa que vou fazer é tirar um cochilo. Jax decidiu contar histórias de terror antes de dormir, aquele merdinha. E eu sei que não deveria chamar uma criança de dez anos de merdinha, mas ele é meio babaca. Muitas lágrimas e drama, é irritante demais. Não vou perguntar o que você vai fazer porque sei que a resposta é ficar com a sua gata e fingir que está sempre perto dela porque gosta de esportes em equipe.

Quero corrigi-lo e dizer que ela não é "minha gata", mas gosto de ouvir isso.

— Acertou em cheio.

Ele boceja e se enrola no cobertor, cobrindo Truta, que imediatamente começa a morder o tecido.

— Seu segredo está a salvo comigo, cara.

Quando saio do banho e vou tomar café da manhã, a chuva da noite anterior já passou. Estou na metade do caminho para o refeitório quando ouço um "peraí" atrás de mim.

Recém-saída do banho e vestindo uma camisa dos Ursos-Pardos, Aurora sorri enquanto corre para me alcançar. Ela toca minha mão de leve, rápido o suficiente para não levantar suspeitas caso alguém visse, mas o bastante para me causar um arrepio no braço.

— Oi.

— Oi.

— Oi — repete ela, nervosa. — Só queria dizer... Bom, estive pensando e, bom, sei que te fiz quebrar as regras ontem à noite e prometi que eu...

— Rory — digo baixinho, interrompendo-a. Paro e me coloco na sua frente. Não estou acostumado a ver essa expressão insegura em seu rosto, ou a falta de autoconfiança na sua voz. Mesmo quando está tagarelando para preencher o silêncio, ela tem um ar confiante, mas agora parece uma mulher cheia de incertezas. — Você não me forçou a nada. Fui até sua cabana também, lembra?

— Eu sei, mas esse trabalho é importante pra você... E é importante pra mim também, eu amo o acampamento, mas ao mesmo tempo tenho o autocontrole de um guaxinim faminto. Não quero que pense que eu não me importo, porque eu sei quanto é importante pra você. Faz sentido?

— Acho que sim. Não me arrependo de nada. — Cacete, como eu quero dar um beijo nela. — Prometo. Tô tentando ficar mais de boa, não me preocupar com tudo.

— Isso seria bom pra você. Acho que vai ser bem mais feliz.
— Então...

Como vou falar isso?

— Então... — repete ela.
— Eu gosto de você. Aurora. Muito. O que aconteceu ontem me deixou muito feliz.

Ela abre a boca, fecha e abre de novo, que nem um peixe. Então, pigarreia e assente, respondendo com a voz rouca:

— Eu também. — Ela limpa a garganta mais uma vez. — Também gosto de você.
— Então...
— Então... a gente devia ir tomar café antes que venham procurar pela gente — diz ela, quebrando o silêncio. — Fui explicar por que ia perder a cerimônia de hastear a bandeira e me atrasar para o café da manhã, e a Orla estava lá. Tive que mentir e dizer que meu alarme não tocou porque faltou luz e não carreguei meu celular. Falei que ia ser rápida.

Começamos a andar pelo corredor de novo e eu assinto.

— Esperta.

Ela bufa em resposta.

— Não muito. Pelo visto, a luz voltou dois minutos depois de eu ter saído pra te procurar e não teve nada a ver com a tempestade. O cara que estava consertando a goteira em um telhado desligou o disjuntor errado.

— Bom, não podem provar que você tá mentindo.
— Emilia pode e com certeza já sabe de tudo. Ela me deu aquela olhada. — Aurora solta um suspiro profundo quando nos aproximamos das portas, então para e se volta para mim. — Desculpa, ninguém nunca disse que gostava de mim de verdade, além do sexo. Fiquei meio desnorteada. Não quero voltar pra faculdade e não te ver todo dia, Russ. Ver você é a melhor parte do meu dia. E se não se importa de esperar enquanto processo o tamanho disso, acho que podemos ter algo especial.

Agora fui eu quem fiquei desnorteado. Parece fácil demais, natural demais, para ser verdade, mas é.

— Eu esperaria por você a vida inteira, Aurora.

Capítulo vinte e três
AURORA

Há dias estou com borboletas no estômago.

No começo achei que estava doente, mas não era exatamente uma náusea, e sim uma sensação estranha no abdome. Melhorava à noite, quando Emilia e eu íamos dormir, então achava que tinha passado, mas voltava tudo no dia seguinte. Fiquei me perguntando se estava com alguma alergia, mas não me sentia doente, só estranha.

Demorei três dias para entender o que era.

— Então você não está morrendo? — resmunga Emilia com a voz rouca.

Ela está colocando o último colete salva-vidas no armário, sem voz de novo depois do torneio de vôlei altamente competitivo de ontem. Faz sentido perder a voz quando você passa o dia gritando, mas nunca aconteceu comigo. Para a tristeza de Emilia, minhas cordas vocais se recusam a ser silenciadas.

Saímos para andar de caiaque de tarde e conseguimos um pouco de privacidade — bom, o máximo de "privacidade" que é possível ter no acampamento —, e isso me ajudou a entender que tenho sentimentos e que são eles que causam a sensação estranha.

— Não tô morrendo. Confirmado.

— Só dando tilt por causa de homem, entendi. — Ela não olha para mim, então não vê o dedo do meio que ergui, mas como boas melhores amigas, ela sabe. — Nossa, como é fácil te deixar nervosa. Gostei dessa sua nova versão; parece que você tá flutuando por aí que nem um cervo de desenho animado. É muito fofo.

— Desculpa, disse alguma coisa? Não ouvi. — Olho para a margem do lago, onde um homem ergue caiaques e os coloca de volta no suporte sem dificuldade alguma. Cervo de desenho animado não é o pior apelido que já recebi, ainda mais vindo da Emilia. — Saudades da Poppy. Ela equilibra o seu jeito irritante.

— Ah, pode ter certeza de que ela vai ficar sabendo de tudo, minha querida Bambi. — Ela limpa a garganta e começa a balançar os braços. — Ei, Russ! Pode nos ajudar aqui, por favor?

Sua voz soa diferente, mas é alta o bastante para chamar a atenção. Aposto que ele não faz ideia do que a Emilia disse. Após guardar o último caiaque, ele passa pelos campistas que Clay está levando para se arrumarem antes do jantar.

— O que tá fazendo? — resmungo por entre os dentes para ele não ouvir.

— E aí? — cumprimenta Russ, parando na nossa frente.

Meu Deus, como ele é lindo.

Emilia, dramática, aponta para a caixa.

— Preciso muito ir ao banheiro. Pode ajudar a Rory a guardar o baú no galpão?

— Você está bem? — pergunta ele, aparentemente por nós dois. — Está estranha.

— Nunca se sabe quem está ouvindo. De nada.

— Ninguém conseguiria te ouvir mesmo — digo.

Dessa vez é ela que ergue o dedo do meio quando sai correndo atrás de Clay, e agora que ela foi embora, as borboletas estão causando um furacão dentro de mim.

Com certeza isso não é uma alergia.

Os últimos dias foram um misto de olhares e toques sutis, sussurros e sorrisos. Depois de semanas nos conhecendo, fiquei preocupada com a possibilidade de que, depois de matar a vontade, a empolgação fosse acabar. Mas aí esses dias ele me puxou para um corredor escuro e me beijou como nunca fui beijada, então parei de me preocupar.

A questão principal é que não acredito que exista um cara que realmente gosta de mim e com quem tenho uma conexão de verdade além do sexo. Sei que a minha referência para homens é muito ruim, e meu bom senso, inexistente, mas posso confiar no Russ.

Ele dá um chute de leve no baú, que se move um pouco. Ele o levanta, os bíceps saltando com o peso.

— Posso carregar sozinho, não precisa ajudar.

Senhor, como eu sou fraca.

— Eu quero ajudar.

O galpão não fica longe e, depois de poucos minutos de caminhada atrás dele, desconcertada ao ver os músculos das costas contraídos, seguro a porta para ele entrar no prédio. Russ baixa o baú no chão do galpão escuro e, por sorte, teoricamente nosso trabalho acabaria por aí. Eu não deveria entrar e fechar a porta, mas é isso que faço.

Tem um interruptor aqui em algum lugar, mas não tenho interesse algum em achá-lo. Pequenos feixes de luz atravessam as janelas altas, e, sem dizer nada, suas mãos seguram meus ombros e sobem para envolver meu rosto. Sua boca encontra a minha, gentil e devagar, como se estivesse tentando guardar o momento em que nossas línguas se tocam. Aperto meu corpo contra o dele, enfio os dedos em seu cabelo e fico na ponta dos pés para tentar me aproximar mais.

Quando estou prestes a reclamar de suas mãos terem me largado, ele segura minhas coxas, puxando minhas pernas até a sua cintura e me colocando sentada na superfície mais próxima. Cada toque é perfeito, mas não é o suficiente: quero mais. Eu me sinto embriagada — de desejo e segredos.

Sua boca viaja pelo meu rosto e pescoço.

— Te quero tanto.

— Vem, faz o que quiser comigo.

Ele hesita em continuar, com razão, mas isso não quer dizer que não quero que ele me coma neste exato segundo. Não quero ser pega no flagra aqui. As crianças não podem entrar nesses prédios, e vi todas voltarem para as cabanas. Nenhum de nós arriscaria ser pego por uma delas.

O problema é sermos pegos por qualquer outra pessoa da equipe.

Infelizmente, o risco de sermos descobertos aqui deixa a situação toda ainda mais excitante, e aquela sensação familiar que eu tanto buscava parece voltar; a que enche meu corpo de endorfinas e percorre meus nervos como uma corrente elétrica. É viciante e errado, mas apesar de todos os alarmes soando na minha cabeça, ainda quero que ele teste a resistência dessa coisa onde estou sentada.

— A gente não devia — sussurra ele.

— Não mesmo — respondo. — Mas, se você quiser, saiba que consigo ser bem silenciosa.

A risada do Russ é baixinha e rouca, tem um tom safado, e começo a latejar. Esse é meu estado agora: latejando ao ouvir risadas safadas.

— Você é muito esperta — diz ele, e eu juro que esse homem quer acabar comigo. — Mas eu amo quando faz barulho.

A boca dele encontra a minha de novo, e uso as pernas para puxá-lo, gemendo quando sinto sua ereção me tocar. Estou pronta para ligar o foda-se e ficar de joelhos quando alguma coisa cai e nos assusta.

Ele me beija novo, dessa vez mais devagar, e acaricia minhas coxas. De repente, tenho certeza de que tem alguma coisa se mexendo por perto.

— Que porra é essa? — pergunto, me afastando contra minha vontade e ficando em pé. Ele me ajuda a descer e começo a tatear a parede em busca do interruptor. Ligo a luz, e a construção cheia de caixas e prateleiras se ilumina.

— Não tô vendo nada... — diz ele, tão confuso quanto eu.

— Acho que...

Nessa hora, o maior gambá que já vi passa correndo na minha frente, e meu grito é tão alto que não sei como o prédio inteiro não caiu.

Russ está convencido de que o universo mandou aquele gambá para nos impedir de agirmos como dois putos e nos fazer voltar ao trabalho.

Ele também está envergonhado que nem a escola nem os vários verões no acampamento me ensinaram que gambás não são perigosos. Mas, se isso é verdade, por que têm dentes tão afiados? E não, ele não usou a palavra *puto*, mas ignorei o que ele disse porque estava tocando a minha lombar e eu ainda estava cheia de tesão.

Malditos gambás.

Eu me mantive mais ocupada do que o normal à noite, sendo a melhor orientadora do acampamento: quanto mais dança, melhor; quanto mais chocolate quente, melhor. Qualquer coisa para me manter ocupada e longe do jogador de hóquei que estava me fazendo ser irracional. Irracional não é novidade para mim. Ser irracional por causa de um crush... isso nunca aconteceu.

Estou ajudando Jade a arrumar seus cachos quando Emilia se joga do meu lado.

— Preciso deitar. Minha menstruação desceu e eu quero chorar, vomitar e brigar com alguém, tudo ao mesmo tempo. Os meninos disseram que vão trocar de turno comigo hoje, tudo bem? Desculpa.

— Imagina. Precisa de alguma coisa?

Jade olha por cima do ombro para nós.

— Minha mãe faz minhas irmãs tomarem chá de hortelã.

— Boa ideia, querida. Emilia, vai pra cama. Eu te levo um chá quando terminar aqui. Quer chocolate também? Não vou demorar.

Ela assente. Acabo de arrumar o cabelo de Jade, e Clay promete ajudar a colocar todo mundo na cama enquanto pego as coisas para a Emilia. Quando me aproximo da cabana das crianças pouco depois, o silêncio é preocupante.

Abro a porta e imediatamente vejo Clay, Russ, Xander e May, me encarando, todos com uma expressão de pânico. As crianças estão se acomodando para deitar e apenas uma está tentando fugir da hora de dormir. Olho para os quatro.

— O que vocês fizeram?

— Tô fora, cara — diz Xander de cabeça baixa, dando um tapinha no braço do Russ.

— Aurora, eu te amo, mas não consigo — diz Maya em seguida.

— Boa sorte, irmão — adiciona Clay e segue os outros dois até a porta, sem me encarar.

Russ passa a mão pelo rosto e solta um longo suspiro.

— O que eu perdi? — pergunto com cuidado.

— Oi, Rory — diz ele em um tom alegre completamente falso. — Vou cobrir o turno da Emilia e achei que seria legal, sabe? Tinha um plano pra gente, com lanches e...

— Russ, vocês perderam uma criança ou alguma coisa do tipo? Por que você tá agindo tão esquisito assim?

Ele suspira de novo e me preparo para ouvir algo terrível — e estou certa.

— Você está muito bonita hoje.

— O que você tá escondendo? — resmungo em resposta, impaciente.

— Kevin foi ao banheiro e entupiu a privada. Nunca vi alguém fazer tanto cocô assim na vida. — Russ parece que vai vomitar enquanto fala. — E, quando você tenta dar descarga, todos os outros vasos vazam e... Desculpa, é horrível. Sei que a gente só devia chamar a manutenção quando não consegue resolver alguma coisa sozinho, mas acho que ninguém consegue dar um jeito nisso.

— Meu Deus. — Reviro os olhos sem pensar duas vezes. — Ok, vamos lá, seu exagerado. Vai na frente. Não acredito que isso nunca te aconteceu. Você não mora em uma fraternidade?

— Não sei se algum homem adulto é capaz de uma coisa dessas — responde ele, sério.

Que romântico. Nada melhor para criar intimidade com alguém do que desentupir um vaso sanitário. Sinto o cheiro antes mesmo de entrarmos no banheiro imenso. Para acomodar a quantidade de campistas aqui, os banheiros têm vários sanitários e chuveiros privados, e, de alguma forma, Kevin conseguiu entupir o encanamento inteiro.

Com as mãos na cintura, aceno com a cabeça para a cabine em questão e vejo o pânico no semblante de Russ quando ele entende que estou pedindo a ele que faça algo.

— Você é o engenheiro, Callaghan. Inventa uma engenhoca aí.

— Minha solução é fechar o lugar e nunca mais voltar.

— Vou dar a descarga e cruzar os dedos.

— Eu já tentei isso... — diz ele, me segurando pelos quadris para me impedir de entrar na cabine. Ele me puxa até minhas costas tocarem em seu peito, com as mãos ainda nos meus quadris. Sinto um frio na barriga. Malditas borboletas. — Talvez seja melhor chamar a manutenção.

Eu me solto porque não vamos ter um momento fofo resolvendo, literalmente, uma merda.

— Ligar pra manutenção é admitir derrota.

— Eu admito a derrota. — Ele ergue as mãos em um gesto de rendição e vai se sentar na bancada. — Já tinha admitido antes de você chegar. Vamos ligar.

— Vou só dar a descarga e ver o que acontece.

— Aurora, não faz isso...

— Vai me ajudar a entender qual é o problema — digo enquanto aperto o nariz ao entrar na cabine.

— Rory, você vai alagar tudo.

— Não vou, não. Aposto que vai descer.

Aperto o botão da descarga, e o encanamento faz um barulho que nunca ouvi na vida.

Sinto os olhos de Russ em mim do outro lado da bancada da cozinha, mas não vou lhe dar a satisfação de encará-lo.

— Eu avisei — diz ele, convencido.

— Cala a boca. Não quero saber.

Depois que alaguei o banheiro e tivemos que tirar todas as crianças do alojamento, finalmente conseguimos acomodá-las no prédio principal. Por sorte, como fazemos as noites de cinema lá, já temos colchonetes para todo mundo, e Cooper, o orientador sênior de plantão, nos mostrou onde estavam os sacos de dormir.

Acho que as crianças perceberam o meu nível de estresse, porque ninguém fez perguntas e todas foram imediatamente se deitar nas camas improvisadas. Junto da sala principal tem uma cozinha, onde preparamos os lanches e bebidas da noite, e é lá que passo os quinze minutos seguintes comendo chantili direto da lata.

Russ dá a volta na mesa até parar do meu lado. Ele me empurra de leve com o quadril, então eu o empurro de volta e, quando me dou conta, estou sentada no balcão com esse homem gigante no meio das pernas.

— O que posso fazer pra você se sentir melhor? — pergunta, colocando meu cabelo atrás das orelhas.

— Construir uma máquina do tempo e voltar para o momento antes de eu dar a descarga.

— Posso fazer isso, mas talvez demore um pouco.

Aponto para ele com a lata e ele abre a boca, me deixando espremer chantili na sua língua.

— Se pudesse voltar no tempo e mudar alguma coisa, o que seria?

Penso muito nessa pergunta — o que é idiota, porque é impossível —, mas pelo visto gosto de me torturar pensando em como as coisas poderiam ter sido diferentes.

Ele faz carinho nas minhas coxas e se concentra nisso em vez de olhar para mim, até finalmente responder:

— Nada.

— Nada? Você não consertaria erros ou, sei lá, faria de novo alguma prova em que poderia ter tirado uma nota melhor nem nada assim? — Ele balança a cabeça.

— Sério? Nadinha?

— Já ouviu falar em efeito borboleta?

— Entendo muito sobre borboletas. — No momento, tem um bando inteiro na minha barriga e elas acordam sempre que ele se aproxima de mim. Mas acho que ele está falando do filme. — O que isso tem a ver com a minha máquina do tempo?

— Não é sobre borboletas em geral, é o efeito borboleta. Se você mudar alguma coisa no passado, isso teria várias consequências e talvez me impedisse de te conhecer.

Agora tem o dobro de borboletas dentro de mim.

Minha garganta está seca, mas me forço a falar:

— Você sabe que não precisa falar essas coisas só pra dormir comigo, né? Já passamos dessa fase.

— Não estou falando por falar, mas nunca vou me cansar de fazer você ficar vermelha.

É uma sensação indescritível ver o Russ se transformar no cara que é de verdade, por trás de todas as inseguranças. Tenho muita sorte de ver isso acontecer.

Meu beijo o pega de surpresa, mas ele logo me acompanha, e torço para ninguém pisar em nenhuma borboleta.

Capítulo vinte e quatro

RUSS

Aurora me entrega meu segundo café do dia enquanto assistimos Xander e Emilia brigarem.

Várias semanas atrás, as palavras *show* e *talentos* foram usadas na mesma frase e eu achei que fosse brincadeira. Depois que a Aurora me falou quanto isso é importante para ela — algumas pessoas chamariam de chantagem emocional —, não tenho escolha a não ser lhe obedecer, porque estou obcecado por ela, então aqui estou eu: esperando minha vez de aprender a dançar.

Sabia que, se eu a decepcionasse, ainda mais depois de ter perdido o primeiro ensaio, Aurora nunca mais confiaria em mim, então cheguei no local de ensaio antes de todo mundo, pronto para começar.

O que Aurora não disse quando comentou que teríamos que nos preparar foi que tínhamos que decidir o nosso talento em grupo.

Sei qual é o meu talento e o da Aurora, mas não seria apropriado fazer isso no palco, na frente de todo mundo.

Ela está em pé do meu lado, me empurrando com o quadril de vez em quando. Maya e Clay estão do outro lado, e nós quatro estamos observando os dois outros orientadores brigarem. De novo.

— É um concurso de talentos, Xan — diz Emilia, irritada.

— E eu tenho um talento nato — responde ele.

— Eu sou uma dançarina profissional.

— Você não consegue ensinar o que eu sei.

Maya cruza os braços e inclina a cabeça.

— A gente devia fazer alguma coisa?

— Não — digo antes de dar um gole no café. — Uma hora ele vai desistir.

— A Emilia não — diz Aurora, pegando minha caneca e tomando um gole. — Ela nunca desiste de uma briga com um homem.

As crianças estavam ficando ansiosas por não terem tempo para ensaiar, já que nós as mantemos ocupadas o dia todo, então mudamos os planos para deixar a manhã livre e voltar à programação normal à tarde.

Achei que Aurora estava exagerando quando disse que era importante, mas não. Todo mundo está levando isso a sério, o que me preocupa ainda mais.

Rory se aproxima de mim, distraída. Ela deixa o braço descansar no meu enquanto vemos nossos amigos brigarem como irmãos. Meu Deus, eu sou ridículo por gostar tanto de algo tão simples quanto a naturalidade dela ao se aproximar de mim.

— Ei! — grita ela para Xander e Emilia, fazendo os dois olharem para nós. — Que tal pensarem em algo e, quando decidirem, podem nos ensinar. Se eu quisesse ficar vendo duas pessoas brigando, passaria o verão com meus pais.

— Tá — respondem os dois e imediatamente voltam a brigar.

— Vão aproveitar o dia de folga de vocês — diz Aurora para Clay e Maya. — Sem chance de esses dois chegarem a um acordo nas próximas duas horas.

— Você é demais, Roberts — diz Maya, bocejando e acenando enquanto vai em direção às cabanas.

— Não me importo de ficar aqui mais um pouco pra ajudar. — Clay enfia as mãos no bolsos e dá de ombros.

Ele está com um sorriso estranho hoje. Forçado e estranho, que faz eu querer ficar na frente da Aurora e o mandar se afastar. Obviamente não posso fazer isso, porque seria grosseiro e muito aleatório.

— Não tem nada pra fazer aqui — insiste Aurora em um tom severo que nunca a vi usar. — Você merece um descanso, então pode ir.

Clay olha para mim, e de imediato percebo que algo aconteceu. Pigarreio e abro meu melhor sorriso falso.

— Vai curtir seu dia, cara. Isso aqui vai demorar.

Ele finalmente cede e vai embora atrás de Maya com uma expressão envergonhada.

— Por que ele tá estranho? — pergunto para Aurora quando ele já se afastou o bastante para não ouvir.

— Não sei. Pode ficar de olho aqui por cinco minutos para ninguém virar comida de onça-parda? — Ela pega a caneca da minha mão e as garrafas d'água na mesa de piquenique. — Vou pegar água e cadeiras dobráveis pra gente sentar e ficar de olho nas crianças, tá? Quer que eu traga papel de origami? É, vou trazer. Vamos achar um lugar bom.

Ela desaparece dentro do prédio principal antes que eu consiga responder. Eu a observo se afastar e em seguida vou até Emilia e Xander, que estão se encarando.

— Por que o Clay tá estranho hoje?

Emilia ergue as sobrancelhas na mesma hora.

— Por que você tá dizendo "hoje", como se ele não agisse assim todo dia?

— Rory tá mais sem paciência com ele do que o normal, e ele parece sem graça.

— Ele tá assim desde que tentou beijar ela — responde Xander casualmente. — Só não percebeu porque não presta atenção em mais ninguém que não seja loiro e não chupe você.

— Alguém tá com inveja — diz Emilia com uma risada.

— Tô mesmo. Eu seria um loiro maravilhoso — responde ele. — Mas não gosto de pinto, então foi mal, cara. Tentei uma vez, não rolou.

— Volta um pouco. — Eu esfrego as têmporas enquanto tento processar o que acabei de ouvir. — Ele tentou beijar ela?

— É, eu te contei! Você foi na cabana dela checar se ela tava bem e acabou me oferecendo pra trabalhar no dia seguinte.

— Você me disse que ele tava enchendo o saco e convidou a Aurora pra viajar, mas não disse que ele tentou dar um beijo nela!

— Opa, foi mal — diz Xander, tranquilo, como se meu cérebro não tivesse sido tomado pela visão do Clay beijando Aurora.

— Quem está tentando beijar quem? — diz Jenna, aparecendo atrás de mim e captando minhas últimas palavras. Os últimos dias estão absurdamente quentes, então Jenna manteve os cachorros com ela para garantir que não vão superaquecer. Peixe dá voltas ao meu redor, empolgada, enquanto Truta morde meus cadarços e Salmão me arranha para pedir colo. — Senhores, chega de tratar esses cachorros que nem bebês. Parem de carregá-los por aí.

— Um pedido absurdo, mas ok — resmunga Xander, fazendo um bico.

— É pra nossa apresentação no show de talentos, Jen — Emilia mente sem pestanejar enquanto brinco com os cachorros. — Estamos pensando em fazer uma peça.

Jenna olha para nós três.

— Cadê a encrenqueira do grupo?

— Ela foi pegar umas cadeiras pra gente sentar e ficar de olho nas crianças — digo, ainda concentrado nos bichos. Sabendo que quebrei as regras, ficar perto de Jenna me deixa nervoso. Não entendo a adrenalina que todo mundo diz sentir quando está escondendo algo. Não sinto nada além de culpa. Só que a culpa não é o bastante para me impedir de continuar.

— Duvido que ela consiga pegar as cadeiras. Estão na prateleira mais alta do armário de equipamentos. Eu vou aju…

— Eu vou — interrompo às pressas.

Jenna olha para mim como se desconfiasse de alguma coisa, mas antes que consiga falar, Emilia se mete na conversa.

— Jen, pode nos ajudar a resolver uma coisa? Não conseguimos escolher o que apresentar.

Ela começa a explicar as opções, me dando a chance perfeita para sair correndo. Quase caio porque Truta continua mordendo meus cadarços, mas consigo finalmente me libertar e corro até o prédio principal. O lugar é cheio de depósitos aleatórios, então tenho que procurar em dois deles antes de encontrar Rory no terceiro, nas pontas dos pés em cima de um banquinho, tentando alcançar as cadeiras dobráveis.

— Caramba, Rory. — Corro até ela e seguro sua cintura para que não caia e se machuque. — Por que não foi me chamar?

— Não queria ser chata. Eu consigo, quase lááá…

Eu seguro firme e a levanto um pouco para que ela possa pegar duas cadeiras, depois, a coloco de volta no banquinho. Mantenho uma das mãos em Aurora enquanto ela me passa as cadeiras e coloco-as no chão. Ela se vira com cuidado e me lança um sorriso gentil e malicioso enquanto põe as mãos em meus ombros. Eu a encaro.

— Eu disse que conseguia.

— Por favor, não faça coisas que podem te machucar.

Ela pula do banco e para do meu lado.

— Não precisa se preocupar. Eu sobrevivo a péssimas escolhas há vinte anos.

— Eu me preocupo, sim — rebato, me sentando no banco e puxando-a para mim. — Não faz mais isso.

Ela passa as pernas ao meu redor até estar montada em mim e de repente não lembro mais por que estava preocupado. Ela abraça meu pescoço e se aproxima até ficar com a boca a poucos centímetros da minha. Então fala baixinho:

— Me dizer para não fazer coisas só me faz querer fazer coisas.

Esfrego meu nariz no dela.

— Como posso te convencer a se comportar?

— Hum. Tenho algumas ideias.

— Aqui?

— Não tô vendo nenhum gambá — diz ela, se aproximando para morder meu lábio. — E precisa tentar muito para me convencer a me comportar.

Beijar Aurora é inebriante. Seu corpo inteiro se molda ao meu, e nos encaixamos tão bem que parece que já fizemos isso um milhão de vezes. É difícil ficar preocupado com a possibilidade de sermos pegos aqui quando ela se esfrega em mim, mas não impossível.

— Essa porta tranca?

— Não — diz ela, beijando meu rosto. — Vamos ter que ser rápidos.

Gemendo, seguro sua cintura.

— Não tenho camisinha aqui.

Ela se afasta e sorri.

— Tudo bem, seria um risco desnecessário.

Ela tenta se levantar, mas eu a seguro. Abro o botão do seu short e ela me observa, mordendo o lábio inferior enquanto tenta controlar a respiração.

— Você não pode fazer barulho — sussurro, deslizando a mão para dentro da calcinha.

Cacete, ela já está toda molhada.

— Eu me recuso a me responsabilizar pelas minhas ações quando você é lindo desse jeito.

Os elogios dela fazem eu me sentir invencível. Ela não se contém e me chama de gostoso quando estou fazendo as coisas mais simples do mundo. Isso me dá a segurança de que ela se sente tão atraída por mim quanto eu por ela, e faz eu querer arriscar tudo só para ouvi-la dizer meu nome enquanto revira os olhos.

Não é difícil satisfazê-la. Beijos, pressão, consistência, e o mais importante: dizer quanto ela é incrível. Estou viciado no jeito como ela se agarra em mim enquanto rebola na minha mão, e quando a sinto apertar e pulsar em meus dedos, nossas bocas se encontram e absorvo sua voz falando meu nome.

Essa é minha parte favorita: quando ela está satisfeita e carente, tentando encostar em mim com o corpo inteiro. Tiro a mão com cuidado, abraçando-a.

— Preciso me colocar em perigo mais vezes — diz ela, rindo.

— Não posso mentir, fui motivado por ciúmes e não cavalheirismo. Por que não me disse que o Clay tentou te beijar?

— Porque achei que o Xander tinha te contado. Você veio na minha cabana e disse que estava com ciúmes — diz ela, confusa.

— Sim… por algo bem menos importante do que um beijo.

— Nunca achei que você fosse do tipo possessivo. — Não há um pingo de ressentimento na sua voz. — São sempre os mais quietinhos.

— A pessoa fica assim quando sabe reconhecer quanto alguém é especial. Quando ela não faz ideia de quanto ilumina o mundo. Você é como o sol, Rory. Quero aproveitar tudo que você tem para dar. E com certeza não quero dividir isso com o Clay. Nem por um segundo que seja.

Seu corpo enrijece quando se afasta e cria uma distância entre nós.
— Não sou nada disso.
Odeio que ela não se veja do mesmo jeito.
— É, sim.
— Não quero ser como o sol, Russ. — Ela balança a cabeça. — Se ficar no sol por muito tempo, você se queima. Não quero ser mais alguém que te machuca. Quero ser como a lua.
A vulnerabilidade em seu rosto me deixa sem fôlego.
— E se a gente tomar chuva no caminho? Um arco-íris não aparece à noite.
— Você não precisa de arco-íris quando tem a aurora boreal — responde ela em um tom gentil. — E da última vez que choveu, deu tudo certo. Foi maravilhoso, na verdade.
Quero dizer algo legal e fofo, mas olhar para ela me faz esquecer tudo. Nada parece ser o suficiente. Nada chega perto de explicar quanto estou encantado por ela.
— Se você é a lua, eu sou o mar?
Estou morrendo de vergonha quando ela me beija. Devagar, gentil, profundo. Ela não ri da minha tentativa de ser romântico.
— Você quer que eu fale de tubarões de novo, né?
Em uma fração de segundo, o momento romântico acaba e começamos a rir, mas não me importo.
— A gente devia voltar antes que alguém venha procurar a gente.
Coloco as cadeiras debaixo do braço e saímos de mãos dadas. Rory desliga as luzes enquanto abro a porta e é bem nessa hora que Jenna aparece.
Minha voz não falha desde que eu tinha quinze anos, mas...
— Jenna, oi! — Pigarreio algumas vezes. — Desculpa, está bem empoeirado aqui.
— Vim ver se vocês se perderam, estavam demorando tanto. Cadê a Aurora?
Por um segundo temos que decidir, telepaticamente, o que fazer.
Ou, na verdade, que mentira contar.
Por sorte, Aurora aparece, bufando.
— Talvez se os armários desse lugar fossem organizados com etiquetas ou tivessem algum sistema, não teríamos que sair procurando pelas cadeiras em todos eles.
— Tá bom, mocinha — responde Jenna, e isso me lembra de como elas parecem irmãs. — Desculpa por me preocupar com o seu bem-estar. Eu sou mesmo uma péssima chefe.

Se Jenna está suspeitando de algo, não demonstra enquanto voltamos para as crianças. Depois de pegar mais uma cadeira para ela e papel para a Rory, posiciono as cadeiras em uma fileira sob a sombra para ficarmos de olho em diferentes grupos ao mesmo tempo.

Eu não devia estar tão ansioso, já que não fomos pegos fazendo nada e estarmos sentados um do lado do outro não é proibido. Mesmo assim, sentir o cheiro de Aurora na mão em que estou apoiado enquanto Jenna me pergunta sobre a faculdade parece, sim, ser ilegal.

Capítulo vinte e cinco

RUSS

Sabe aquela sensação de que todo mundo está te olhando, mas depois você se convence de que é só sua imaginação?

Quando levanto o olhar do meu café da manhã, todo mundo está *mesmo* olhando para mim.

— O quê? — digo com a boca cheia de ovo mexido.

Aurora parece pronta para brigar, mas ela estava normal cerca de uma hora atrás, quando achei um lugar escondido e a beijei contra uma árvore grande e afastada de tudo.

Emilia parece estar completamente normal, mas Xander está tão puto quanto Aurora.

— Tem alguma coisa para compartilhar com a gente? — pergunta Aurora, dramática, se encostando na cadeira e cruzando os braços. Sempre odiei me meter em confusão, mas o jeito como ela está me encarando é meio sexy.

— Não? Eu deveria ter algo para compartilhar com vocês?

Esse lugar tem tantas tradições ridículas que é bem provável que eu tenha esquecido alguma.

— É seu aniversário, Russ — responde Aurora. — Amanhã.

Eu me concentro nos ovos, mas Aurora me chuta por debaixo da mesa para me fazer levantar o rosto de novo. Se eu olhar para ela por muito tempo, ou ela vai sorrir ou vai fazer bico, e eu vou concordar com algo que não quero, como ser o centro das atenções.

— É mesmo?

— Você perguntou pra ele? — pergunta Jenna para ninguém específico ao se aproximar da nossa mesa.

— Meu Deus, perguntar o quê? — resmungo.

— Que tipo de bolo você quer — responde Jenna.

— Não precisa de bolo. Não gosto muito de aniversário, então, por favor, não precisam fazer nada.

Jenna se senta ao lado da Aurora e rouba uma torrada do prato dela. Aurora está ocupada demais me encarando para notar. Jenna morde o pão e se vira para mim:

— Ah, não pode deixar seu aniversário de vinte e um anos passar em branco.

— Vinte e um? — grita Aurora. — E você quer passar o aniversário aqui, sem bolo nem festa? Eu amo o acampamento, mas que ideia sem graça, Russ.

Jenna lhe lança um olhar duro.

— É um legado familiar, dá licença?

— Você é fruto do nepotismo em uma fazenda, relaxa aí. Podemos tirar o dia de folga e ir pra Las Vegas?

— Você nem tem idade pra ir pra Las Vegas — Emilia fala para Aurora e recebe um olhar seco em resposta.

— Eu não quero ir pra Vegas — respondo, apesar de sentir que ninguém nessa conversa se importa com a minha opinião.

Aurora fica ofendida.

— Por que não? Podemos juntar todos os nossos salários e apostar no vermelho.

Volto a encarar meu prato, me perguntando como dizer que eu não faço apostas sem gerar mais perguntas que não quero responder. Ainda bem que Jenna vem ao meu resgate.

— Alguém pode me dizer que bolo eu devo comprar? De preferência, o aniversariante.

Xander é o primeiro a responder:

— Chocolate.

— Limão — Emilia foi a próxima.

E, finalmente, Aurora:

— Sorvete.

Todos olham para mim de novo.

— Nada de bolo.

— Vocês são impossíveis — resmunga Jenna ao se levantar. — Vou à cabana daqui a vinte minutos para a inspeção. Quem está de folga hoje?

— Russ e eu — responde Aurora.

— Fico feliz que eu tenha me esforçado tanto para montar suas agendas e vocês troquem de lugar quando bem entendem — reclama Jenna, revirando os olhos. Ela tem sido muito legal com as trocas de horários, mesmo quando acabam com a sua planilha e ela precisa imprimir tudo de novo. Aurora disse que somos os únicos que gostam de fazer trilha e por isso passamos tanto tempo juntos. — A partir de agora eu vou sempre colocar vocês dois de folga juntos. É um desperdício de papel.

Não sei como as pessoas em outros acampamentos conseguem fazer coisas escondidas, considerando que muitos não têm uma agenda tão flexível. É difícil termos privacidade, mas temos a sorte de Emilia e Xander serem tranquilos e gostarem um do outro o suficiente para trocarem com a gente para termos mais tempo juntos.

Sinto que começo a suar frio de nervoso só de estar perto da Jenna, mas Aurora parece muito tranquila ao mudar de assunto.

— Quer alguma coisa da sorveteria em Meadow Springs?

— Achei que vocês iam fazer trilha — diz Jenna, e, sim, com certeza estou suando.

— Jen, o que acha de fazermos uma guerra de comida hoje em vez de uma festa do pijama? — pergunta Xander, mudando de assunto de novo.

— Acho que é uma péssima ideia — responde Jenna, focando sua atenção no meu colega de quarto.

Considero essa mudança de foco como a desculpa perfeita para engolir o meu café da manhã, e Aurora sai correndo da mesa sob o pretexto de ter que resolver uma coisa qualquer.

— Estou chateada com você — diz ela ao nos aproximarmos da minha caminhonete.

— Eu sei, meu bem.

Abro a porta do carona para ela e estico a mão para ajudá-la a entrar. O vestido leve que Aurora está usando sobe e consigo ver um pedaço da renda da calcinha quando ela entra no carro. Quando seu olhar se volta para mim, percebo que isso foi uma espécie de punição.

— Muito chateada mesmo.

— Eu aceito e incentivo você a continuar me mostrando quanto está chateada comigo — digo ao fechar a porta.

M‌eadow S‌prings é uma cidadezinha perto de Honey Acres que a equipe sempre vai visitar.

Há tempos digo que quero conhecer, mas tenho pouco tempo livre e prefiro passá-lo com Aurora.

Boa parte da equipe gosta do bar da cidade e vem aqui para beber quando não estão trabalhando, mas bares — posso dizer "bares" se a cidade só tem um? — não estão na nossa programação.

Apesar das várias declarações de que está chateada comigo por causa do meu aniversário, assim que abro a porta da caminhonete para ajudar Aurora a descer, ela joga os braços ao redor do meu pescoço e me beija. A quantidade de autocontrole e concentração que preciso ter, todos os dias, para não encostar nela na frente de outras pessoas é absurda. Ela me aperta, e seu corpo está macio e quente.

— Tá empolgado? — pergunta ela, apertando minha mão enquanto sai do carro.

Ela arruma o vestido e ajusta as alças finas, e está tão bonita que considero seriamente nunca mais voltar para Honey Acres.

— Depende. Vamos visitar o famoso museu de panos de chá? O único no mundo que o *Meadow Springs Gazette* premiou como atração turística do ano em 1973?

Ela joga a cabeça para trás e ri enquanto eu me delicio com aquela visão.

— Não sei se você iria aguentar tanta empolgação.

Entrelaçando nossos dedos, finalmente percebo que não temos que nos esconder aqui: posso segurar a mão dela e beijá-la sem me preocupar com nada. Aurora parece perceber isso ao mesmo tempo e aperta minha mão com uma expressão feliz.

Mal saímos do estacionamento quando a puxo para mim, seguro seu rosto e o guio para outro beijo.

— Você tá muito linda hoje.

Ela bufa e ri, enfiado as mãos por baixo da minha camiseta e mantendo nossos corpos colados.

— Você diz isso todo dia.

— Porque todo dia é verdade.

Ela me solta, me dá a mão e me puxa na direção das lojas.

— Diz isso porque gostou do meu vestido.

Vejo a estação dos bombeiros, e é do tamanho da minha casa.

— Eu gosto de tudo que você usa — digo, sincero. — E também quando não usa nada.

Ela faz uma expressão de choque, dramática, e para de repente antes de virarmos a esquina.

— Não pode falar esse tipo de coisa aqui, Russ! É um escândalo para os moradores da cidade.

Ela balança a cabeça, e então entendo que está brincando.

— Não tem ninguém por perto agora.

— As pessoas vão ficar sabendo. Em algum lugar, o sentido-aranha de uma senhorinha foi ativado porque ela sabe que você quer rasgar esse vestido e fazer coisas sujas e pervertidas comigo.

— É exatamente o que quero fazer.

— E vai, mais tarde. Mas, por enquanto... — Viramos a esquina. — Bem-vindo ao distrito comercial de Meadow Springs.

De cara, parece que o bairro é apenas duas ruas de pequenos negócios familiares em paralelo ao corpo de bombeiros e a delegacia. Sei que são negócios familiares porque está escrito pelo menos três vezes em cada loja.

— Nossa, é igualzinho à Rodeo Drive — digo, olhando para as três lojas de bolas de boliche. — Como esse lugar tem três lojas de boliche e nenhuma farmácia? Como isso é viável economicamente?

— Uuu, é um baita drama. Então, era um negócio familiar...

— Não brinca.

— ... e quando o pai faleceu, os três filhos não conseguiram chegar a um acordo sobre como tocar o negócio, então cada um abriu uma loja diferente e eles competem um com o outro. É uma grande fonte de estresse para as pessoas que só querem respeitar a santidade do boliche e não se envolver em rixas familiares.

— Santidade do boliche? — Eu estou confuso, maravilhado, e, por incrível que pareça, intrigado. — Como você sabe disso?

Ela para em frente a uma livraria, e percebo que cruzamos a rua inteira em poucos minutos.

— Jenna me mantém informada. Ela participa das reuniões do Comitê de Compromissos e Melhorias da Cidade e Outros Anúncios Importantes de Meadow Springs. A gente chama de CCMCOAIMS para facilitar.

O jeito como ela fala o nome abreviado faz parecer outro idioma.

— Você tá zoando com a minha cara, só pode ser.

Ela abre um sorriso largo e me puxa para dentro da livraria.

— Minha coisa favorita disso tudo é que eu não tô zoando.

Um sino toca, e o cheiro de café velho e poeira ataca minhas narinas. A loja é pequena e está iluminada por um brilho fraco e quente, mas há muitas opções aqui. Estou olhando os clássicos quando Aurora faz uma careta para uma antologia que tiro da prateleira.

— Odeio poesia.

— Você faz Letras, como pode odiar poesia?

Coloco a antologia de volta na prateleira.

— Ah, vai direto ao ponto, sabe? Se você ama alguém, fale de vez. Por isso que gosto de romance contemporâneo, sei com o que estou lidando — diz Aurora, passando os dedos pelas lombadas dos livros ao cruzar o corredor. — Não confio em poesia. Você pode achar que está lendo sobre uma grande história de amor e depois descobre que era sobre um sapato.

Ela para na frente da seção de mistério, e fico atrás dela para segurar sua cintura, apoiando meu queixo no topo da sua cabeça enquanto ela estuda as lombadas dos livros. Ela pega um, lê a sinopse atrás e o coloca de volta.

— Tenho uma amiga da faculdade chamada Halle que tem um clube do livro na livraria Próximo Capítulo em Maple Hills. Ela é um amor, mas acredita de corpo e alma que a minha indiferença aos livros da Jane Austen é justa causa para eu ser expulsa do curso.

— Qual o seu problema com o trabalho dela? Odeia poesia e Jane Austen... Tô começando a concordar com a Halle — eu provoco.

— Não tenho problema com ela, só acho que o Darcy é um babaca. — Não consigo conter a risada que isso desperta em mim, porque de todas as coisas que achei que ela poderia dizer, nunca imaginei que seria isso. — Você ri, mas eu tenho razão. Qualquer homem que diz "ela é tolerável, mas não bela o suficiente para me tentar" merece ser arremessado do cavalo dentro de um lago, e não ficar com a garota no final.

Aurora se vira para me encarar e, mesmo sob essa luz terrível, ela é hipnotizante.

— Eu nunca diria isso sobre você, meu bem.

Nunca vou me cansar de poder chegar perto e beijá-la quando quiser. É esse sentimento de alívio instantâneo que me faz pensar que, em breve, as aulas vão voltar e vamos para o mesmo lugar depois do acampamento. Acaricio sua bochecha com o polegar e gosto de sentir sua pulsação no pescoço com a palma da minha mão.

— Por quê? Porque eu sou tão linda?

Balanço a cabeça e passo o polegar em seu lábio enquanto ela faz bico.

— Não, porque eu jamais te descreveria como tolerável.

Seu queixo cai e sua mão pega o livro mais próximo para me bater enquanto eu rio e luto para segurá-la contra mim.

— Não, me solta — diz ela, irritada, e eu enfio o rosto em seu cabelo e beijo seu pescoço. — Estou puta de novo.

Esqueci completamente que alguém deve trabalhar na livraria até ouvir uma pessoa limpar a garganta atrás de mim. Nós nos viramos, o cabelo dela bagunçado e as bochechas vermelhas por causa da nossa briga.

— Sinto muito por interromper — diz ele. — Posso ajudar com alguma coisa?

Estou prestes a dizer que não, mas Aurora é mais rápida:

— Olá, sim, pode, sim. Meu marido e eu estamos interessados em abrir um clube de strip em Meadow Springs. Você tem livros sobre negócios?

* * *

— Acho que eu gostaria de ter uma livraria um dia — diz Aurora antes de pegar mais uma colherada do seu sorvete de flocos. — Talvez eu faça isso quando terminar a faculdade.

Depois de Aurora aterrorizar o dono da livraria com seus planos elaborados de abrir um clube de strip, algo que não acho que foi uma desculpa tão improvisada quanto pensei, fomos para a sorveteria do outro lado da rua, A Vaquinha.

— Mudar para cá, abrir uma livraria concorrente, se juntar ao comitê de compromisso com a falta de bom senso, ou seja lá o nome que for, vender romances eróticos e escandalizar a população.

— Eu amo escandalizar as pessoas — diz ela, orgulhosa. — E o que você vai fazer enquanto eu estiver cuidando da minha livraria e corrompendo as massas?

— Vou abrir uma loja de bolas de boliche para rivalizar com as outras três, claro.

Aurora ri alto, e imediatamente leva a mão ao nariz e a boca.

— Você vai fazer a gente ser expulso do CCMCOAIMS.

— Vamos começar um rival dele.

Dou de ombros.

— Você está deixando o poder subir à cabeça. Mas que bom que pensou direito sobre isso, porque não acho que Meadow Springs vai ter um time da NHL tão cedo.

Raspo o restante do meu sorvete e olho para o dela.

— Não quero virar profissional mesmo.

Suas sobrancelhas sobem tanto que quase tocam o cabelo.

— Pera, como assim? Por que não? Achei que era o sonho de todo atleta virar profissional.

A reação da Aurora não me incomoda, porque é a mesma que ouço toda vez que esse assunto surge.

— Não tenho vontade nenhuma de ser famoso e não amo hóquei o bastante para abrir mão da minha privacidade.

— Mas por quê? — pergunta ela com uma expressão séria no rosto.

Não sei dizer se é porque sempre estaria com medo de alguém pesquisar sobre minha família ou se o dinheiro deixaria meu pai ainda mais inquieto. Dou de ombros, mas sei que ela vai continuar esperando uma resposta.

— Não sei, Rory. Gosto de ter uma vida tranquila, eu acho. Amo meus colegas de equipe, e claro que amo jogar, mas não sei nem se jogaria na universidade se o hóquei não fosse o motivo de eu ter uma bolsa de estudos integral. — Ela passa a colher pelo pote de sorvete e, na mesma hora, sei que falei algo de errado. — Por quê? Por que você tá com essa cara?

— Minha família é bem conhecida, Russ. Tipo, nível celebridade. Elsa é praticamente uma socialite, ela vive nos tabloides, e meu pai é conhecido no mundo inteiro por causa da Fenrir, então muita gente sabe quem eu sou. Além disso, o divórcio dos meus pais foi bem público e horrível.

Não sabia que isso tinha algo a ver com a Aurora quando a conheci, mas me lembro vagamente de que minha mãe acompanhou o processo na TV há alguns anos.

— Ah. Nunca pensei sobre isso.

— Pois é. Não quer dizer que tenha paparazzi me seguindo toda hora. Geralmente eles me deixam em paz, a menos que eu faça alguma coisa que chame atenção, mas nunca pude garantir a privacidade das pessoas com quem me relaciono. Nem dos meus amigos.

Apesar de já ter pensado muito sobre nós, isso nunca me ocorreu. Meu cérebro está tentando chegar a uma resposta, sem sucesso, então fico feliz quando o dono da sorveteria que nos serviu mais cedo me salva.

— São vocês que vão abrir um clube de strip?

Capítulo vinte e seis

RUSS

— Nunca vi alguém que vai ganhar um boquete hoje parecer tão deprimido.

Não percebo que estou viajando até ouvir Xander falar as palavras *boquete* e *deprimido*.

— Eu não vou com certeza ganhar um boquete mais tarde, mas vou tentar me animar. Sinto muito, cara.

Depois que o refeitório inteiro cantou parabéns para mim de manhã, Xander anunciou que passaríamos o dia de folga vendo o que Meadow Springs tem a oferecer. Eu disse que já sabia a resposta e que não era muito, mas ele insistiu, dizendo que ele e Rory têm guarda compartilhada de mim e eu não posso não ir com ele só porque fui até a cidade com ela ontem.

A intenção é boa, mas não sei se aguento mais jogar minigolfe.

Geralmente eu passo meus dias de folga com Rory, mas depois da nossa conversa sobre fama e privacidade ontem, vai ser bom ter algumas horas para refletir. Não consigo pensar quando estou com ela e preciso começar a usar o cérebro de novo, porque eu o deixei de lado há um bom tempo.

Xander e eu paramos no Pato Bêbado, o único bar disponível, para comer hambúrgueres antes de voltar pro acampamento. Passei a refeição inteira meio ouvindo, meio pensando.

— Tenho quase certeza de que um boquete de aniversário é direito previsto pela Constituição — brinca ele, o que me faz engasgar com o refrigerante. — Rá! Fiz você rir, seu mala. O que tá acontecendo? Conta pro Tio Xan.

— Você acabou de se chamar de Tio Xan?

— Não posso me chamar de Papai Xan, posso? Não sou tão sem-noção. Então, o que tá te preocupando?

Minha primeira reação é mudar o assunto da conversa e falar sobre o Xander, mas acho que seria bom ouvir a opinião dele. Estamos morando juntos há semanas, e ele é realmente um cara legal, então eu me arrisco.

— Estou me perguntando se vale a pena continuar com a Aurora.

— Você tá de sacanagem — diz ele, observando minha reação. — Me diz que tá brincando.

— Quase fomos descobertos essa semana. Abri a porta, e Jenna estava lá. Se ela tivesse chegado dois minutos antes, teria me pegado enquanto eu... Bom, não importa, mas ela teria me pegado fazendo algo e teria que me demitir.

— Duas pessoas se pegando escondido quase são pegas no flagra. É, faz parte do pacote, irmão. É metade da graça, e você se importa mesmo se for mandado embora? Estamos quase no fim do acampamento, e seu amigo disse que você poderia dormir com ele se precisasse. Você é esperto demais pra achar que eu acreditaria nessa. Qual é o motivo de verdade?

Preciso reconhecer que o Xander tem razão. Com certeza fiquei mais tranquilo depois que meus amigos me encorajaram a aceitar o risco de ser demitido e JJ me ofereceu um lugar para ficar até as aulas e treino de hóquei começarem.

— Já te contei por que não vou tentar jogar hóquei profissional?

Ele solta o hambúrguer, limpa as mãos e boca no guardanapo, se encosta no assento e me encara.

— Não, nunca falou. Por que não? E o que isso tem a ver com Rory?

— Não quero ser famoso. Correr o risco de estranhos se meterem na minha vida ou de chamar a atenção. É meu pior pesadelo, e eu não gosto de hóquei o suficiente para abrir mão da minha privacidade.

— Ok, e...?

— E a Aurora já é famosa. Joguei o nome dela no Google, e tem muita informação por aí sobre a família dela, tem até fotos da Emilia. É demais. Eu sabia que o pai dela era conhecido, mas acho que não tinha noção da dimensão da coisa. Porque a Rory é a Rory, esqueço que ela tem uma vida fora do acampamento.

— Uma vida da qual ela tentou escapar ao vir pra cá. — Xander toma um grande gole de cerveja, e nunca o vi tão sério. — Preciso saber se você sabe que tá sendo maluco e só precisa que alguém te diga isso em voz alta, ou se realmente acredita nisso. Porque eu posso lidar com uma crise de o-relacionamento-tá-indo-rápido--demais, mas se você acha mesmo que deve terminar com ela, não sei como te ajudar, amigão.

— Acha que eu tô sendo um babaca, né?

Xander dá de ombros, e é óbvio que ele quer dizer que sim, mas não faz isso porque é um bom amigo. Devo estar sendo um babaca mesmo, mas também sei que não tenho muita sorte. É difícil não mergulhar de cabeça nas coisas boas porque elas são raras.

Xander suspira, e sinto um frio na barriga.

— Acho que você tá procurando pelo em ovo. Pensa em todas as pessoas famosas que têm namoradas, namorados e melhores amigos não famosos. Sei lá. Me fala algo chocante sobre a vida deles. Pense no segredo mais sombrio, a coisa que não gostariam que ninguém no mundo soubesse. — Não consigo pensar em nada. — Não consegue, né? Porque ninguém tá nem aí. Você vai abandonar seus amigos que foram ser profissionais esse ano? Seus amigos que em breve serão famosos?

Eu nunca abandonaria Nate ou JJ.

— Nunca pensei nisso.

— O seu irmão não tem uma banda? O que vai acontecer se ele ficar superfamoso? Você ficaria sem a Aurora e exatamente na mesma situação. Tá na cara que gosta dela, e ela te olha como se você tivesse o maior pau do mundo. Então fiquem juntos e não se estressem.

É feito um balde de água fria. Não quero abrir mão do jeito que ela olha pra mim.

— Tem razão, cara. Não sei. Acho que eu tô com muitos sentimentos.

— Tudo bem. É bom. — Ele pega o celular, olha para a tela por um segundo e o coloca de volta no bolso. — Não é bom ficar guardando essas coisas. Que fique registrado: acho que você é um otário, porque a química entre vocês é loucura. Ela é ótima. Você é ótimo. Aposto que o se...

— Pode parar.

— Tão protetor, nossa. Mas você entendeu. O que você pode fazer ou ter feito de tão ruim que te faria abrir mão de alguém que te faz feliz? Vocês não vão se casar, mas eu entendo, não é algo passageiro. Mas quando ela deixou de valer a pena?

— Nunca disse que ela não vale a pena. Quero ficar com ela. Porra, eu gosto demais dela e não consigo entender como isso aconteceu. Mas isso não quer dizer que mereço. Eu... Sei lá. Nem sei mais do que eu tô falando.

Xander termina a cerveja enquanto bebo meu refrigerante, irritado comigo mesmo.

— Acha que é bom o suficiente pra ela?

— O quê?

— Você ouviu — diz ele, apoiando os cotovelos na mesa e se inclinando para a frente. — Alguma coisa mexeu contigo, porque você acabou de falar em "merecer".

É isso que te preocupa? Que vocês vão ter um relacionamento sério e vai haver um debate internacional pra decidir se você merece ficar com ela?

— Pô, não tinha pensado nisso, mas agora que você falou...

Mais uma coisa com que me preocupar.

Xander revira os olhos.

— Responde a minha pergunta, cara. Acha que é bom o suficiente pra Aurora?

Querer, ter e merecer são coisas completamente diferentes.

— Não, não acho. Eu sou um merda.

— Esse é o seu problema. Você é um puta pessimista. Deixa eu te falar uma coisa, Callaghan, falando sério, sem dó: você é bom o suficiente. Quanto antes começar a acreditar nisso, melhor, e aí vamos poder fingir que essa crise nunca aconteceu. Precisa confiar que o universo vai te deixar ser feliz, cara. Mas se não acreditar e abandonar a Aurora quando as coisas apertarem, então, sim, é melhor pular fora agora. Ela não merece ter que passar por isso.

— E se eu estragar tudo?

Ele revira os olhos de novo.

— Eu acho que você gosta de ficar se machucando, cara. Você não é um merda. Tem vinte e um anos e é um dos caras mais legais e sensatos que eu conheço. Somos amigos, então pode surtar quanto quiser agora e tudo bem por mim, mas se você terminar com ela e mudar de ideia quando perceber que fez besteira, a Aurora não vai aceitar.

Caralho. Coço o queixo, me sentindo mais babaca agora do que quando começamos a conversar.

— Tem alguma coisa na Constituição sobre sermão de aniversário?

— Para de ser idiota e vou parar de ter que usar minha sabedoria. Vamos, aniversariante, termina aí. A garota que é obcecada por você me mandou mensagem mandando a gente voltar pro acampamento.

Termino o refrigerante.

— Não sabia que a Peixe sabia mandar mensagem.

Com a música alta demais para conversar, passo a viagem de volta para Honey Acres remoendo as palavras de Xander. Depois do check-in, Xander fala sobre uma das salva-vidas — que ele tem quase certeza que fica de olho nele quando levamos as crianças pro lago — enquanto descemos até a área das atividades noturnas. Ele continua contando histórias, o que não é incomum, mas algo parece diferente e isso me faz pausar.

— Vai ter bolo, não vai?

Xander para de andar e dá de ombros com uma expressão acanhada no rosto.

— Por que teria bolo? Talvez tenha bolo, talvez não. Não sei! Só estou aqui para manter as crianças a salvo. Não sei de nada acontecendo na cozinha. — Ele respira fundo e coloca as mãos na cintura. — Talvez tenha bolo.

— Obrigado por ter sido sincero, amigão.

Estamos quase lá quando ele passa o braço por cima dos meus ombros.

— Ela te olha com aqueles olhos de cachorro que caiu do caminhão de mudança. Não faz ideia de como ela pode ser assustadora quando quer.

Posso aceitar uma festa de aniversário se isso vai deixar Aurora feliz. Fazer aniversário no meio do verão quer dizer que todo mundo tem outros planos, e as tentativas da minha mãe de fazer festa sempre deram problema, então parei de tentar.

Não cheguei o celular para ver se alguém tentou falar comigo e desejar feliz aniversário, mas ontem à noite, enquanto estava pesquisando sobre a família Roberts — algo que agora tenho vergonha de admitir —, não tinha nenhuma ligação perdida ou mensagens da minha família. Não soube de mais nada desde que meu pai foi parar no hospital, e apesar de ter deixado claro que não queria que entrassem em contato comigo, ainda fico um pouco surpreso de terem respeitado minha vontade. Não recebi nenhum pedido de dinheiro do meu pai, o que é mais suspeito do que surpreendente.

Xander pigarreia e me tira do meu devaneio.

— Escuta, preciso te vendar e preciso que você não me dê um soco.

— Por favor, fala que é brincadeira. Por que raios eu preciso ser vendado?

— Parece que eu tô brincando? Talvez o Clay vá saltar de dentro do bolo e fazer um strip, sei lá. — Ele tira do bolso uma das vendas que usamos nas brincadeiras com as crianças. — Não sou forte o bastante para brigar com você, amigão. Não dificulta a minha vida. Ela deixou muito claro que você precisava estar vendado.

Ele cobre meus olhos, e eu bufo.

— Sabia que isso ia acontecer e ainda assim me deixou desabar daquele jeito?

— Eu disse que você é um otário.

Deixar Xander me guiar enquanto estou vendado é um inferno. O silêncio é absoluto quando paramos, e me preocupo que ele vá me empurrar no lago ou algo assim.

— Vou tirar a venda. Não esquece de fingir surpresa quando vir o bolo — sussurra ele enquanto desamarra a faixa de tecido.

Estreito os olhos para se reajustarem à luz do sol, e todo mundo grita "feliz aniversário" ao mesmo tempo. Sou atacado por várias pessoas de uma só vez e é só quando fico livre que consigo ver quem está aqui.

Henry está afastando Nate enquanto Robbie desvia para sair da frente de Kris e Bobby. Sinto o braço de JJ nos meus ombros, e meu queixo cai.

— Feliz aniversário, meu jovem.

— As meninas e o Joe mandaram um beijo — diz Robbie. — A gente queria fazer uma chamada de vídeo, mas você não tava brincando quando disse que o sinal aqui é ruim.

— Que caralhos tá acontecendo aqui?

Dois campistas, Sadie e Leon, abrem caminho entre meus amigos e me entregam um cartão gigante feito à mão. Sadie faz uma careta.

— Você não pode falar palavrão na nossa frente.

Eu me agacho e tento entrar no modo trabalho para aceitar o cartão.

— Tem razão. Me desculpa. É que eu fiquei muito, muito surpreso. — Tem um desenho na frente do cartão, mas não entendo o que é. Parece que o papel perdeu uma partida de *paintball*. — Me deem uma dica, gente.

Leon aponta para as manchas azuis.

— É você chorando quando viu o cocô do Kevin.

— Seus amigos são muito barulhentos — diz Sadie, olhando para o pessoal do hóquei. Eles estão mesmo sendo barulhentos, batendo palmas e gritando, embora tentem conter a empolgação. Todos têm um crachá amarelo com a palavra "Visitante".

— Sendo difamado por uma menina de oito anos — diz Mattie baixinho para Robbie.

— Eu te difamo sempre, Liu. — Nate ri.

Eles não falam baixo o suficiente, porque Sadie escuta tudo.

— Não é difamação se for verdade. Minha mãe é advogada.

— Ok, miniadvogada — diz Jenna, atravessando a multidão para chegar até mim. — Nós ficamos com o Russ só para nós por muito tempo. Por que não deixamos que ele tenha um minuto a sós com os amigos da faculdade e depois vamos para a festa?

— Festa? — repito, engolindo em seco.

— Achou mesmo que ela ia deixar isso passar em branco? — diz Jenna. O tom de voz dela está diferente. Algo me diz que sabe aquilo que eu não queria que ela soubesse, e, por algum motivo, isso faz eu me sentir melhor, porque ainda não fui demitido. — Sem chance. Ela fez todo mundo chegar aqui em menos de vinte e quatro horas. Ela faz tudo por quem ela gosta.

Olhando por cima dos ombros dos meus amigos, avisto Aurora conversando com Emilia perto do palco. Não sei por que ela está distante se tudo o que eu mais quero é abraçá-la.

— Já volto — digo para os meninos e vou na direção dela.

Seu rosto se ilumina quando me aproximo, e preciso de toda a energia que tenho para abraçar Emilia primeiro e assim não levantar suspeitas. Solto Emilia e abro os braços para Rory, esperando ela me envolver, e então enfio o rosto no cabelo dela.

Quando se afasta e olha para mim, vejo que Aurora está resplandecente.

— Feliz aniversário, Callaghan.

— Você é incrível.

— Feliz aniversário, Russ — diz Emilia, me dando um tapinha no braço antes de me deixar a sós com Aurora.

Não quero soltá-la, mas sei que preciso. Ela também sabe e dá um passo para trás.

— Você não me deu tempo para comprar um presente de aniversário de verdade. — Ela pega uma sacola de presente pequena. — Não ficou muito bom, mas, por favor, saiba que isso me deixou muito estressada e também demorou muito porque estou enferrujada.

Enfio a mão na sacola e tiro meu presente: um origami de um cachorro amarelo.

— Meu Deus, é a Peixe? — Ela coloca a mão dentro da sacola e pega mais dois cachorros amarelos ainda menores, e os coloca na minha mão. — Isso é maravilhoso.

— Tentei fazer um gambá, mas ninguém sabia dizer como eles eram.

Eu a deixo segurar os origamis enquanto pego a próxima coisa da sacola.

— Ok, não vou mentir: roubei isso da biblioteca antiga que ninguém usa e é mais velho do que nós dois — explica ela.

Leio a capa.

— *Conheça todos os trinta e sete presidentes: para crianças de 6 a 10 anos.*

— Sei como você gosta de listar presidentes. — Ela me lança um olhar que me faz querer ligar o foda-se para essa festa. — Tem mais um presente no fundo.

Enfio a mão na sacola e tiro o último presente. É um pedaço de papel cor-de-rosa imitando um ingresso de um jogo de hóquei. Quando viro o papel, porém, o texto não tem nada a ver com o esporte.

Um cupom de feliz aniversário
Elegível para o uso de Russ Callaghan a qualquer momento
De Aurora Roberts

— Você não precisa decidir agora o que vai querer — diz ela, baixinho. — Sei que tem muita coisa acontecendo. Sei que exagerei um pouco... — Eu olho para as faixas, balões e decoração que nem tinha notado. — Mas você merece algo legal.

— Eu queria poder te beijar.

— Me dá o cupom e posso realizar esse desejo. Vamos causar um escândalo no acampamento, o que não é algo muito comemorativo, mas um desejo é um desejo.

Queria voltar no tempo e dar um tapa no Russ de antes. Não queria ter passado o dia me preocupando se ficar com ela é uma boa ideia.

Aurora Roberts sempre é uma boa ideia.

Entrego o cupom, e vejo seus olhos se arregalaram.

— Quero ter um encontro com você. Esse é meu desejo de aniversário.

— Um encontro?

— Isso. Um encontro de verdade.

— Comigo?

— Com você.

— Mesmo depois de eu te dar três golden retrievers de origami e um livro comido pelas traças sobre presidentes como presente de aniversário?

— Especialmente por isso.

A parte mais difícil de ser o centro das atenções é não ter a chance de sair escondido hoje. Ela pega o cupom da minha mão, os olhos brilhando, e acena com a cabeça.

— Considere o seu desejo realizado.

SER O CENTRO DAS ATENÇÕES é cansativo, e não vejo a hora de acabar.

Estou revirando a cobertura do meu segundo pedaço de bolo e me deliciando com a calmaria agora que todos os campistas foram dormir. Bom, se é que posso chamar de calmaria quando meus amigos ainda estão aqui. Assim que cortamos o bolo, cantamos parabéns e presentes são entregues, finalmente descubro como essa festa aconteceu.

Antes de irmos para Meadow Springs ontem, Aurora pediu o telefone do JJ para a Emilia e eles combinaram a surpresa de última hora. Eles pegaram a estrada hoje de manhã e chegaram bem a tempo de fazer as pulseiras da amizade que agora estão no meu braço.

Henry disse que Honey Acres é pior do que ele imaginava, Bobby ficou chateado por Jenna não parecer interessada nem se lembrar dele, e JJ só está feliz de ter todo mundo por perto de novo.

Orla concordou em deixar os meninos visitarem desde que usassem o crachá de visitantes e não ficassem desacompanhados em momento algum.

— Devo esperar ela vir morar com você? — pergunta Robbie, se sentando perto da fogueira entre mim e Nate. — Tá na cara que aquele quarto mexe com o cérebro de quem mora lá.

— Por que tá agindo como se a Lola não dormisse na sua cama cinco vezes por semana? — responde Nate.

— Pode tentar mandar a Lola fazer alguma coisa e vai ver o que acontece.

Aurora se manteve ocupada a noite inteira, se certificando de que todo mundo estivesse se divertindo. Queria poder sentar do lado dela e apresentá-la aos meninos, mas isso seria suspeito e acho que, se quisesse, ela mesma teria feito algo assim. Alguns deles conversaram com ela a sós, mas não faço ideia do que falaram.

— Ela não vai vir morar com a gente, relaxa. Ainda não decidimos sobre o nosso relacionamento, então tecnicamente somos amigos que gostam um do outro. — As palavras têm um gosto estranho na boca, mas o que mais posso dizer? — Mas ela é incrível. Gosto muito dela.

Eles começam a rir ao mesmo tempo. Nate sorri e se encosta na cadeira.

— Eu lembro quando achava que a Tasi era minha amiga.

— A Tasi te odiava com todas as forças, e aí teve Síndrome de Estocolmo. — Robbie ri alto. — Ela nunca foi sua amiga.

— Eu fiquei com ela, não fiquei? — Nate dá de ombros. — Sabia que a Aurora se ofereceu para comprar passagens de avião pra todo mundo se precisasse? Ela estava pronta pra contratar um motorista particular. Ou ela vai ser a melhor amiga que você já teve na vida, ou você está prestes a entrar em um relacionamento que Henry vai odiar ter como vizinho.

Deixando de lado todas as inseguranças do dia, respondo completamente sincero:

— Eu quero os dois.

Os dois riem, e até agora nunca tinha reparado como são parecidos, que nem um casal que copia os maneirismos um do outro. Robbie toma um gole do chocolate quente, e Nate faz o mesmo, e os dois me olham com o mesmo sorriso arrogante.

— Jovens.

Capítulo vinte e sete

AURORA

— Eu disse que ele era um cara legal.

Henry não fala mais nada quando senta na cadeira ao meu lado no café da manhã. Os amigos de Russ dormiram em uma pousada em Meadow Springs, mas Orla disse que podiam fazer uma visita desde que continuassem usando os crachás de visitantes e que viessem durante a inspeção da manhã, quando as crianças estão ocupadas.

Eu me concentro na minha torrada, de repente nervosa por estar conversando a sós com o melhor amigo do Russ. Bom, tecnicamente já conversamos a sós uma vez, mas isso foi quando eu estava fazendo a minha fuga pós-sexo.

— Eu lembro. Eu nunca disse que não era.

Ambos observamos o Russ, sentado na mesa em frente à nossa, enquanto comemos em silêncio. Ele está rindo com Robbie e Mattie, dois caras que, ontem à noite, tinham como missão pessoal me conhecer melhor. Tentei manter certa distância para não deixar Russ sobrecarregado durante a visita dos amigos, mas é difícil quando tudo o que quero fazer é ficar perto dele.

O barulho de várias conversas preenche o silêncio até Henry me pegar de surpresa.

— Meu quarto é do lado do quarto do Russ. A casa não tem isolamento acústico, então por favor mantenha isso em mente.

Quase me engasgo no meu bacon vegetariano.

— O quê?

— Suponho que vai visitar com frequência. Desculpa, mas não quero saber quando você vai gozar.

Espero Henry começar a rir ou me dar algum sinal de que está brincando, mas ele continua sério.

— Eu... — Não sou o tipo de garota que perde a fala. Sou tagarela. Eu falo demais. Mas agora estou sem palavras. — Prometo fazer o que puder para você não ter que passar por isso.

— Ele me contou que você sabe como o pai dele é babaca.

— Aham.

— Em seis semanas você descobriu mais sobre ele do que alguns dos amigos em dois anos. — Quando Henry me diz isso, fico ainda mais grata pela confiança que Russ tem em mim. — Ele não sabe quanto é amado por todo mundo. Ele só espera o pior e tira as piores conclusões. Às vezes você precisa mostrar as coisas boas pra ele conseguir enxergar.

Não digo isso para Henry, mas entendo exatamente o que ele quer dizer. Russ e eu teríamos começado muito melhor se ele não tivesse presumido que eu ficaria desconfortável.

— Você é um bom amigo, Henry.

— É o que o Russ merece.

Passamos o resto do café da manhã falando sobre fotografias que Henry tirou na pousada e a paisagem da região para tentar fazer mais algumas pinturas quando chegar em casa. Quando todos vão embora, sinto que Henry vai se lembrar de mim como a garota que gosta do amigo dele, e não como a garota que encontrou no corredor naquela noite.

Horas depois da partida dos meninos, as consequências de termos sete estranhos atraentes aqui por algumas horas atrapalham a ordem natural do dia. A equipe inteira está agitada e caótica depois de ter visto gente nova. Eu, por outro lado, estou feliz porque tenho um homem absurdamente atraente que me deixa agitada e caótica todo dia, então estou acostumada.

Maya e eu nos esforçamos tentando manter as crianças ocupadas para gastar a energia extra trocando a sessão de artesanato dessa manhã por uma caça ao tesouro — para o terror de Jenna e sua planilha —, mas Russ e Clay perderam o mapa dos tesouros e a brincadeira acabou demorando três vezes mais do que o planejado.

A ideia funciona, porém, e, quando chega a hora do intervalo pós-almoço, todo mundo está mais tranquilo do que o normal. Depois de ter passado a manhã gritando, Maya está quase sem voz. Minha capacidade vocal continua imutável.

Estou sentada à sombra com os outros orientadores na mesa de piquenique do lado de fora da cabana dos Ursos-Pardos quando Xander pigarreia.

— Tenho um anúncio a fazer. — Acho que ele estava esperando uma reação mais dramática, mas não consegue. — Emilia e eu decidimos nos separar por causa de diferenças criativas.

— Conta mais — diz Maya olhando para ele com os olhos apertados e a mão protegendo o rosto do sol.

— Caramba, como você é dramático — resmunga Emilia para ele. — O show de talentos. Xander vai fazer uma apresentação solo, porque não conseguimos chegar a um acordo.

— Isso é porque ela disse que você nunca iria ganhar o *The Voice*? — pergunta Clay. — Ninguém canta bem essas músicas de acampamento, cara. Não leva pro pessoal.

Meu queixo cai na hora.

— Não. Nem pensar. Somos uma equipe. — Todos os outros grupos disseram que iam montar alguma coisa no dia antes do show porque não era importante. Foda-se, eu quero que meu grupo seja o melhor de todos. Por isso fiz todo mundo se organizar há semanas. Não é minha culpa que eu não tenha criatividade para inventar algo. — Não pode fazer algo sozinho, Xan. Isso é triste. Você precisa da gente.

— Não vou fazer isso sozinho. Eu tenho o Russ. — Ele dá um tapa nas costas do Russ, que levanta o olhar, assustado.

— Desculpa, o que tá rolando?

— Diferenças criativas. Show de talentos. Truques com os cachorros. Qual é, cara. Te falei disso, tipo, uma hora atrás — diz Xander, ignorando Emilia quando ela começa a rir ao ouvir "truques com os cachorros".

— Não achei que você queria que eu participasse! Se o Xander pode sair do grupo, será que eu posso não participar?

— Não! — respondemos Xander e eu ao mesmo tempo.

— Você prometeu — eu lembro a ele.

Ele revira os olhos.

— Não custava tentar.

Ouvimos vários gritos agudos vindos da cabana das crianças, e Maya e Clay se levantam na hora.

— Eu juro por Deus, se o Michael tiver levado mais um sapo lá para dentro, eu vou fazer ele dormir na beira do lago — resmunga Maya.

Depois que eles se levantam, Russ se aproxima de mim e se apoia na mão em um ângulo que impede Emilia e Xander de participarem da conversa.

— Não vou me apresentar com o Xander se você não quiser. Eu sei que isso é importante pra você.

Quero beijá-lo. Sempre quero beijá-lo. Solto um suspiro e coloco a mão na mesa ao lado do seu cotovelo para tocar de leve no seu braço.

— Tá tudo bem. Não quero que o Xander faça isso sozinho e não quero que você fique chateado. Não é nada de mais. Agora que Emilia não tem resistência, com certeza vamos dançar.

— Ficaria feliz de dançar com você — diz ele, baixinho. — Você faz isso valer a pena.

As borboletas dentro de mim levantam voo.

— Vai com o Xander.

— Você é incrível — diz ele, me cutucando com o joelho. — Vai fazer alguma coisa hoje depois do trabalho? — Balanço a cabeça e começo a pensar nas mil possibilidades. — Não faça planos. Vamos ter nosso encontro.

Parece que o tempo passou mais devagar durante a tarde, e passei a noite inteira olhando para o relógio, esperando para saber como seria o primeiro encontro da minha vida.

Pouco depois de colocarmos as crianças para dormir, Russ aparece com um ar preocupado, e isso me deixa nervosa na hora. Estou usando roupas confortáveis, como ele pediu, mas não ter ideia do que vamos fazer não é divertido.

— Temos um pequeno problema — diz ele quando se aproxima, parando longe o suficiente para não parecer íntimo demais.

— O que aconteceu?

— Precisamos registrar nossa saída na recepção e vai parecer suspeito se formos ao mesmo tempo.

— Já fizemos isso antes — respondo.

— Não à noite. Vamos ser sinceros, isso pode levantar suspeitas.

Ele tem razão, por mais que eu não queira admitir. Nem sei o que ele planejou, mas estou nervosa e empolgada e não quero dizer que não podemos ir.

— Tem um caminho por trás da cozinha que acaba na estrada de terra. Posso sair escondida, mas você tem que prometer não me denunciar, porque, diferente de você, que vive quebrando regras por aí, eu estou tentando melhorar a minha reputação.

Ele revira os olhos, e suas covinhas aparecem quando tenta disfarçar um sorriso.

— É seguro?

— Sim, é uma rota de fuga que criaram há anos. Vou precisar de uma lanterna.

Ele joga as chaves da caminhonete para mim.

— Não quero você andando no escuro. Não olhe na caçamba, ou vai estragar a surpresa.

A empolgação e o nervosismo estão me consumindo enquanto tento fazer cara de paisagem na recepção. Desisto de lutar contra meus sentimentos quando estou finalmente na caminhonete do Russ. Mantenho os faróis acesos enquanto espero os cinco minutos que ele demora para me encontrar, e quando ele corre ao lado da cerca, tento não babar ao vê-lo correr com tanta facilidade.

Será possível que tudo que ele faz é sexy, ou eu que sou muito emocionada? Uma das grandes questões da vida.

Ele abre a porta do motorista, me ajuda a passar para o carona e toma o lugar ao volante.

— Eu nem quero saber como você descobriu que aquele pseudocaminho daria aqui, sua encrenqueira.

— Encrenqueira ou exploradora?

Ele apoia um braço atrás do banco para olhar por cima do ombro e dar a ré, saindo da estrada de terra e voltando para o asfalto. Mais uma vez: sexy ou emocionada? Ele acaricia as pontas do meu cabelo e a resposta é sexy. Definitivamente. Sem sombra de dúvidas.

— Encrenqueira. Óbvio.

Não há ninguém na estrada a essa hora da noite, mas Russ fica concentrado enquanto dirige, uma das mãos repousando na minha coxa, batucando o dedo no ritmo da música que toca no rádio. A próxima música é de uma banda de rock em ascensão de que a Poppy gosta e que está começando a tocar nas rádios. Eu comprei ingressos para ela e Emilia assistirem o show deles em Los Angeles alguns meses atrás, mas antes que possa comentar isso com o Russ, ele muda de estação.

— Você não gosta de Take Back December?

— Não muito. — Ele tira a mão da minha coxa e coça o queixo. — É a banda do meu irmão.

Meu Deus.

— Seu irmão, Ethan, é Ethan Callaghan? Como nunca me toquei nisso? A namorada da Emilia ama TBD.

— Legal.

Russ não parece muito empolgado com essa informação, e agora que sei como é a relação dele com a família, não fico surpresa.

Ele vira à direita em uma estrada de terra e me olha por uma fração de segundo antes de colocar a mão de volta na minha coxa.

— Seu irmão é famoso, mas você não quer ser jogador profissional porque não quer ficar conhecido? Como alguém cuja família está sempre saindo nos jornais, posso garantir que às vezes não dá pra controlar isso.

Ele aperta de leve minha coxa, algo que imagino que devia ser reconfortante, mas o efeito ecoa no meu corpo inteiro.

— Acredite se quiser, você não foi a primeira pessoa a me falar isso essa semana. Ethan não é famoso, na verdade. Devíamos falar pra todo mundo que somos apenas crianças?

— Com certeza, mas estou um pouco preocupada que não vai fazer diferença nenhuma, já que você parece estar me levando para um descampado onde vai me matar e enterrar meu corpo...

A caminhonete balança um pouco enquanto seguimos pela estrada irregular em direção a um prédio velho e caindo aos pedaços.

— Onde caralhos a gente tá? Se estiver me levando para uma casa mal-assombrada, eu não vou transar com você.

Ele ri enquanto estaciona o carro.

— Achei que você conhecia cada pedacinho de Honey Acres, srta. Exploradora — ele me provoca e tira a chave da ignição.

— Eu conheço. Isso aqui não é Honey Acres. Com certeza estamos invadindo a propriedade alheia.

Saímos do carro e vou até o seu lado, ainda confusa sobre o que estamos fazendo aqui. Assim que me aproximo, ele me beija, despertando de novo as borboletas que agora fazem parte de mim.

— Achei que invasão de propriedade seria algo empolgante pra você.

— Invadir um hotel para fazer um lanche à noite, sim. Invadir um terreno é o tipo de coisa que pode te fazer levar um tiro.

— Estamos na propriedade da Orla, juro. Encontrei esse lugar quando estava correndo e confirmei quando voltei pro acampamento. Não estamos longe, só demora mais vindo de carro porque não posso passar por cima das cercas. — Ele ri e segura minha mão, nos guiando para a caçamba da caminhonete. — Acabei de lembrar que as pessoas não costumam se beijar no começo do primeiro encontro.

— Pode passar por cima das cercas, sim... mas as pessoas iriam gritar com você e te mandar pedir desculpas e fazer seus pais pagarem pelos danos.

Ele ergue as sobrancelhas.

— Enfim... Eu nunca tive um primeiro encontro antes, então não sei quais são as regras. O que deve ser uma *red flag* pra você, afinal, por que eu passei vinte anos inamorável? A menos que eu seja muito chata, o que sou mesmo, e bom, talvez a gente seja pisoteado por vacas ou devorado por lobos ou algo assim, então eu prefiro te beijar no começo do que não beijar. Preciso parar de falar. Tô fazendo aquela coisa que você me faz fazer quan...

Ele para atrás da caminhonete, levanta meu queixo com os nós dos dedos e se aproxima da minha boca.

— Tudo bem que você faz Letras, mas inamorável não é uma palavra, meu bem.

— Eu acho que é.

Ele me ignora, abre a caçamba e puxa uma lona branca, revelando almofadas e cobertores, uma garrafa térmica e o projetor sem fio que usamos quando fazemos a noite de cinema ao ar livre.

— Ai, meu Deus — exclamo.

Ele me coloca na caçamba e se aproxima para me beijar de novo. Devagar, gentil, perfeito.

— Também nunca tive um primeiro encontro.

Fico chocada e quieta enquanto Russ me ajuda a subir na traseira da caminhonete e me acomodar na cama improvisada. Ele me entrega a garrafa térmica com a etiqueta "chocolate quente" e um saco de pipoca. Depois coloca o projetor no teto da caminhonete, apontando para a lateral da casa assustadora, e é nessa hora que entendo quanto trabalho ele teve para preparar tudo isso.

Não sou de chorar, mas esse homem acabou de me arrancar algumas lágrimas. Ele joga outro cobertor em cima de mim e finalmente se senta debaixo das cobertas.

— Confortável? Tá com frio? — pergunta.

— Tá tudo perfeito. — A parede fica azul e o castelo da Disney aparece, seguido pela luminária da Pixar, e quando o restaurante do Gusteau aparece em uma TV minúscula, meu coração parece prestes a explodir. Ele pensou em tudo. — *Ratatouille*! Russ, você é perfeito. Tipo, homem dos sonhos. Você é bom demais pra ser verdade.

Minha sinceridade o pega desprevenido e, sob o luar, vejo todas as emoções que passam pelo seu rosto. Sempre soube que eu precisava de validação tanto quanto preciso de oxigênio e, apesar de não sermos iguais, até que somos bastante parecidos.

As pessoas nos fizeram acreditar que não éramos importantes, e essas opiniões continuam lá no fundo, como ervas daninhas. Cada gotinha de dúvida as alimenta, e depois que elas crescem é muito difícil se livrar delas. Mas não é impossível, só precisamos arrancá-las pela raiz; várias vezes, se for necessário.

Somos muito diferentes e, ao mesmo tempo, muito parecidos, e parte de mim está começando a entender que isso é uma mistura perfeita.

Ele tira uma mecha de cabelo do meu rosto.

— Me conta um segredo.

— Não quero voltar para a realidade mês que vem. Quero ficar aqui com você e os cachorros e jogar nossos celulares na fogueira.

Ele ri baixinho e massageia minha nuca enquanto eu falo.

— Vou abrir uma livraria e você pode abrir a loja de boliche, ou construir robôs, ou seja lá o que engenheiros fazem. Eles podem nos proteger dos gambás e dos lobos. Mas você vai me escolher e eu vou escolher você e vamos ser felizes sem ninguém por perto para estragar.

— Você é um brilho na minha vida, Aurora — diz ele. — E um lembrete constante de que coisas boas podem acontecer quando eu me permito ser feliz.

Parte de mim se pergunta se, em algum momento, eu poderia ter evitado tanta infelicidade se tivesse deixado alguém se aproximar de mim, mas acho que não. Ainda estaria fazendo todas as coisas irresponsáveis de antes, indo de uma sobrecarga emocional para outra, procurando desesperadamente por algo novo. Nunca faria alguém feliz e seria bem provável que, depois que a empolgação da novidade passasse, ficaria perdida de novo.

Russ me deixa contente, algo que não sabia que precisava.

Ficamos mais juntinhos, afundando entre os cobertores, olhando um para o outro e ignorando o desenho do rato sendo projetado na parede.

— Me conta um segredo — sussurro.

— Não é um segredo porque muita gente sabe, mas posso te contar uma coisa ruim que aconteceu comigo? Algo que odeio falar?

— Claro. — Espero pacientemente enquanto ele morde a língua para ganhar tempo. Ele coloca a perna entre as minhas, descansa a mão na minha cintura e, quando acho que está prestes a começar a falar, ele se aproxima e me beija. Paro o beijo e encosto minha testa na dele. — Ainda vou estar aqui pra te beijar depois que você me contar.

— Você ouviu a história sobre o rinque de hóquei ter sido vandalizado no começo do ano?

— Acho que sim? Vocês não tiveram que dividir o outro rinque ou coisa do tipo?

— É. Bom, foi culpa minha.

Meu queixo cai tanto que parece ter perdido um parafuso.

— Você quebrou o rinque de hóquei?

— Não! Claro que não. Eu, hum, conheci uma garota, Leah, em uma festa, e ela foi legal comigo. Eu estava lá com os caras com quem dividia a casa. Leah me beijou e a gente se pegou, mas nada de mais.

Alguém me explica por que eu estou com ciúmes.

— Então, em toda festa que eu ia, a Leah estava lá, e nós ficamos algumas vezes. Eu gostava dela e achei que talvez, quem sabe, o segundo ano não seria tão ruim e eu podia ser feliz. De repente, o namorado dela me mandou uma DM me ameaçando. Eles estavam brigados ou alguma coisa assim, e ela estava me usando pra se vingar dele.

— Sinto muito que ela tenha feito isso com você.

— Relaxa que piora. — Ele ri, sem graça. — Essa relação entre ela e o namorado é supertóxica, um daqueles relacionamentos que todo mundo adora odiar. Então, quando ela descobriu que estava grávida, contou pro irmão mais velho, que é jogador de hóquei na UCLA, que tinha sido largada. Eu já tinha bloqueado a Leah quando soube que tinha namorado. Ela não falou o meu nome, só disse que era alguém do time, e achou que ficaria por isso mesmo. Mas não. Eles vandalizaram o rinque.

— Ah, Russ...

— Eu queria largar a faculdade de tanta vergonha. Se o Nate não tivesse ficado ao meu lado, eu teria feito isso. Já foi ruim o bastante saber que o rinque tinha sido destruído por causa do namorado dela, mas isso foi muito, muito pior. Todo mundo falava nisso. Eu tive que ir para várias reuniões até provar que não tinha nada a ver com isso. Foi um caos.

— Você não tem motivo para se sentir envergonhado! Foi a vítima dessa história toda. Não fez nada além de ficar com uma garota em uma festa e não tem nada de errado nisso. Você poderia ter ficado com qualquer pessoa lá, isso não é motivo para ela te usar de bode expiatório.

— Foi o que Tasi e Lola disseram, mas ainda não consegui me livrar da culpa. Quando eu tô no campus, fico me perguntando se as pessoas comentam quando me veem. Odeio ter que jogar contra a UCLA porque sei que vão pensar nisso.

— Odeio que isso te preocupa tanto assim. Quando alguma coisa ruim acontece, parece gigantesco porque está acontecendo com você, mas, na verdade, a maioria das pessoas não sabe ou não se importa. Se todo mundo estivesse falando disso como você acha, eu já saberia de tudo. Fiquei sabendo dos danos, mas nada que ligasse a situação a você.

— Não sabia mesmo?

— Não! Juro. Mas alguém se aproveitou de você, Russ. Precisa parar de se culpar por isso. — Passo o polegar pelo rosto dele, que beija a palma da minha mão. — Se você ficar muito fixado no assunto, nunca vai conseguir seguir em frente. E daí que o rinque foi destruído? Ninguém morreu. Faz ideia de quantas coisas já destruí sem querer?

— Algumas cercas, imagino.

— Isso não foi um acidente. — Reviro os olhos e me aproximo dele. — Mas enfim. Você é uma boa pessoa, seus amigos te amam e os cachorros te amam. É nisso que eu penso quando penso em você. Como é fácil a... admirar você.

— Não sei por que estou falando disso. Desculpa, eu estraguei nosso primeiro encontro?

Ele fecha os olhos e suspira, se afundando ainda mais nas almofadas.

Às vezes eu quero dar uma sacudida nesse homem, porque ele não entende quanto fico feliz quando mostra para mim esses pequenos detalhes de si mesmo, guardados tão lá no fundo.

— O fato de você me contar uma coisa tão pessoal faz esse ser o melhor encontro do mundo, Russ. Juro. Obrigada por confiar em mim.

Ele abre os olhos devagar.

— Posso receber aquele beijo pós-conversa que prometeu, por favor?

Não consigo controlar um sorriso quando me aproximo.

— Claro.

Capítulo vinte e oito

RUSS

Não tinha a intenção de contar sobre a Leah para a Aurora quando chegamos aqui e, pensando bem, não deve ser o melhor assunto para um primeiro encontro, mesmo que ela diga o contrário.

Mas a Aurora deixa tudo mais leve.

Algumas frases sobre algo que me assombra há quase um ano, e me sinto melhor. Tudo que ela fez foi ouvir e dizer que, se todo mundo estivesse falando sobre isso, ela já saberia da história, e a parte dramática de que "ninguém morreu".

Não sei por que decidi contar isso agora. Talvez porque ela tenha falado que sou bom demais para ser verdade e sei que não sou. Essa é uma das histórias que prova isso e ela precisava saber para ter uma ideia de quem sou de verdade.

Compartilhar coisas que você tem guardado no peito é cansativo.

— Posso receber aquele beijo pós-conversa que prometeu, por favor?

— Claro.

Ela me dá um sorriso gentil e se aproxima.

Apoio a mão na bochecha dela e acaricio sua pele com o polegar quando nossas bocas se encontram. Ela está com gosto de chocolate quente e, quando puxo seu corpo para o meu, ela obedece.

— Eu amo isso — sussurro, encostado em sua boca.

— Me beijar?

Guio a perna dela por cima da minha até Aurora estar montada em mim. Suas mãos puxam o cobertor por cima dos ombros e depois até meu pescoço para ficarmos cobertos. As minhas mãos descem pelo seu suéter, traçando a coluna, enquanto a puxo para mim.

— Ter você só pra mim.

Aurora esfrega o nariz no meu, beijando de leve várias partes do meu rosto: o canto da boca, a têmpora, a ponta do nariz.

— Considerando quantas vezes por dia você fala para as crianças aprenderem a compartilhar, é engraçado saber que não gosta de fazer o mesmo.

Aurora descansa a testa na minha e eu passo os braços em volta da cintura dela, prendendo-a contra mim.

— Fico feliz em compartilhar tudo, menos você.

Sou forçado a soltar o abraço quando ela recua e deixo as mãos caírem até seus quadris. Ela olha para mim com uma incerteza que não estou acostumado a ver.

— Belas palavras, mas o que quer dizer?

Por mais carente que isso pareça, odeio a pequena distância entre nós e sua expressão de insegurança. Ser tão sincero com alguém costuma me deixar nervoso. Acabei de compartilhar algo bem importante com ela, de forma voluntária, e é difícil continuar a me abrir e falar sobre meus sentimentos. Não é novidade que não sou bom com mulheres e, em circunstâncias normais, tenho certeza de que ficaria paralisado, esperando por uma reação.

Não me sinto assim com Aurora. Quero ficar mais próximo dela.

— Sua atenção é um presente, Aurora. Não tenho intenção nenhuma de desperdiçar meu tempo com você.

— Meu Deus, Callaghan. Por que você é tão fofo? — resmunga ela, e olha para as mãos mexendo na barra do meu moletom.

— Eu só sou assim com você. É a única pessoa que me faz sentir assim, Aurora. Nunca vai precisar se perguntar se eu gosto de você. Nunca vai ter que questionar se é minha primeira opção. — Meu coração bate forte enquanto as palavras me escapam. O cobertor ainda está sobre seus ombros, o que facilita que eu puxe as laterais, fazendo o corpo dela colar no meu de novo. — Você é tudo isso.

O que quer que eu fosse falar em seguida não sai, porque a boca dela encontra a minha, lançando uma carga de energia pelo meu corpo enquanto eu gemo e pressiono o quadril no dela. Sinto o corpo queimar onde ela toca, todo o sangue do meu corpo desce, e fico muito feliz por ter falado como me sinto quando ainda conseguia me concentrar em palavras.

— Também não quero dividir você — diz ela, a boca viajando pela minha mandíbula. Ela mordisca minha orelha e a respiração quente arrepia meu pescoço.

Faço nós dois virarmos até ela ficar por baixo, com os tornozelos cruzados nas minhas costas.

Eu me esfrego nela, me deliciando com o jeito como seus olhos reviram e a respiração fica ofegante. Ainda estamos vestidos, mas o algodão fino que nos separa serve apenas para provar como eu me encaixo perfeitamente entre suas pernas.

— Minha mulher perfeita — murmuro enquanto beijo o pescoço dela.

Aurora abaixa as mãos e puxa a barra de elástico da minha calça com uma das mãos enquanto a outra tenta fazer o mesmo com a sua legging.

— Quero sentir você — sussurra.

Uso toda a minha concentração para me levantar o bastante para tirar a calça dela e o pequeno pedaço de renda que chama de calcinha, mas vale muito a pena. Tiro minhas roupas também, chutando-as de um jeito que não faça a caminhonete balançar. Começo a bater uma no meu pau duro, e deixo Aurora me puxar de volta para cima dela, agora, ambos nus da cintura para baixo. Eu a beijo, gemendo em sua boca, e ela coloca a mão entre nós e segura meu pau com cuidado. Meus quadris ganham vida própria quando começam a se mover em sincronia com a mão dela.

— Não vou meter, tá bom?

— Tá bom.

Ela me guia para ficar mais perto e fico parado, esperando, prendendo a respiração para ver o que vai fazer agora. Nessa hora, Aurora abre mais as pernas e desliza a ponta do meu pau, devagar, no seu clitóris. A sensação é perfeita. Ela é gentil, mas decidida, e mexe mais, brincando com a pressão. Quando começa a perder o ritmo, eu assumo, replicando o que estava fazendo.

É mais fácil para mim me esfregar nela, deixando ela me beijar ao mesmo tempo. Ela afunda as unhas nos meus ombros enquanto enrosca a língua na minha.

— Tá tão gostoso — geme, arqueando as costas. Seu quadril se mexe contra o meu, o barulho molhado é música para os meus ouvidos. — Camisinha?

— Ainda não. — Isso chama a atenção dela, mas ignoro sua expressão confusa enquanto tiro o suéter e exponho o que é supostamente um sutiã, mas não passa de um pedaço de renda. — Você vestiu isso pra mim?

Tiro o tecido com cuidado e envolvo um dos mamilos duros com meus lábios. Ela geme cada vez mais alto enquanto tento dar atenção para cada pedacinho do seu corpo. Meu pau está pulsando. Estou desesperado para meter nela, mas vê-la gozar assim faz a espera valer a pena.

— Tenho uma pergunta pra você, Aurora.

— Preciso de você dentro de mim — geme ela, choramingando, e aperta as pernas ao meu redor.

Mudo para o outro peito.

— Você vestiu isso pra mim?

Ela assente rápido, apertando os olhos e trincando os dentes.

— Por quê?

Suas unhas se afundam na minha pele e o ritmo da respiração muda.

— Porque eu quero que você me coma. Ah, eu vou go...

Aurora enfia o rosto no meu pescoço e solta um gemido que vai ficar gravado na minha mente pro resto da vida. Seu corpo se encaixa perfeitamente ao meu; é viciante. Abro a bolsa térmica ao lado da cama improvisada e tiro um pacote de camisinhas que comprei mais cedo.

Comprei as camisinhas antes de ter organizado o resto do encontro, o que não costuma ser algo bom, mas de jeito nenhum queria ver aquele olhar decepcionado que vi nas outras vezes em que não estava preparado.

Rasgo a embalagem com os dentes, me sento nos calcanhares e coloco a camisinha rapidamente.

— Você tem um pau muito bonito, sabia? — diz ela, se apoiando nos antebraços.

— É, tipo, visualmente perfeito.

Acabei de me esfregar nessa mulher até ela gozar e fico vermelho porque ela disse que meu pau é bonito. Preciso mesmo processar isso depois.

— Não sei como responder a isso. Obrigado?

— De nada. Vai devagar, por favor? — Ela se vira, deitando de barriga para baixo e abrindo um pouco as pernas. — E deita por cima de mim?

— Claro. — Eu me posiciono atrás dela, as minhas pernas sobre as suas, e me coloco entre suas coxas até começar a sentir que estou entrando nela. Não existe sensação melhor do que essa. Nenhuma. — Você é a coisa mais gostosa desse mundo, meu bem.

Vou muito fundo assim. Eu me deito, com a barriga nas costas dela, fazendo o que posso para lhe dar o contato que ela quer sem esmagá-la. Beijo os ombros, o pescoço dela; consigo até alcançar seu rosto assim. Cubro seu corpo inteiro de beijos enquanto me mexo dentro dela, achando o ritmo ideal.

Entrelaço nossos dedos e prendo a mão dela ao lado da sua cabeça.

— Mais forte — sussurra Aurora, e estou me controlando para não gozar por enquanto, ainda mais quando ouço seus gemidos. Suas mãos apertam as minhas quando faço o que ela pede.

O barulho do meu quadril batendo na bunda dela está me enlouquecendo, e quando ela começa a se mexer também, sei que estamos prestes a gozar juntos.

— Tão fundo. Tô sentindo tudo.

— Você aguentou direitinho. Muito bem, boa menina.

Elogios são a chave para fazer essa mulher gozar e, assim que falo "boa menina", é só uma questão de tempo. Estou quase lá, sinto a sensação crescente e estou fazendo o que posso para ela gozar primeiro. Solto a mão direita e deslizo até a frente do corpo dela para achar o ponto entre suas pernas que faz Aurora jogar a cabeça para trás.

— Ai, meu Deus.

— Isso, meu bem. Me mostra como você fica linda quando goza pra mim.

Seu corpo estremece, mas ela não consegue se mexer muito comigo por cima.

— Russ — geme enquanto me aperta com tanta força que gozo dentro dela. Demora tanto que, quando tiro o pau, ainda tem porra escorrendo.

Eu me jogo do seu lado, morto. Ela se aproxima e me beija devagar.

— Vai me julgar por ter dado no primeiro encontro?

Rio de novo, mais uma vez incapaz de adivinhar o que ela vai dizer.

— Tecnicamente você deu pra mim antes do primeiro encontro. Tem uma falha aí.

— Ainda bem que minha virtude não foi comprometida, então.

Fico de costas e faço o possível para tirar a camisinha do jeito mais prático, e então me deito de novo, colocando o braço debaixo dela para nos deitarmos olhando para as estrelas. O filme já acabou há muito tempo, mas eu prefiro ouvir sua respiração.

— Ainda bem. O que faria sem a sua virtude?

Capítulo vinte e nove

AURORA

— Sente-se, Aurora, por favor.

Faço uma careta, confusa, e olho de relance para Emilia, que não recebeu a mesma ordem de Xander. Eu me acomodo no banco à sua frente e apoio as mãos na mesa enquanto ele anda de um lado para o outro com um ar dramático.

— Pronto.

— Obrigado, Aurora.

— De nada, Alexander. O seu desejo é uma ordem, obviamente.

Ele para de andar.

— Isso é uma piada pra você?

— *Isso*? Que está acontecendo agora? — pergunto, e ele acena, confirmando. — Sim, é uma grande piada. Não faço ideia do que tá acontecendo. Pode, por favor, ir alguns centímetros para a direita e mais um pouco para a frente? O sol tá na minha cara.

Nós devíamos estar enchendo as garrafas d'água para as crianças que estão fazendo escalada e, de alguma forma, vim parar aqui com essa versão séria do Xander. Achei estranho quando ele insistiu em ajudar, devia ter imaginado que ele estava aprontando alguma coisa.

Ele estala a língua em reprovação e coloca as mãos na cintura para me encarar.

— Isso aqui é coisa séria.

— Tenho certeza de que o que está acontecendo aqui e agora é muito sério pra você, Xander. Mas ainda não sei o que é.

Olho para Emilia, que dá de ombros e observa nosso amigo com um olhar curioso.

— Às vezes o jeito como você age me deixa feliz por não ser hétero — comenta ela.

— Vou fingir que você não disse isso. Eu tenho três palavras...

— *Viciado em atenção?* — diz Emilia ao mesmo tempo que eu falo "dramático demais".

— Torneio de basquete. — Ele me encara. — "Dramático demais" são duas palavras. Se concentra, Roberts. Você faz Letras.

Estou me controlando para não rir. Ele chamou minha atenção, e agora quero ver onde isso vai dar.

— O torneio é de soletração ou basquete? Tô confusa.

— Torneio de basquete — repete ele, mais alto dessa vez. — Não podemos perder.

Olho mais uma vez para Emilia, buscando a confirmação de que isso está mesmo acontecendo e que não é uma alucinação. Ela franze a testa com tanta força que suas sobrancelhas perfeitas estão quase se tocando.

Decido tomar as rédeas da situação. Pigarreio e olho de novo para Xander.

— Hum, e daí?

— Não sei que tipo de bruxaria sexual devassa o Callaghan te prometeu pra você jogar a toalha, mas preciso que esqueça isso. Minha reputação está em jogo e preciso que você trabalhe em equipe.

— Rory é muito popular com o time de basquete da faculdade, Xan. Não precisa se preocupar — diz Emilia, se afastando de mim para desviar do meu soco em seu braço. — Ela adora trabalhar em equipe.

— Cala a boca. Xander, não vou mentir: não faço ideia do que você tá falando. Não vou jogar a toalha, não sei de promessa nem de bruxaria ou feitiçaria alguma, e, amigo, acho que não precisa se preocupar tanto assim. O torneio é pra ser divertido.

De alguma forma — e tenho certeza de que foi tudo culpa do Xander —, fomos inscritos no torneio de basquete dos funcionários que acontece hoje. Os times foram divididos aleatoriamente usando papéis coloridos e, para o meu alívio, Russ está em um time com o Clay, enquanto eu e Emilia estamos com Xander e alguns salva-vidas. A coitada da Maya nunca jogou basquete na vida, mas não se importa porque todo mundo no seu time é alto e, até onde ela sabe, isso é uma vantagem.

— Russ me disse que você concordou em ajudar ele a trapacear.

Aquele safado.

— Ele tá tirando uma com a sua cara, amigão. É isso que homens fazem quando jogam, não é? Ficam se provocando. Mal falei com ele desde hoje de manhã.

Minha nova coisa favorita é quando Russ passa na minha cabana depois da corrida matinal, antes de todo mundo acordar. Eu me sento no colo dele, ou ao seu lado, dependendo de quanto ele ficou suado, e assistimos o sol nascer. Estou sempre apenas meio acordada, mas eu me lembraria de um plano maligno para trair o Xander.

— Sabe que poderia só ter dito "não trapaceie", né? — diz Emilia enquanto olha para o relógio. — Poderia ter economizado nosso tempo.

— Se tiver uma oferta de bruxaria sexual na mesa, talvez eu trapaceie, Xander. Tô sendo sincera com você: é bem provável que seja influenciada. Não sei bem o que seria, mas sei que gostaria de participar. Com certeza você consegue imaginar como isso me colocaria numa posição difícil.

— Não consigo, nem quero. Não vou perder pro Clay porque você tá com tesão, Aurora — diz Xander, impaciente.

— Se a gente perder pro Clay, será porque tenho que jogar basquete tendo zero coordenação motora. — Morro de preguiça quando basquete aparece na programação dos Ursos-Pardos e sempre deixo Xander ou Clay tomarem conta. — Você precisa relaxar. Não vai estragar a sua próxima temporada, sabia?

Xander e Clay trabalharam aqui ano passado, mesmo que em grupos diferentes, então não eram desconhecidos quando se encontraram esse ano. Mas, no mês passado, em umas das raras ocasiões em que peguei no meu celular, vi uma mensagem do Ryan dizendo que tinha assinado um contrato com os LA Rockets.

Os meninos me ouviram contar para Emilia e começaram a conversar sobre a NBA. Isso virou uma conversa sobre Xander e Clay conhecerem o Ryan porque já jogaram contra ele e, mais ainda, eles já jogaram um contra o outro.

Eu já os ouvi trocar provocações, mas achei que era besteira de homem. O que não sabia era que Stanford e Berkeley são grandes rivais nos esportes e aparentemente essa rivalidade se estende a torneios de basquete amigáveis em acampamentos de verão.

Ridículo.

— Já te vi jogar queimada. Você não tem problema nenhum de coordenação motora, sua Judas.

— Pergunta séria aqui — diz Emilia, pegando as garrafas d'água que deixamos no chão quando Xander nos fez parar para ter uma conversa séria. — Por que você é assim?

Ele não responde e, em vez disso, começa a nos explicar as regras do basquete durante todo o trajeto indo e voltando até os bebedouros. Quando voltamos ao nosso grupo, estou surpresa por ver que as crianças não desmaiaram, desidratadas.

Entrego para Russ sua garrafa, e ele me olha, interessado:

— Por que demoraram tanto?

Ele leva a garrafa aos lábios e toma um grande gole de água. Quando está com a boca cheia, falo minhas duas novas palavras favoritas: *bruxaria sexual*. Um pouco da água escapa com um esguicho e ele engasga com o resto. Ele coloca a mão no peito e cobre a boca com o outro antebraço até parar de tossir.

— Precisa que eu te coloque na posição de segurança, Callaghan?

Seus olhos estão lacrimejando e a cara ficou vermelha, mas isso não o impede de começar a rir.

— Eu não resisti — ele responde.

— Acho que poderia ter resistido, sim.

— Meu bem, você não entende — insiste ele, gentil. — Ele estava insuportável. Me perguntou se eu estava empolgado pra jogar um esporte de verdade. Geralmente ele é tranquilo, mas a competição transformou ele no próprio gêmeo do mal, e eu moro com o cara.

— Ah, não. — Faço um bico para zoar com ele. — O homem malvado que persegue homens com uma bola te chateou? Um homem que também persegue homens com uma bola, mas no gelo?

— Sei que tá tentando zoar com a minha cara, mas posso só dizer que você fica linda pra caralho quando faz esse bico? Mas preciso que confirme pra mim que sabe que hóquei não tem bola. Além disso, eu sou goleiro, então tecnicamente não fico perseguindo ninguém. Mas se puder confirmar a questão da bola, seria ótimo.

Ele está me encarando e, considerando que ainda não se recuperou do engasgo, parece bem sério. Atrás dele consigo ver um grupo de meninos começando a mexer no equipamento de escalada errado.

— Meninos! — grito. — Isso daí, não! Deixa que eu ajudo.

Deixo Russ, perplexo, e vou em direção aos campistas. Na metade do caminho eu o ouço gritar:

— Rory! Só preciso que diga que sabe que não tem bola! Só isso!

— Foi mal, Callaghan! Não negocio com adversários! — grito de volta por cima do ombro, sorrindo para mim mesma quando vejo Xander se aproximando com passos duros na direção do Russ.

Há um motivo para eu sempre ter gostado de sair com jogadores de basquete e nunca ter assistido um jogo: são um porre.

Alguém — provavelmente o Xander — organizou a programação do torneio e não consigo mais lembrar quantos jogos já aconteceram. Não faço ideia se estamos ganhando ou não, e minhas pernas estão doloridas de ficar correndo de um lado pro outro enquanto Xander dá uma de fominha com a bola.

As crianças estão se divertindo, torcendo e gritando em todos os jogos, mas eu já perdi o interesse completamente. Quero um chocolate quente. Quero ver um filme. Quero ficar embaixo de um cobertor abraçando um cachorro e com a mão do Russ na minha coxa.

Em suma, quero minhas noites de sempre de volta.

— E se a gente se recusar a jogar? — diz Emilia, se alongando atrás de mim.

— Ele não precisa da gente, mas acho que não funciona assim.

— Protesto?

— Irrelevante.

— Incêndio?

— Exagero — suspiro. — Já pensei nisso.

— Sabe de uma coisa, se a gente tivesse tirado férias, como eu sugeri, não estaríamos passando por isso.

— Eu sei — respondo, suspirando mais fundo. — Já pensei nisso também.

A única vantagem dessa palhaçada inteira é que o Russ é muito bom jogando basquete, e toda vez que ele demonstra isso, Clay e Xander ficam muito confusos, o que é uma delícia de assistir. Quando nós jogamos com os campistas — e estou sendo bem generosa com a palavra "nós", porque eu não faço absolutamente nada —, Russ se concentra na diversão das crianças.

Agora que está jogando para si mesmo, ele não se contém, e eu não preciso fingir que não estou encarando porque todo mundo está fazendo o mesmo.

Xander senta no espaço vazio ao meu lado, e ouço Emilia resmungar antes mesmo de ele abrir a boca. Ele olha para minha melhor amiga com uma expressão furiosa.

— Da próxima vez que precisar de algo em uma prateleira alta, nem vem pedir minha ajuda. Experimenta crescer um pouco mais.

Emilia começa a rir.

— Huuuum, alguém tá nervosinho.

Ele a ignora e se vira para mim.

— Roberts, qual a sua opinião sobre mostrar os peitos?

— Alguém mostrar os peitos para mim? Não, muito obrigada. Mostrar os meus? Geralmente não me importo se for por uma boa causa, como um torneio de basquete amador de um acampamento de verão onde não tem prêmio ou incentivo algum para participar, mas não posso fazer isso com crianças no recinto. Foi mal.

Ele suspira.

— Droga, é verdade. Malditas crianças. Queria que o Clay tivesse um mascote pra você roubar.

— Eu roubei um porco mil anos atrás e agora sou um perigo para os mascotes. — Reviro os olhos. Considerando todas as lendas que já foram criadas sobre mim ao longo dos anos, essa com certeza é a mais irritante. — Ajuda se eu te disser que ganhar não é tudo, que o importante é participar?

Xander me lança um olhar tão gélido que me lembra como minha mãe olha pro meu pai.

— Vê se cresce, Aurora.

Depois de uma centena de jogos, é finalmente nossa vez de jogar contra o Russ. Estive evitando ele a tarde toda, e em vez disso lancei olhares intimidadores e passei o dedo lentamente pelo pescoço sempre que o pegava olhando para mim.

Ele se aproxima de mim assim que pisamos na quadra e estica a mão para me cumprimentar.

— Não é agora que você me faz uma proposta baixa e escandalosa para eu te ajudar a vencer? — pergunto baixinho, tentando fingir normalidade para nossa grande plateia.

— Desculpa, Roberts. Não negocio com adversários.

Ele solta minha mão para cumprimentar o resto da equipe e não levantar suspeitas. Na mesma hora, Xander aparece do meu lado.

— O que ele disse?

— Ele disse que vai organizar um *ménage* com alguém do time de hóquei se eu ajudar ele a ganhar. Eu respondi que tenho um compromisso com a minha equipe.

— Ok, você podia ter escolhido uma mentira menos absurda. — Xander ri, e é a coisa mais Xander que faz hoje, o que me dá esperança de que essa versão intensa dele vá sumir logo. — Esse menino não vai te dividir com mais ninguém, nunca. Tá com a cabeça no jogo?

— Sempre estou com a cabeça no jogo.

O jogo começa e, como previsto, ele se resume a Xander versus Clay. Emilia e eu estamos correndo de um lado para o outro da quadra, tentando acompanhar, mas eles têm pernas tão longas e correm tão rápido. Estão lutando por cada ponto até Clay e Russ entrarem no mesmo ritmo, tornando a vida do Xander e do resto do time bem mais difícil. Difícil, mas não impossível.

Estamos quase empatados e, sinceramente, não vejo a hora de essa chatice acabar.

— Roberts — diz Xander quando passa voando por mim. — Distrai ele.

Não preciso que ele me diga quem é "ele". Revirando os olhos, vou para o outro lado da quadra, o favorito do Russ. Os únicos métodos eficazes de distração que conheço envolvem nudez e, como já falei, não posso fazer isso aqui. Ele olha por cima do ombro e vê que estou chegando perto, e me sinto muito idiota porque não vou conseguir fazer o que Xander quer.

Observo Clay lutar contra Xander, então ele se vira, procurando Russ, e vejo que essa é a minha chance. A bola está vindo na direção dele e me aproximo o máximo possível.

— Quer fazer um ménage?

A cabeça do Russ se vira para mim na hora e a bola o acerta na barriga. Ele solta um grunhido. Fico me sentindo mal.

Mesmo sem fôlego, ele tenta pegar a bola, mas sou mais rápida. Assim que a tenho em mãos, porém, congelo.

Merda, não pensei no que ia fazer depois de distraí-lo.

— Vai! — gritam cinquenta pessoas ao mesmo tempo.

Quicar uma bola e correr ao mesmo tempo não é tão fácil quanto parece, e consigo ouvir Xander gritando, me pedindo que passe a bola, mas é tarde demais porque um corpo aparece colado ao meu. Russ está tão perto, na frente de tanta gente, que parece um escândalo, mas mesmo com sua respiração pesada no meu pescoço, fazendo meus mamilos ficarem duros, ele está determinado a roubar a bola.

— Também posso jogar sujo, meu bem.

Mal posso acreditar que consigo ouvir o que ele diz, considerando o barulho que as crianças estão fazendo nas arquibancadas. Soa o apito, e Russ demora um pouco demais para se afastar de mim. Balanço a cabeça e quico a bola uma vez enquanto meus colegas de equipe discutem sobre sabe-se lá o quê. Imagino que quebramos alguma regra, mas estaria mentindo se dissesse que quero saber qual foi.

— Tenho uma proposta pra você.

— Se for outra oferta de sexo a três, vou ter que recusar.

Não consigo conter a risada.

— Se eu fingir me machucar, quer ir atrás dos cachorros e tomar chocolate quente?

— Claro que quero. Basquete é um porre.

— Nem todas as bolas são criadas da mesma forma. Você tem o direito de preferir a sua.

Xander gesticula para eu passar a bola enquanto ele continua a discutir com o Clay.

Russ está me encarando com uma das mãos na cintura. Seu cabelo está bagunçado e jogado para trás, como eu gosto. É muito difícil não dizer, a cada minuto, como ele é bonito.

— Sei que brincamos sobre isso mais cedo, mas eu preciso mesmo que você diga que sabe que hóquei tem discos e não bolas.

— Claro que sei.

Ele solta o ar, aliviado.

— É que nem um minipneu de carro — completo.

— O quê? Não, é um...

Eu me viro para me afastar dele e, fingindo tropeçar no meu pé, caio no chão antes que ele possa dizer mais alguma coisa.

— Ai! — grito o mais alto que posso.

— Você é uma péssima atriz, sabia?

— Que dor horrível — digo casualmente. — Por favor, me leve para a enfermaria, meu herói.

O resto do time corre até nós e me vê no chão.

— O que aconteceu?

— Ela tropeçou nos próprios pés — diz Russ, esticando as mãos para me ajudar a levantar. — É melhor eu levar ela pra enfermaria, por precaução. Vocês podem continuar sem mim.

Clay começa a protestar, mas Xander fala primeiro:

— Sim, tem razão, assim os dois times ficam com uma pessoa a menos. Melhoras, Roberts. Bom trabalho e tal.

Ele fala "bom trabalho" sem emitir som enquanto finjo mancar ao lado do Russ, e amo que Xander acha que fiz isso por ele e não por mim.

Quando estamos longe o bastante da quadra de basquete, a ponto de os gritos das crianças serem apenas um sussurro, Russ me tira da trilha e me joga contra uma árvore. Meu coração acelera, e a empolgação cresce enquanto ele me segura contra o tronco, me prendendo no lugar. Sei que todo mundo está na quadra, mas isso é muito audacioso, ainda mais para ele.

— Se eu soubesse que você ia me comer numa árvore, teria caído antes.

— Te comer? — repete ele. — Não, preciso da sua atenção total para conversar sobre discos de hóquei.

Capítulo trinta

AURORA

Qual é a palavra para quando você descobre que está exatamente onde deveria estar? Eu me sinto em paz comigo mesma e com a minha vida pela primeira vez, e não há nada que possa estragar isso. Hoje é o dia de visitação. Várias famílias passam o dia longe do acampamento e só voltam para o churrasco no fim da tarde; algumas famílias não vêm visitar.

Eu odiava o dia de visitação quando era campista. Algumas vezes meus pais não vinham porque Elsa ficava com nossos avós, então eles aproveitavam o momento sem crianças para tirar férias e tentar salvar o casamento fadado ao fracasso. Outras vezes só minha mãe vinha. O pior ano foi quando os três vieram e me deixaram tão triste que Jenna me deu uma tigela a mais de sorvete no fim do dia.

A expectativa é que todas as crianças façam passeios fora do acampamento com as famílias hoje, o que quer dizer que vamos ter um dia tranquilo. Emilia esqueceu a câmera que Poppy lhe deu para documentar o verão e não fotografou nada desde então, então vamos exagerar hoje.

— Acha que precisamos trocar de roupa? — pergunta Emilia enquanto coloco vários acessórios de cabelo na bolsa com meu celular, fones de ouvido e um livro sobre uma princesa e seu segurança gostosão.

— Eu te amo e amo a Pops, mas não vou trocar de roupa atrás de uma árvore por nenhuma das duas. É um uniforme e tem um urso nele; por que estaríamos vestindo outra coisa?

Não estou dizendo que sou uma especialista em tirar fotos espontâneas, mas é verdade. Preparamos uma mesa de piquenique perto da nossa cabana e dou o meu melhor para a Emilia, mudando o penteado para parecer que são dias diferentes. Estou fingindo rir do Xander (que está de costas para a câmera, ainda bem), percebemos que isso não vai ser tão fácil.

Os cachorros são mais fotogênicos do que os meninos.

— Russ, para de fazer careta — Emilia grita com ele. Ela se aproxima, pisando forte, para me mostrar a câmera, e ele realmente parece estar sentado em cima de um formigueiro.

— Você é bonito demais para sair tão mal assim nas fotos — digo, passando pelas fotos. Entrego a câmera de volta para Emilia e peço a ela que volte para onde estava para eu testar algo.

— E eu? — pergunta Xander, pegando Salmão no colo.

— Larga o cachorro! — gritamos todos ao mesmo tempo e temos como resposta um grunhido e um revirar de olhos.

— Você é bonito, Xan — diz Russ, se afastando quando uso as mãos e tento forçar seu rosto a parecer mais relaxado. — O que tá fazendo?

— Te fazendo relaxar.

— Isso não é relaxante, Aurora.

Olho ao redor para checar se não há ninguém por perto, em seguida, me aproximo e beijo Russ. Não esperava uma resposta tão empolgada, mas de repente sua mão está na minha nuca, me mantendo ali.

Xander finge vomitar, e Russ me solta.

— Só pra constar, é meio egoísta da parte de vocês fazer isso considerando que eu não transo há dois meses.

Queria poder guardar em um potinho como me sinto depois que o Russ me beija. Relutante, tiro o olhar de Russ e me viro para nosso amigo.

— Você viu o Clay pelado. Isso conta, né?

— Vocês são nojentos — diz Emilia ao se aproximar e me entrega a câmera de novo. — Quero a minha namorada.

Eu me aproximo do Russ para ver as fotos, começando pelas fotos dele com a cara fechada, passando até as fotos do nosso beijo até alguns segundos depois. Nunca tinha entendido a frase "meu coração parou" até agora, ao ver como o Russ olha para mim quando acha que não estou vendo.

Russ beija meu ombro, e sinto um arrepio se espalhar pelo meu corpo.

— Você é tão linda — sussurra.

É assim que é se sentir querida e valorizada.

É assim que quero me sentir para sempre.

Emilia está tirando fotos dos meninos jogando uma bola de futebol americano, algo que fez os dois reclamarem, mas que entretém os cachorros. Emilia reclamou que não é possível misturar basquete e hóquei em um esporte novo para ela fotografar, então deveriam parar de reclamar.

Estou focada no meu livro quando o celular começa a vibrar na bolsa. De início, não sei de onde vem o barulho. Trouxe o celular para ser um adereço nas fotos e meio que esqueci que existia depois de tantas semanas sem mexer nele.

Enfio a mão na bolsa e quase o derrubo no chão quando vejo o nome "Homem que paga o aluguel" na tela.

— Oi, pai — digo, esperando que o celular tenha ligado sozinho.

— Estou tentando falar com você há mais de vinte e quatro horas.

Aí está o charme dos Roberts que eu tanto amo.

— Desculpa. Estou no acampamento e o sinal aqui é péssimo.

Ele bufa, como se a minha inabilidade de controlar o sinal de celular aqui fosse uma inconveniência.

— Preciso contar uma novidade. Pedi a Norah em casamento esse fim de semana e ela aceitou.

— Isso é... — Nenhuma surpresa. — Incrível, pai. Parabéns pra vocês.

Talvez seja por isso que ele esteja tão frustrado por não ter conseguido falar comigo. Ele estava preocupado que eu descobrisse por outra pessoa. Meu pai já teve muitas namoradas ao longo dos anos, mas quando começou a deixar Norah postar fotos com ele, sabia que não ia demorar para pedi-la em casamento.

Não sou a maior fã dela, por uma questão de princípios. Mas se for para ele se casar com alguém, fico feliz que seja com uma mulher com a idade mais próxima da dele do que da minha ou da Elsa, como as mulheres com quem saiu por muito tempo.

A mãe disse que era a crise da meia-idade dele.

— Sua estadia no acampamento dificulta a confecção do vestido de madrinha. Sua mãe me disse que você volta no dia quinze, certo?

Não sei o que processar primeiro. O fato de que eles querem que eu seja madrinha ou de que meu pai e minha mãe se falaram. Norah tem filhas, então não esperava ser incluída, e não consigo imaginar meu pai fazendo questão disso.

— Isso, dia quinze.

— Vou pedir para a Brenda mudar o seu voo de volta. Mande os detalhes para ela por e-mail com as suas medidas. Seu voo vai direto para Palm Springs para resolvermos isso.

Palms Springs?

— Resolver o quê?

Ouço meu pai suspirar mais uma vez.

— O casamento, Aurora. Está prestando atenção? Vamos fazer uma lua de mel curta antes do fim das férias de verão porque tenho que ir à Europa para o Grand Prix da Holanda.

As palavras ficam entaladas na minha garganta.

— Vão casar assim tão rápido?

— Sim, Aurora. E preciso que você vá para Palm Springs. Entendeu?

Seu tom seco deveria me magoar mais, porém meu cérebro está processando o fato de que ele está esperando eu ficar disponível em vez de só fazer tudo isso sem mim. Nossa, o sarrafo está muito lá embaixo mesmo.

— Eu entendi, pai. Estou empolgada pra ver que vestido a Norah escolheu pra mim. Obrigada, hum, por me deixar fazer parte disso.

— Claro que você faz parte disso, Aurora. Você é minha filha.

Fico em choque e em silêncio. É uma declaração tão simples para um pai. Não chega a ser algo gentil, mas vindo dele, é grande coisa. De certa forma, sinto que a minha felicidade recente fez isso acontecer. Joguei energias boas para o universo e recebi algo em troca. Parece bobo, mas é algo que me conforta.

Quero dizer para ele quanto uma declaração simples como essa significa para mim. Como tudo que sempre quis foi saber que eu sou querida e quanto gostaria de ter um bom relacionamento com ele, mas não consigo, porque ele volta a falar:

— E seria estranho você não estar nas fotos. Não vou deixar o grande momento da Norah ser estragado por causa da obsessão da mídia em dar atenção para você e a sua irmã.

Sinto um aperto no peito.

— Então você só quer que eu vá por causa das fotos?

— Tem alguma coisa errada com você hoje? Por que não está entendendo o que eu falo? — Sua impaciência aumenta. — Norah conseguiu uma exclusiva em uma revista. Sim, você precisa estar lá para aparecer nas fotos. Não vou estragar o nosso dia com rumores de que a família tem problemas por sua causa.

Estou atordoada.

— Ok. Posso levar um acompanhante?

— Precisa? Quem? Emily?

— Emilia — eu o corrijo. — E não, não é ela. Conheci alguém. O nome...

— Conheceu alguém onde, exatamente?

Não sei por que minhas mãos estão suando, mas estão.

— No acampamento. O nome...

— Deixa de ser ridícula, Aurora. Não vou deixar você levar um estranho para um evento familiar privado — ele me interrompe de novo, e sinto meu coração acelerar pela frustração. — Nem vai se lembrar dele quando terminar de brincar de fazenda de mentirinha. Seja realista uma vez na vida, pelo amor de Deus. É o meu casamento, não uma festa de criança.

Minha garganta está completamente seca, mas me forço a falar:

— Ele é importante pra mim, pai. Eu gostaria de levá-lo. Estudamos na mesma universidade, é sério, gostamos um do outro.

Ele suspira, e sinto meu corpo estremecer, como se fosse o ar fosse ácido.

— Tenho certeza de que a sua paixonite é muito importante e especial, mas não. Posso confiar que você irá sozinha, Aurora? Sim ou não?

Paixonite.

— Sim.

— Ótimo. Te vejo em algumas semanas. Tchau.

A ligação é encerrada antes que eu possa dizer tchau, e fico imóvel, tentando processar como meu dia foi atropelado por uma ligação de três minutos.

Não sei o que eu estava esperando ao atender a ligação. Devia ter parado de falar em "você é minha filha" e aproveitar a ignorância. Passaria o resto do dia nas nuvens, me sentindo invencível. Mas fui longe demais, quis demais.

Se não estivesse tão desesperada por algo que nunca vou ter, ou se crescesse e parasse de ligar para o fato de que ele não se importa, talvez não me sentiria como se tivesse sido atropelada depois de falar com ele.

Preciso sair daqui e é isso que repito, de novo e de novo, ao me levantar da mesa e seguir para a cabana quase sem perceber. Sentada na cama, me apoio na parede enquanto relembro a conversa.

Penso sobre o jeito como ele respondeu, e o que eu poderia ter dito e como ele poderia ter respondido. Faço isso de novo e de novo e de novo, até um fluxo infinito de diálogos tomar conta da minha mente, e ainda assim não consigo alcançar o cenário que quero.

O cenário em que ele quer que eu faça parte da sua vida e não esteja lá apenas como uma fachada para a imprensa.

Minhas mãos estão tremendo quando tiro a mala do guarda-roupa e abro sobre a cama. Eu amo Honey Acres, mas fingir que aqui é meu lar é idiota. Meu pai tem razão, é tudo mentira. Eles são apenas pessoas que são pagas para cuidar de mim e devem até ter pena de mim.

Não sei por que trouxe tantas coisas, sabendo que não iria usar tudo isso. Só está me atrapalhando para ir embora daqui mais rápido. Não sei por que achei que iria ficar o verão inteiro. Meus shorts não dobram. No fundo, Jenna sabia que eu não ia aguentar. Não importa o jeito que eu dobro ou como organizo as roupas, tudo parece uma bagunça na mala. Eu me pergunto se a Emilia também achou que eu não iria durar. O Russ é ótimo dobrando roupas.

Eu poderia ir para Bora Bora e desligar o celular.

Nem preciso de um celular. Porra, eu deveria jogar esse troço no lixo. Por que essa merda de short não dobra direito?

Preciso dizer para alguém lembrar a Freya de passar repelente e que o Michael não come nada com açúcar depois das seis da tarde. Vou perder o show de talentos, mas a Emilia pode se apresentar sem mim. Todo mundo vai ficar bem. Abro a gaveta da mesa de cabeceira para esvaziá-la e vejo o passarinho de origami que o Russ fez pra mim ao lado da minha coleção de pulseiras de amizade das crianças.

Deslizo até o chão, ao lado da cama, sentindo uma dor no peito, e os anos de sofrimento que escondi atrás de escolhas irresponsáveis e piadas autodepreciativas surgem com um choro. É como se a represa tivesse sido destruída, e eu deixo as lágrimas rolarem porque não há mais nada que eu possa fazer e ninguém vai consertar isso.

Não sei por quanto tempo fico sentada ali até ouvir seus passos.

— Rory?

A porta da cabana abre, e só consigo imaginar o caos que ele deve encontrar. Combina comigo, eu acho. Russ se senta no chão na minha frente e imediatamente enxuga as lágrimas no meu rosto.

— Vai para algum lugar, Roberts? — pergunta ele em um tom gentil.

— Preciso ir. Tenho que ir embora.

— Ok, deixa eu ir fazer a mala também. Vou com você.

Minha respiração está ofegante, e meus olhos ardem.

— Não pode ir. Precisa ficar aqui. Você precisa desse trabalho. E precisa se certificar de que as crianças vão passar na inspeção das cabanas e ver se tem aranhas no beliche da Sadie. Xander nunca faz isso direito. Eu não mudei, só vou acabar te decepcionando, Russ. Não quero te decepcionar.

Ele cruza as pernas, me puxa e me coloca no colo. A sensação do seu toque já me faz sentir melhor. Depois de beijar minhas pálpebras, orelhas e bochechas, minha respiração começa a acalmar.

— Você jamais vai me decepcionar, Aurora, e não precisa fazer nada além de ser você mesma. Sei que está sofrendo e quero te ajudar, mas se quiser que eu fique de olho nas crianças, você precisa ficar também. Porque, se for embora, eu vou também. Nós todos precisamos de você e queremos você aqui.

— Meu pai vai se casar — sussurro, me engasgando com as palavras. — E só quer que eu esteja lá pra uma matéria de revista, para não parecer que a família está brigada.

— Foda-se o seu pai. — Ele segura meu rosto e se afasta para me encarar. — Você não precisa deixar ele te magoar mais, meu bem.

Meu lábio inferior treme.

— Eu só quero que alguém me queira por perto.
— Tem um monte de gente que quer você por perto. Vamos ficar. Vou te mostrar quanta gente quer você aqui.
— Eu gosto de quem eu sou quando tô com você, mas e se você for embora também? Quem eu vou ser?
— Confia em mim? — pergunta ele, segurando meu rosto com cuidado.
Mesmo com lágrimas caindo, eu assinto. Confio nele. Também estou com medo.
— Eu não vou a lugar nenhum, mas você não precisa de mim, Aurora. Você é forte, gentil e engraçada. É inteligente e carinhosa e é tudo isso mesmo sem a minha presença. Não precisa de ninguém além de si mesma, mas sou seu mesmo assim. Também tenho medo de estragar tudo, mas precisamos confiar em nós mesmos como confiamos um no outro.
— Não sei dobrar meus shorts que nem você.
— Então — diz ele, encostando a testa na minha. — Não vá. Não fuja desse lugar que faz você se sentir em casa. Da família que você escolheu.
Os lábios de Russ encontram os meus, macios e gentis, como se eu fosse quebrar se ele for mais intenso. Seus dedos descem pela minha coluna e, aos poucos, a tensão se esvai. Passo os braços ao redor do seu pescoço e me afundo nele, girando meu quadril até nos encaixarmos.
— Por favor, me mostra quanto você me quer — sussurro. — Preciso me livrar desse sentimento ruim. Quero me sentir bem.
Se não estivesse tão distraída com a minha vida destruída, teria mais tempo para ficar impressionada com a facilidade com que Russ se levanta do chão enquanto estou agarrada nele. Ele empurra a mala da cama e me deita devagar no colchão antes de vir por cima de mim.
O peso do seu corpo no meu faz mais do que acabar com a ansiedade que me domina. Ele tira a camiseta e espera enquanto passo os dedos pelo seu peito, sentindo o coração bater na palma da minha mão. Em seguida, tiro a camiseta, depois o short, então faço o mesmo com ele. Ainda há algumas peças de roupa entre nós, mas a pressão dele entre as minhas pernas me dá um arrepio no corpo inteiro.
Ele beija a minha testa.
— Quero você inteira, Aurora.
Depois, o meu nariz.
— Quero seus sorrisos.
Minha mandíbula.
— Suas risadas.
Minha clavícula.

— Quero o jeito como você tagarela quando fica nervosa.

Meu colo.

— Quero as reações exageradas e as discretas.

Minha barriga.

— Quero ver você ficar frustrada com origami, mas continuar fazendo porque isso te deixa feliz.

Meu umbigo.

— Quero proteger você de gambás e tubarões e às vezes até de você mesma.

Finalmente, meu quadril.

— E quero você porque você vale a pena, meu bem. Você me faz bem também.

Russ se senta ao mesmo tempo que eu, me deixando beijá-lo com vontade, dando tudo de mim. Ele segura meu pescoço e me mantém perto.

É nessa hora que ouço Jenna gritar meu nome do lado de fora da cabana.

E a porta abre antes que eu consiga gritar para ela esperar.

Capítulo trinta e um
AURORA

Já fui pega fazendo coisas que não deveria muitas vezes na vida.

Quando tinha sete anos, empurrei Elsa na piscina dos meus avós porque ela disse que fui abandonada por alienígenas.

Quando tinha doze anos, fui mandada para a detenção por ter dado um soco em outra criança, mas fui pro shopping porque achei que não era uma punição justa. Essa foi duplamente ruim porque eu também não tinha permissão de ir pro shopping.

Quando tinha quinze anos, fiquei chapada pela primeira vez na piscina de casa, o que foi uma péssima escolha de lugar, principalmente porque minha mãe estava em casa e me pegou.

Quando tinha dezessete anos, os paparazzi tiraram uma foto minha saindo de uma balada em que não devia poder entrar, completamente bêbada, com Connor James, filho do arqui-inimigo do meu pai.

Basicamente, tudo que fiz com Connor James não deveria ter feito. Tirando o acidente com o iate, porque continuo achando que aquilo não foi minha culpa.

Por pior que tudo isso tenha sido, as consequências nunca foram graves. Algumas testas franzidas, alguns olhares decepcionados e talvez um pequeno sermão sobre segurança, mas eu sabia que nada ia acontecer e era por isso que continuava fazendo.

Jenna arregala os olhos, parada na porta.

— Merda — diz Russ simplesmente enquanto tenta pegar algo para me cobrir. Na verdade, ele deveria estar mais preocupado com a ereção imensa na cueca.

Jenna ainda está segurando a maçaneta da porta, o que faz com que ela feche a porta mais rápido. Não há muito o que fazer quando minha mente está tomada por um sentimento de pânico e desespero.

— Merda, merda, merda — repete Russ enquanto pega suas roupas. — Vai ficar tudo bem. Não entra em pânico.

— Não estou em pânico — respondo, vestindo o short.

— Estava falando comigo mesmo.

Suas mãos estão tremendo ao tentar calçar os tênis, e eu o guio para se sentar na cama. Eu deveria estar com mais pressa; até agora só vesti o short, mas Jenna está fervendo de raiva lá fora pelo tempo necessário para eu acalmar o Russ.

Sei que ele odeia se meter em encrenca por causa do pai, e esse é o tipo de situação que estava tentando evitar desde o primeiro dia. Considerando que eu estava em crise cinco minutos atrás, parece que tudo que precisava para sair dessa era ver o Russ com uma expressão de medo.

— Não tem problema. Somos adultos, não estávamos responsáveis por nenhuma criança, e a Jenna sabe que a gente transou antes de vir pra cá. Russ, me escuta: na pior das hipóteses, a gente vai embora algumas semanas antes. Juntos. Não vai acontecer nada nem precisamos contar pra ninguém, podemos nos esconder em qualquer lugar do mundo. Fazer algo errado não quer dizer que você é uma pessoa ruim. Seu pai é um mentiroso; você não é nada do que ele diz.

Parece engraçado estar dando conselhos sobre pais, mas é isso que faz o Russ ser tão importante pra mim. Nós dois temos problemas, nós dois estamos tentando melhorar, e nós dois estamos desesperados para encontrar alguém que nos queira como somos.

— Por que ela veio para cá?

— Eu não sei, de verdade.

Vou me preocupar com isso quando estiver completamente vestida.

Quando saímos da cabana, Jenna está na varanda, fazendo carinho na Peixe. Ela não fala nada ao se levantar e limpar os pelos de cachorro da calça. É como um desafio de quem consegue ficar em silêncio por mais tempo, e eu estou prestes a desistir, mas Jenna é mais rápida.

— Seus pais estão aqui.

Russ e eu nos entreolhamos, confusos. Ele pigarreia.

— Os pais de quem?

Jenna cruza os braços e, nossa, ela está muito puta.

— Dos dois. Russ, o seu pai está aqui, e a sua mãe também, Aurora. Estão esperando na recepção.

A palavra "confusa" não é o suficiente para descrever como me sinto enquanto caminhamos em silêncio até nossos pais. Russ está completamente pálido, e eu queria poder consolá-lo, mas não posso piorar a situação com a Jenna.

Minha mãe já está do lado de fora do prédio quando chegamos. Não consigo ver o pai do Russ. Jenna e Russ continuam andando, e sinto como se estivéssemos sendo separados.

— Russ! — grito, fazendo ele parar e olhar para mim.

Corro até ele e lhe dou um abraço apertado.

— Se ele for mau com você, vá embora. Vou te esperar aqui.

Ele beija o topo da minha cabeça e não fala nada, só continua atrás da Jenna. Eu me viro para minha mãe.

— Vai me contar por que apareceu aqui sem avisar?

Minha mãe odeia a natureza, e além disso está vestida como se fosse fazer compras em Saint-Tropez, e não o que quer que tenha vindo fazer aqui.

— É dia de visita. Achei que a gente podia dar uma volta juntas — responde, como se não fosse nada de mais.

Isso me deixa desconfiada na hora.

— Você veio de Malibu até aqui pra gente dar uma volta?

— Foi o que eu disse, Aurora.

O que tenho a perder?

— Ok.

Nossas opções de passeio são limitadas, porque minha mãe decidiu usar seus Louboutin em vez de um tênis, então eu a levo até o lago para andarmos descalças na areia. Minha mãe joga conversa fora por vinte e cinco minutos enquanto vou ficando cada vez mais impaciente e frustrada. Ela não é do tipo que passeia na floresta, é mais uma mãe tipo vamos-comprar-sua-primeira-Birkin. Chegamos na marca dos trinta minutos, e estou no meu limite de suspeitas e confusão. Paro ao lado de duas cadeiras que foram deixadas para trás e me sento.

— Preciso saber por que está aqui, porque ver você fingindo que gosta de andar está me tirando do sério.

— Eu amo caminhar na praia. É uma das minhas atividades favoritas — diz ela, na defensiva.

— Claro, em casa. Ou no Caribe. Não aqui, desviando de gravetos e sabe-se lá Deus o quê.

— Você sempre desconfia das pessoas. Com certeza puxou isso do seu pai. Ele sempre foi assim.

Uma lâmpada acende na minha cabeça.

— Você sabe, não sabe? — digo quando ela se senta ao meu lado e encara o lago. — Por isso veio para cá. Quando ele perguntou se eu estava em casa, te contou que ficou noivo, não foi?

Em meio ao furacão da última hora, esqueci completamente a origem da minha tristeza. Ela entrelaça os dedos nos meus.

— Achei que você fosse ficar chateada e queria estar aqui pra te apoiar. Não queria deixar tudo para a Emilia.

— Você sabia o que ele ia falar pra mim?

— Não, mas imaginei o que seria. — Ela acaricia minha mão com o polegar. — Seu pai é um babaca, Aurora, nada mais, nada menos. A probabilidade de dizer algo cruel era mais alta do que a de eu chegar aqui e te encontrar feliz da vida.

Minha relação com meu pai sempre foi uma pedra no meu sapato. Eu me pergunto se é frustrante pra minha mãe me ver lutando pela atenção de alguém que ela odeia tanto. Não costumamos falar muito do meu pai, e preciso dar o braço a torcer: ela só costuma falar coisas ruins na cara dele.

— Por que ele não gosta de mim, mãe? Ele não me trata como filha.

— O seu pai é... Não sei, meu amor. Quando a gente casa com alguém, acredita que sabe tudo sobre a pessoa, mas elas mudam. Seu pai mudou. Primeiro foram pequenas coisas, como o jeito que ele falava sobre alguns assuntos, como tratava as pessoas. Depois que a Elsa nasceu, ele voltou a ser o homem com quem me casei. Era maravilhoso com ela, e ela sempre o idolatrou.

A vontade de fazer minha mala está voltando.

— Deve ter sido bom.

— Não durou muito, e ele voltou a ser rude com todo mundo, comprando brigas por nada, chegando tarde em casa. Nosso casamento foi se desgastando, e cansei de sentir que estava sempre em guerra. — Ela se mexe, e eu aperto a mão dela, pedindo que continue. Ela nunca foi tão honesta sobre sua relação com o meu pai, e quero saber de tudo. — Você sabe dessa parte, mas nós deixamos a Elsa com sua avó e viajamos para ver a aurora boreal, finalmente longe do mundo inteiro, e ficamos bem de novo. Algumas semanas depois, descobri que estava grávida de você, e ele ficou tão feliz.

— Ah, então houve uma época em que ele ficou feliz por eu existir. Antes de eu nascer.

— Você parecia uma bonequinha quando nasceu. Era absolutamente perfeita. Nunca chorava, dormia o tempo todo e amava ficar no colo. Eu era obcecada por você. Mas a Fenrir estava consumindo todo o tempo livre do seu pai, e eu não queria viajar enquanto você era tão pequena, então passamos muito tempo distantes um do outro. À medida que você foi crescendo, não se parecia com ninguém da família Roberts, e seu pai ficou cada vez mais distante.

— Distante? Por quê?

— No começo foi bem sutil. Ele comentava como seu cabelo era loiro e o da Elsa era castanho-escuro, como seus olhos estavam ficando verdes. Todo mundo na família dele se parece, e você era uma exceção. Você se parecia comigo.

Sinto um nó no estômago, e tudo se encaixa.

— Ele acha que não sou filha dele.

— Ele nunca disse isso com todas as letras, mas houve uma época em que eu tive certeza de que era isso. No começo ignorei porque achei que, quando você ficasse mais velha, vocês iriam conseguir formar uma conexão e superar essa distância. — Minha mãe limpa uma lágrima da bochecha. — Queria que tivesse sido assim. Poderia ter resolvido tudo com um teste de DNA e algumas sessões de terapia de casal. Porém, quando ele começou a tratar sua irmã do mesmo jeito, percebi que estava buscando respostas que fizessem sentido pra mim, algo que eu pudesse controlar, mas o problema sempre foi ele.

Ela respira fundo e continua:

— Nós brigamos sem parar. Odiava o fato de ter começado uma família com um homem que tratava as filhas como se fossem uma inconveniência. Parecia que eu estava de luto pelo meu marido, mas ele não tinha morrido: só não era mais o homem que eu conheci. Você percebeu. Mesmo quando era pequena, sabia que tinha algo errado. Elsa começou a se rebelar para chamar a atenção dele, o que funcionou, então você foi pelo mesmo caminho. Achei que iria melhorar quando viajássemos juntos, mas, no fim, acho que só piorou.

Fico sentada em silêncio, com medo de falar e interromper todas as respostas que sempre quis.

— No começo eram coisas inocentes. "Papai, olha isso", e vocês esperavam, empolgadas, mas quanto menos funcionava, mais faziam. E eu não podia brigar com vocês, mandar se comportarem, porque a culpa não era de vocês. Eram só crianças que não sabiam o que tinham feito de errado. Que não entendiam... — Sua voz falha. — Me desculpa, Aurora. Desculpa por você se sentir assim porque não fomos melhores. Eu larguei seu pai quando percebi que ele nunca iria mudar, mas era tarde demais. O estrago estava feito.

— Então a resposta para as minhas perguntas é algo que já sei? Que ele não é uma boa pessoa?

— Nunca fingi ser perfeita. Sei que temos nossas diferenças, mas eu te amo o bastante por nós dois. — Ela se levanta, limpando a poeira invisível da calça. Os sapatos na mão parecem completamente perdidos ali. — Você é adulta, Aurora. Não posso te dizer o que fazer e, mesmo se dissesse, duvido que fosse me ouvir, mas por lei seu pai precisa pagar pela sua educação e custos de vida até você ter acesso ao fundo fiduciário. Isso não quer dizer que você precisa vê-lo. Faça o que quiser com essa informação.

Sinto como se tivesse recebido uma vida inteira de dados em minutos e estou exausta.

Como a minha mãe, sempre busquei um motivo. Procurei, desesperada, por respostas que talvez explicassem questões que eu pudesse entender e consertar. Acho que não dá para consertar uma falha de caráter.

Eu me levanto também e sigo minha mãe até a estrada principal, ajudando-a a calçar os saltos quando chegamos no cascalho.

— Quer ficar mais um pouco? Emilia deve estar por aqui em algum lugar.

— Não posso, querida. Preciso voltar pra casa e fazer companhia ao Gato. Ele deve estar se perguntando onde estou.

Esqueci o gato.

— Esse bicho existe mesmo? Ou é alguma brincadeira sua pra me forçar a fazer uma visita?

Ela revira os olhos e enfia a mão na bolsa para pegar o celular. Ali está, no plano de fundo, a foto de um gato preto magrelo, deitado em um mar de almofadas na...

— Por que ele tá na minha cama?

— Você tem a própria casa, Aurora. Não pode esperar que aquele quarto fosse seu para sempre.

— Tá de brincadeira, né? Outro dia estava me chamando para voltar a morar lá!

Ela bufa ao guardar o celular na bolsa.

— Tenho certeza de que, se você trouxer um pouco de salmão defumado da próxima vez que vier nos visitar, ele aceita dividir a cama.

Deixei minha mãe com Emilia, e Xander recebeu instruções bem claras de não dar em cima dela. Ele tinha feito algumas piadas sobre se tornar meu padrasto quando descobriu que minha mãe é uma versão mais velha de mim, e não quero arriscar. Dou permissão para Emilia encher o Clay de porrada se ele sequer olhar para a minha mãe.

Quando estou me aproximando do escritório de Jenna, sei que vou odiar essa conversa.

Honey Acres tem sido uma grande parte da minha vida há um bom tempo, e sei que ser demitida quer dizer que não vou poder voltar nunca mais. Na verdade, devia ter pensado melhor sobre isso antes de começar a me envolver com o Russ. Não vou mentir: nunca achei que a regra de relacionamentos fosse levada a sério, mas depois de ter sido ignorada mais cedo, acho que errei.

Mas alguns riscos valem a pena, e, se pudesse voltar no tempo, não mudaria nada. Russ me disse que não mudaria nada no passado porque não queria arriscar nunca ter me conhecido, então, se o meu destino for ser demitida do lugar que mais amo no mundo, pelo menos vou ficar com as minhas borboletas no estômago.

Bato na porta e sei que Jenna está lá dentro porque dá pra ouvir a trilha sonora de *Mamma Mia!*. Nunca bati na porta antes de entrar no escritório dela, então não sei por que comecei agora. Talvez porque saiba que é melhor não deixar ela mais irritada. Bato mais uma vez, um pouco mais forte, e ela finalmente grita que posso entrar.

Ao me ver, sua expressão é de que quer me cortar no meio. Consigo ver que ela não está com raiva, e sim decepcionada.

— Jenna, me desculpa.

— Não me pede desculpa por algo de que não se arrepende, Rory. Você sabia exatamente o que estava fazendo quando quebrou as regras, e agora me colocou em uma situação muito difícil.

— Por favor, não demite o Russ, Jen — digo, desesperada, me sentando do outro lado da mesa. — Ele não merece perder esse emprego porque eu o convenci a ignorar as regras.

— Vocês dois são adultos responsáveis pelas próprias decisões. — Merda. — Quando isso começou?

Quero mentir. Talvez se eu disser que começou hoje porque eu estava triste seja mais fácil para ela processar, e não vai ser tão severa. Mas a Jenna significa demais para mim e não quero traí-la mais do que já fiz.

— No dia da tempestade.

Ela balança a cabeça e a apoia nas mãos.

— Seus malditos pseudoadultos cheios de hormônios, vão me deixar louca. Não vejo a hora de vocês voltarem pra faculdade e irem causar problemas pra outra pessoa. Eu tô muito puta, Aurora.

— Eu sinto muito mesmo, Jenna. Vou embora sem fazer drama, prometo. Mas, por favor, não demite o Russ. Ele vai ficar arrasado se perder esse emprego. Ele não merece, juro.

— Pode parar com a *mea culpa*? Está me deixando com dor de cabeça e já estou com enxaqueca por ter visto um homem seminu deitado em cima de você e depois ter que olhar nos olhos da sua mãe.

— Eu sinto…

— Para com isso e vai trabalhar, por favor. Não, me traz uma limonada e depois vai trabalhar.

Eu levanto as sobrancelhas. Ela bufa, cruza os braços e se recosta na cadeira.

— O quê? Está achando que você é especial? Se fôssemos demitir todo funcionário que já transou aqui, não teríamos mais funcionários.

— Mas eu achei…

— Eu vi o Russ na noite da tempestade, Aurora. Sabia que você ia ficar com medo, então fui até a sua cabana. Eu o vi nos pés da escada, na chuva, provavelmente falando sozinho até finalmente bater na porta. Foi aí que eu entendi.

— Entendeu o quê?

— Quanto ele gosta de você. — Ela suspira. — E entendi que você não estava só ligando o foda-se pras regras.

— Eu também gosto dele.

— Somos uma família, Rory. Você sempre vai ter um lar aqui, mesmo quando faz coisas que me dão vontade de te estrangular. Não vou escrever um relatório como deveria, mas isso não é um passe livre pra fazer o que quiser até o fim do verão, entendeu? Continuem se escondendo por aí até eu me livrar de vocês. Não quero ouvir mais nada.

Família.

— Eu te amo, Jen.

— Eu te amo também. As pessoas nem sempre deixam você se safar das coisas porque não se importam. Eu vou te livrar dessa porque você merece ser feliz. Merece sentir e acreditar que é amada e gostar disso, porque muita gente te ama, Rory.

— Tive uma baita conversa sincera com a minha mãe hoje. Muitas coisas fizeram sentido agora, especialmente sobre o meu pai.

Ela se levanta e vem me abraçar.

— *Pai* é uma palavra. Não significa nada a menos que tenha ação e intenção por trás dela. Ele é só um babaca com metade do seu DNA. Só isso. A gente não precisa dele. Você está ótima sem ele e merece coisa bem melhor.

Jenna beija o topo da minha cabeça e volta a se sentar.

— Ok, acabou o momento. Vaza. E, só pra você saber, vai limpar a estrebaria durante o resto da semana. Leva o bonitão. Vocês dois me estressam.

Não foi assim que imaginei que essa conversa ia terminar e estou saindo daqui completamente confusa, mas grata, porque nem eu nem o Russ precisamos ir embora. Se tiver que lidar com merda de cavalo para ter certeza de que a Jenna não está chateada comigo, que seja. Quando abro a porta do escritório, lembro de mais uma pergunta que quero fazer antes de voltar.

— Espera, quem mais tá se pegando?

Ela passa os dedos pelos lábios, imitando um zíper.

— Você perdeu os seus privilégios de fofoca. Não devia ter arrancado as calcinhas.

Por mais que ela tenha razão, fico feliz por ter feito isso.

Capítulo trinta e dois

RUSS

Estamos sentados na mesa de piquenique há cinco minutos, e nenhum dos dois abriu a boca.

Meu pai parece melhor do que na última vez que o vi, mas não estar deitado em uma cama de hospital cheio de fios já ajuda. Sabia que era bom demais para ser verdade. Sabia que o silêncio não ia durar, mas tenho que admitir que nunca imaginei que ele iria aparecer aqui.

— Não sei por onde começar, Russ — diz ele.

Não me lembro da última vez em que nos sentamos juntos em um lugar normal. Queria saber quanto tempo ele vai ficar para poder fazer uma contagem regressiva.

— Por que não começa me falando por que você tá aqui? — digo em um tom seco.

Não sou de me irritar com facilidade, mas estar perto do meu pai mexe com as minhas emoções. É como se eu tivesse que me tornar uma pessoa completamente diferente para lidar com ele.

— Muita coisa aconteceu desde a última vez que nos vimos. Sua mãe mexeu no meu celular e descobriu tudo que eu estava escondendo dela. Agora ela entende como as coisas estavam ruins, como eu tratava mal as pessoas, como te tratava. Ela me expulsou de casa.

Estou em choque.

— Por que não fiquei sabendo disso?

— Porque ela disse que devíamos deixar você curtir o seu verão sem estragar tudo. Sem que eu estragasse tudo. Queria ter te ligado no seu aniversário, pedir desculpas pelo que eu fiz, mas ela falou que era melhor não. Ela disse que você merece ter tempo e espaço pra se curar dos problemas que causei à nossa família.

Não digo nada. Não sei se porque ele me pegou tão de surpresa que não sei o que dizer, ou se meus instintos estão me mandando esperar e ver o que vai acontecer. Esperar meu pai revelar suas verdadeiras intenções.

— Então por que veio para cá agora? Não tenho dinheiro pra te dar, e não pode ficar aqui comigo. Não posso fazer nada por você.

— Não quero nada, Russ — diz ele. — Vim aqui pra conversar. Nós dois sabemos que eu já tomei coisas demais de você. Cometi muitos erros na vida, acabei com relacionamentos. Eu me arrependo de muita coisa, mas meu maior arrependimento é ter magoado você, sua mãe e seu irmão.

Sei que todo mundo tem falhas e meu pai vive todos os dias da vida mostrando as suas.

Sei que minha experiência não é um padrão. Não é um roteiro para o desenrolar das coisas. Já conheci pessoas cujos pais eram tão atenciosos, tão amorosos, tão cheios de culpa que nunca nem descobriram que algo estava errado. A raiva que sinto não é das pessoas que têm problemas de vício. Já estudei as estatísticas, pesquisei sobre casos específicos, li as histórias de luta pessoal e senti empatia por todos. Bem lógico, né?

Meu coração sempre me disse para deixar a lógica de lado. Meu pai não devia ter deixado o vício derrotá-lo, devia ter se esforçado mais. Não porque ele seja melhor do que todo mundo que luta contra seus demônios invisíveis, e sim porque é meu pai. É o meu pai e eu precisava dele, e ele nem tentou, nem se importou. Só se importou consigo mesmo, seus desejos e seus impulsos, e continuou assim até que a raiva, o arrependimento e o rancor viessem que nem um tsunami, e quando ele ficou preso nas ondas, nos levou junto.

Pigarreio e o encaro. Não sou mais um garotinho assustado, não preciso me encolher na frente dele.

— Ainda não entendi por que tá aqui, pai.

— Na última vez em que a gente se viu, você disse para eu dar um jeito na minha vida. Queria te falar pessoalmente que é isso que vou fazer. Sei que não deve acreditar em mim, ou que talvez as coisas tenham chegado a um ponto em que já não se importa mais. Mas vou dar um jeito em tudo. Não quero mais viver assim. Quero minha família de volta. Quero minha vida de volta. Quero ser alguém que você possa admirar.

Eu deveria estar feliz que ele finalmente diga tudo que sempre quis ouvir. Que ele queira mudar. Que ele saiba que o que fez foi ruim. Que saiba que machucou as pessoas. Mas só consigo pensar em como são só palavras e que, ditas na ordem certa, fazem você acreditar que são reais, mas ele sempre foi bom nisso. Por isso que a minha mãe demorou tanto para entender tudo.

Às vezes, existe um equilíbrio delicado entre dedicação e desespero, e é por isso que sei que meu pai está no que as pessoas chamam de fundo do poço. O vício é uma doença, um jogo sem vencedores. Todo mundo sabe que a casa sempre ganha. Pode ser nessa mão, ou talvez na próxima. Pode demorar uma corrida ou vinte. Pode ser naquele último lance nos dados, mas em algum momento a casa vai ganhar e, quando isso acontecer, não vai sobrar nada.

Acho que meu pai já perdeu tudo, e perceber isso acalma um pouco a minha raiva.

— Espero que você melhore, pai. De verdade. Mas não é só vir aqui e dizer que vai mudar. Precisa fazer alguma coisa. Precisa fazer um esforço consciente para buscar ajuda e tirar as tentações da sua vida.

— Vou fazer isso — diz ele, firme.

— Como?

— Não sei.

Massageio as têmporas e tento não suspirar, porque não quero que ele pense que não estou levando isso a sério.

— Há programas para pessoas como você, já li sobre isso. São anônimos e gratuitos. Pode começar por aí, sempre tem um panfleto em algum quadro de avisos.

— Vou fazer isso. Vou procurar assim que voltar. Escuta, Russ, sei que não fui o pai que merece. Você teve que trabalhar muito, sacrificar muitas coisas e lidar com tudo sozinho porque não enfrentei os meus problemas. Não posso mudar o passado, mas posso me certificar de que isso não volte a acontecer. Se tiver ajuda por aí, vou encontrar.

Acho que ele está esperando que eu faça uma grande declaração de que vai ficar tudo bem e de que tenho fé de que ele vá melhorar, mas só acredito vendo. Espero que ele esteja falando sério, mas parece bom demais para ser verdade. Uma pequena parte de mim está preocupada com a possibilidade de já ter acontecido coisa demais para eu perdoá-lo, de que todo mundo vá seguir em frente e eu vá continuar preso ao passado, sofrendo.

Alguém consegue ter tudo o que quer na vida? Passei anos lidando com tudo sozinho, e, em tão pouco tempo, tanta coisa mudou.

O plano de falar mais sobre os meus sentimentos nesse verão está funcionando, e isso me encoraja a ser sincero com o meu pai.

— Seria bom sentir que somos uma família de novo. Se você melhorar, não seria tão difícil ficar por perto. As suas mudanças de humor constantes me deixam ansioso.

Ele assente com os olhos cheios de lágrimas. Parece que vai dizer mais alguma coisa, mas, em vez disso, dá dois soquinhos na mesa e se levanta.

— Vou te deixar em paz agora. Esse lugar é lindo. Está gostando de trabalhar aqui?

Assinto.

— Amando.

— Estou orgulhoso de você, Russ. Está construindo uma bela vida, apesar de tudo que te fiz passar. — Parece que ele vai se aproximar para um abraço, mas se contém e oferece um aperto de mão. — Te vejo em breve, filho.

— Tchau, pai.

Fico sentado sozinho à mesa de piquenique por mais vinte minutos. Pensando, processando, me perguntando se esse pode mesmo ser o começo da mudança que eu sempre quis.

Enfim, me lembro do que aconteceu e vou procurar a Jenna. Parece que tivemos mais confusão hoje do que no verão inteiro.

Sei que fiz merda e sei que a Jenna tem todo o direito de me demitir por causa do que viu, mas espero que isso não aconteça. Mais cedo, achei que ser pego no flagra era a pior coisa que poderia acontecer no acampamento. Mas aí meu pai surgiu em uma visita surpresa, e agora a sensação é que essa era a pior coisa que poderia acontecer comigo no acampamento. Encarar a Jenna não parece mais tão assustador.

Quando bato na porta do seu escritório, percebo que uma pessoa esperta teria ficado quieta e torcido pelo melhor. Parece que não sou mais uma pessoa esperta. Mas não vou conseguir fazer nada enquanto espero, me perguntando se preciso arrumar as malas ou não.

— Que bom te ver vestido — diz ela, quando entro no escritório.

Sinto um calor no rosto e nas orelhas.

— Estive tentando pensar em algo para justificar por que eu, ciente de todas as regras, ainda assim escolhi ignorá-las, mas não consigo pensar em uma desculpa boa o bastante, então não vou desperdiçar o seu tempo. — Ela cruza os braços e se recosta na cadeira, me encarando com um olhar de desafio. — Nunca imaginei que alguém como a Aurora sequer olharia para mim um dia e vou agarrar essa oportunidade com todas as forças. Sei que você ama a Aurora, Jenna. Só quero fazer ela feliz.

— Você não pode fazer isso vestido? — pergunta ela. — Aqui é um local de trabalho, não uma fraternidade.

— Passei a vida toda seguindo as regras. Mantive a cabeça baixa, escondi minha história e meus segredos e fiz o melhor que pude para lidar com os meus problemas sozinho. A Aurora me faz não querer ficar mais sozinho. Sinto muito ter quebrado as regras, mas não me arrependo e faria tudo de novo para ficar com ela mais uma vez. Sou muito grato pela oportunidade que a sua família me deu, mas sou ainda mais grato por ela.

— Vocês me estressam demais, não aguento. — Jenna esfrega as têmporas e resmunga alto. — Quero que todo dia você pare e pense sobre as coisas que fazem você se sentir grato nessa vida. Todo santo dia. Se a Aurora não estiver na sua lista, quero que descubra o porquê e dê um jeito nisso. Se não tratar aquela menina como a melhor coisa que já aconteceu na sua vida, você não a merece. Entendido?

— Sim.

— Ela tem um coração muito bom, mas está magoada. Quando você passa muito tempo se autodestruindo, às vezes alguns pedaços não se encaixam mais. Ela vai precisar de tempo e paciência.

— Eu entendo.

— Que bom. Agora cai fora. Vai trabalhar e me deixa esquecer essa história.

— Não estou demitido?

— Por enquanto, não. — Ela me expulsa com um gesto. — E, Russ, fique sabendo que tenho centenas de lugares para esconder um corpo caso faça mal a ela. Temos terras que você nunca nem viu. Nunca vão te encontrar.

Jenna é meio assustadora, e eu acredito completamente nas suas palavras.

— Entendido.

Capítulo trinta e três

RUSS

Todo dia, faço o que a Jenna disse e penso sobre as coisas pelas quais sou grato.

Na maioria dos dias são coisas pequenas, como as crianças terem se divertido ou uma boa noite de sono. Fico grato quando abro o grupo de mensagens com meus amigos e vejo que todos estão empolgados para me ver, ou quando passo mais um dia sem receber um pedido de dinheiro do meu pai.

Todo dia sou grato pela Aurora, por ver como ela fica feliz em deixar que as crianças a empurrem no lago pela milésima vez, ou ouvir que o gato da mãe dela pode ter sido roubado de uma vizinha. Sou grato pelo sorriso que recebo dela quando ela me vê de manhã, quando paro na sua cabana no fim da corrida, ou pelo beijo que conseguimos roubar, escondidos do grupo.

Sou grato por Jenna não ter nos mandado embora e sou grato por Xander e Emilia por ajudarem com nossos encontros escondidos.

Refletir sobre o meu dia, apreciar o que tenho e o que aprendi tem me ajudado a não ficar triste pelo fato de que está quase na hora de partir.

Mas hoje, no meio do palco, em frente a todos os campistas de Honey Acres, estou grato pelo show de talentos estar quase acabando.

Estou acostumado a ouvir as pessoas gritarem e aplaudirem, mas geralmente estou no gelo, rodeado de colegas de equipe, e é fácil bloquear tudo ao meu redor. Não é tão simples assim quando estamos apenas eu, Xander e os cachorros em um palco que Xander não quer abandonar tão cedo.

Sei que meu rosto está vermelho que nem um tomate quando desço, assobiando para os cachorros me seguirem, na esperança de que isso faça Xander se mexer. Sem a determinação da Aurora para montar algo bom de verdade, Xander e eu só começamos a planejar nossa apresentação no dia anterior. Agora que terminamos e posso parar de me preocupar com isso, sou grato por Peixe, Salmão e Truta estarem dispostos a qualquer coisa por um pedaço de bacon.

Eles fizeram todos os truques perfeitamente, e tenho certeza de que ninguém faz ideia de como o planejamento da apresentação foi desorganizado e caótico.

— Arrasamos — diz Xander quando nos jogamos nos assentos no fim da arquibancada. — Falei que ia dar certo. Pode admitir que eu tinha razão.

— Você tinha razão.

Todos os Ursos-Pardos foram incríveis, e, agora que não estou me apresentando, reconheço que esse é um ótimo jeito de encerrar o verão.

As palmas recomeçam quando o resto do nosso grupo sobe no palco. Aurora está usando o vestido que eu amo: amarelo com florzinhas e alças finas fáceis de tirar. O cabelo está cacheado, com uma faixa impedindo que caia no rosto, e ela está linda.

Maya fica na posição ensaiada, atrás de Emilia, e coloca as mãos na sua cintura enquanto Clay para atrás de Aurora e coloca as mãos na cintura dela. Quando a música começa, só consigo ouvir Xander rindo.

— Queria poder tirar uma foto da sua cara agora. — Ele tenta disfarçar cobrindo a boca, mas quando lhe lanço o olhar mais enfurecido que consigo, só pioro a situação. Batemos palma para apoiá-los, mas toda vez que Clay toca em Aurora, Xander começa a rir de novo e me irrita cada vez mais. — Desculpa, cara, mas é muito engraçado. Ela não te contou?

— Você teria me contado se fosse ela?

Perguntei várias vezes como estavam indo os ensaios, mas ela só dizia para eu "parar de tentar nos copiar, Callaghan" e mudava de assunto. Se fosse qualquer outra pessoa, não ficaria com ciúme. Truta sobe no meu colo e me escala, deitando no meu peito. Ela está tão grande e pesada que agora cobre todo o meu torso. Outra coisa pela qual sou grato é a presença dela, porque isso me impede de descer até o palco e arrastar Aurora dali como se eu fosse um homem das cavernas.

Ela parece estar se divertindo muito, e me forço a me concentrar nisso e em quanto ela está bonita tentando acompanhar os passos da Emilia, que é obviamente a única pessoa naquele palco que teve um treinamento profissional em, hum, ritmo.

A música termina, e o resto da arquibancada grita e aplaude, mas Xander se aproxima e fala com um sorriso no rosto:

— Nossos aplausos foram mais altos.

Sei que não há motivo para sentir ciúme — do toque, não dos aplausos —, mas a dança termina com Aurora nos braços de Clay e estou oficialmente emburrado. Ela está com um sorriso largo no rosto quando desce do palco e vem na minha direção. Forço um sorriso quando ela se aproxima, mas de cara vejo que ela está segurando o riso ao me ver.

— Você tá bem?

— Esse é o sorriso mais falso que já vi na minha vida, Callaghan — diz Emilia, pegando nossas garrafas d'água. Maya e Clay aparecem logo depois. Ele parece muito satisfeito consigo mesmo. Emilia está tentando não rir. — Vamos pegar algo para beber. Alguém quer alguma coisa?

— Não, valeu — digo, e eles seguem em direção ao prédio principal.

Aurora senta no espaço vazio ao meu lado e se aproxima.

— Ficou com ciúme?

— Não — respondo, me concentrando na próxima apresentação. — Mas você sabe o que vai acontecer da próxima vez que estivermos a sós.

— Vou ao banheiro — diz Aurora em um tom estranho, se levantando e parando na minha frente.

— Tá bom — digo, mas ela não se mexe.

— Eu preciso muito ir ao banheiro — repete ela, com o mesmo tom estranho.

Estou oficialmente confuso. E respondo de novo:

— Tudo bem...

— Estou desesperada — diz ela, arregalando os olhos.

— Hum...

— Meu Deus, cara — Xander perde a paciência e fala baixo para que ninguém ao redor possa ouvir: — Ela tá dizendo que quer que você vá com ela até o banheiro. Provavelmente vai dar em sexo. — Ele olha pra ela. — Sexo?

Ela assente.

— Provavelmente.

— Maravilha — resmunga. — Fico muito feliz de ter feito parte dessa conversa. Agora vou ficar sentado aqui e morrer sozinho.

Ela aperta os lábios enquanto balança a cabeça para mim, tentando não rir. Xander me encara enquanto ela vai em direção ao lago, onde fica nossa cabana.

— Pare de me encarar. Acha que eu sei o que tô fazendo?

— Inacreditável. Vai logo curtir a porra do seu relacionamento. Cadê o meu romance de verão, hein?

Tento ser o mais discreto possível quando sigo na mesma direção da Aurora. Quero sair correndo, mas isso seria muito suspeito, e estou tentando não ser pego no flagra de novo.

Quando entro, ela está sentada na minha cama, folheando um livro meu. Seu rosto se ilumina ao me ver, e, em menos de um segundo, ela fica na ponta dos pés e me beija. Eu a levanto, e ela me abraça com as pernas, algo que praticamos muito quando ficamos a sós. Eu a apoio na parede ao lado da cama, passo as mãos por debaixo do vestido florido e pelos seus quadris, puxando o elástico da calcinha antes de chegar na cintura.

    Ela interrompe o beijo e apoia a cabeça na parede, um sorriso malicioso no rosto.

— Você tá fazendo a sua careta rabugenta.

    Eu a ignoro, beijando o pescoço dela enquanto minhas mãos descem pela curva dos seios. É fácil puxar o sutiã para baixo e brincar com seus mamilos duros. O corpo da Aurora reage do mesmo jeito sempre que toco nela, se esfregando em mim, em busca de fricção.

— Você vai me comer contra essa parede porque ficou com ciúme?

— Não. Vou te comer contra essa parede porque sentir meu pau em você é o mais perto que chego do paraíso — murmuro em meio à sua respiração lenta e ofegante.

    Ela morde meu lábio inferior, me provocando.

— E você tá com ciúme.

— Não tô, não. — Enfio os dedos por dentro da sua calcinha, movendo de um lado para o outro, e ela já está toda molhada. — Eu amo como você fica quando está comigo.

— Porque eu amo quando você me toca. Ainda mais quando tá com ciúme.

    Ela sorri, triunfante, porque sabe que me pegou. Então esfrego o polegar no seu clitóris inchado e vejo os olhos dela revirarem de prazer. Não repito o movimento, e Aurora se esfrega na minha mão.

— Não seja mesquinho só porque está com ciúme.

    Meu pau está pulsando dentro da bermuda, e mal começamos. Não posso negar que transar escondido tem sido um tesão. Os beijos roubados, toques secretos, os olhares que só nós dois entendemos. Mas, quando tudo que quero fazer é trancar a porta e mantê-la ali até ela esquecer tudo, menos o meu nome, voltar para a minha casa tem suas vantagens.

— Não preciso ficar com ciúme porque sou o único que te deixa molhada assim.

— Só você — concorda ela. — Ninguém mais importa. Me coloca na cama e deixa eu te mostrar.

    Eu a carrego até a cama e a deito ali. Aurora fica de joelhos e senta na minha frente, seus olhos fixos em mim enquanto abre meu cinto e tira minha bermuda. Minha cueca é a próxima, e Aurora imediatamente segura a base do meu pau com uma das mãos e coloca a língua para fora para sentir meu gosto.

    Ela coloca a mão livre entre as pernas enquanto desliza os lábios pela cabeça do meu pau.

— Cacete, Aurora — gemo, enfiando a mão no seu cabelo. — Que delícia.

Seus olhos verdes me encaram sob os cílios grossos. Tiro uma foto mental porque não há nada mais lindo do que vê-la de joelhos na minha frente. Tiro o cabelo do rosto dela e seguro firme, como ela gosta. Estou fazendo o que posso para não gozar rápido, mas Aurora está gemendo enquanto a mão e a boca trabalham para me engolir inteiro, e vejo a mão dela se mexendo freneticamente entre as coxas.

Sua língua me envolve antes de me levar até o fundo da garganta, e meus olhos reviram. Puxo seu cabelo com mais força quando estou quase lá, meu abdome tensiona, minhas bolas se apertam, e quando estou prestes a gozar, ela tira meu pau da boca e sorri para mim.

Não tem como descrever a sensação como nada além de desespero até ela se virar, sem uma palavra, e colocar o peito na cama e empinar a bunda bem na minha frente.

Acho que nunca apreciei a beleza de um vestido até agora. Pego uma camisinha da gaveta, visto e puxo o vestido para cima. Aurora me olha por sobre o ombro e puxo a calcinha dela para o lado de novo.

— Caralho, eu tô viciado em você — gemo enquanto a penetro devagar. — Viciado.

— Me mostra.

É rápido e forte. Meto com força enquanto ela quica no meu pau na direção oposta. Minhas mãos seguram as dela nas costas, o tecido amarelo do vestido que tanto amo preso no meio. Vejo seu rosto se contorcer de prazer enquanto ela geme meu nome cada vez mais alto.

— Mais.

— Quer mais?

— Sim, por favor, Russ. Mais. — Eu a seguro com mais firmeza, e suas unhas se enterram nas minhas palmas quando ela arqueia mais as costas para me sentir. Sua boca se escancara enquanto ela fecha os olhos, e sinto seu corpo tensionar. — Vai, não para.

— Cacete, Rory. — Vencedores da Copa Stanley. Pensa em vencedores da Copa Stanley. — Eu vou...

O grito da Aurora me interrompe, e seu corpo inteiro fica tenso e trêmulo, me levando ao clímax. Gozo tanto que estou com dificuldade para ficar em pé, mas ela está ocupada demais se contorcendo sob mim para notar.

Solto suas mãos e me inclino para beijá-la no meio das costas, depois atrás da orelha e, finalmente, na bochecha. Ela abre os olhos de novo.

— Eu disse que queria mais.

Ela é inacreditável.

— Muito bem, campeã — brinco com ela, mas ela ergue a mão trêmula pedindo um tapinha.

— Somos bons nisso, né?

— Diria que somos os melhores — digo, saindo dela com cuidado.

Ela pensa por um segundo.

— Hum, eu concordo.

Quando volto para a plateia, sei que estou com um sorriso bobo no rosto. Talvez seja algo permanente, porque não consigo imaginar não estar mais feliz assim.

— Acho que não digo o suficiente quanto te odeio — diz Xander quando me sento.

— Também vou ficar com saudade, amigão.

Hoje é a nossa última noite juntos, e mal posso acreditar em como o verão passou rápido. Vamos ajudar as crianças na saída amanhã, depois o dia será passado guardando os equipamentos e móveis antes da nossa partida, no domingo.

Depois de muita reflexão, Aurora decidiu ir pro casamento do pai quando for embora. Ouvi todas as vezes que ela foi e voltou na decisão, mas disse que finalmente bateu o martelo.

Quando ela me contou o que sua mãe disse, tudo ainda estava muito recente, e ela estava me explicando como se sente mais leve agora que finalmente entendeu que não fez nada de errado. Ela ficou tão emocionada, o alívio e os anos de dor acumulada se misturando, que não consegui responder direito às suas perguntas sobre meu pai.

Ainda me sinto culpado por ter minimizado o motivo de ele ter aparecido no acampamento. Ela sempre foi um livro aberto sobre suas ideias e seus sentimentos, e eu escondi a verdade completa dela. Eu disse que ele teve uma briga com a minha mãe e que estava tentando me pedir ajuda, o que é só a ponta do iceberg.

Ela me pediu várias vezes para contar a história completa. Sempre do mesmo jeito nervoso, com a promessa de ser paciente e compreensiva. Quando me perguntou no dia da visita do meu pai, a verdade estava na ponta da língua, mas depois de ouvir tudo que ela passou, desde a ligação com o pai até a visita inesperada da mãe, não quis sobrecarregá-la com os meus problemas.

Sabia que, se contasse tudo, ela iria gastar toda a sua energia tentando me ajudar a entender meus sentimentos em vez de se concentrar em lidar com os dela. Alguma hora vou contar tudo, mas quanto mais o tempo passa desde a visita do pai, menos tenho vontade de me abrir. A cada dia que passa e não recebo um pedido no aplicativo do banco, o assunto parece ser menos urgente e, para ser sincero, acho que ainda não estou preparado.

Aurora ama quando eu me abro. Eu amo fazer Aurora feliz. Mas dar o que ela quer porque eu lhe daria qualquer coisa é diferente de estar pronto.

Sei que um dia vou me sentir confortável o bastante para conversar sobre todos os problemas do meu pai. Agora que tive tempo para processar a visita, sinto uma fagulha de esperança crescendo em mim de que ele é capaz de arrumar a própria vida. É muita coisa para lidar, ainda mais vendo tudo de fora, e preciso conversar sobre isso quando souber o que está acontecendo. Se nada mudar, quero saber, em vez de me sentir envergonhado por ter criado esperança e ele me decepcionar de novo.

Minha família me gera um grande desgaste emocional, e eu quero poupá-la disso, ainda mais depois de tudo que ela passou nos últimos meses.

Aurora disse que queria usar o verão para fazer as escolhas certas pelos motivos certos, e decidir ir para o casamento porque quer estar presente em um evento familiar importante é a decisão certa para ela. Não é um impulso, não vem de um lugar de dor ou de más escolhas — ela quer ir.

Se decidir o contrário, não tem problema, porque ela está no controle da situação.

Mal consigo pensar em como uma conversa com o pai a fez entrar em um espiral de dor que a fez querer arrumar as malas e ir embora. Quero que ela faça o que a deixa feliz, e ela é uma adulta que pode tomar as próprias decisões. Ainda assim, acho que ela tem medo de fechar a porta do relacionamento com o pai, e não porque acha que ainda existe uma chance.

Seria hipócrita se dissesse isso, então digo que estou orgulhoso dela e que estou aqui para apoiá-la no que ela quiser fazer.

Vai ser estranho ficar longe dela durante o casamento. Vou para a casa do JJ em San Jose para sua festa oficial de boas-vindas e, por mais que eu quisesse que ela estivesse vindo comigo, estou empolgado para passar um tempo com o pessoal.

Aurora soube mais sobre mim nos últimos meses do que amigos que tive por anos, e me sinto um pouco melhor todo dia por tê-la ao meu lado. Mesmo se o meu pai melhorar e abrir mão das apostas — e espero que da bebida também —, vai demorar para superar anos de vergonha reprimida.

E eu me sinto grato por não ter que enfrentar essa jornada sozinho.

Capítulo trinta e quatro

AURORA

O CLIMA DE HOJE é triste ao ver as crianças marchando pela janela em direção ao ônibus do acampamento. Orla planeja o dia de encerramento como um relógio suíço, com saídas programadas para garantir que tudo seja o mais organizado possível. É triste se despedir das pessoas com quem você passou dois meses inteiros. Quando eu era criança, passava o último dia inteiro chorando, agarrada à Jenna.

Ainda bem que essas crianças são mais maduras do que eu, e, apesar de estarem tristes, a maioria está empolgada para reencontrar suas famílias. A manhã foi uma loucura enquanto nos certificávamos de que tudo estava guardado nas malas certas e de que todas as bagagens tinham sido coletadas. É bom me manter ocupada, porque, apesar de estarem prontas para ir embora, não me sinto pronta para me despedir das minhas crianças, que consegui manter vivas e praticamente sem ferimentos.

Se eu parar para pensar que não vou vê-las hoje à noite, talvez comece a chorar.

Freya e Sadie estão cortando a circulação das minhas pernas, empoleiradas nas minhas coxas, se mexendo para ver a tela do celular da Emilia enquanto esperamos a vez do grupo dos Ursos-Pardos entrar no ônibus.

Poppy está nos mostrando o Big Ben e o Parlamento, e as meninas ficam fascinadas. Elas sabem que a namorada da Emilia tem uma surpresa pra ela, mas não sabem o que é e estão muito empolgadas. Confiar um segredo a duas crianças é como confiar nos meninos para cuidar de alguém doente ou de um banheiro entupido: uma péssima ideia.

O restante dos campistas está jogando futebol americano com os meninos, mas Emilia e eu estamos cansadas depois de trabalhar no turno da noite com vinte crianças agitadas.

Estou aguardando essa revelação há semanas, já que fui eu quem organizou tudo. Sei quanto Emilia sentiu falta da Poppy durante o verão e tenho certeza de que em alguns momentos, enquanto estava jogando espirobol pela milésima vez, ou lidando com campistas com saudade de casa e tentando descobrir se havia um bicho na cabana das crianças, ela desejou ter ido para a Europa também.

Ela me apoiou muito a dar uma chance para essa relação com o Russ, o que ajudou a gente a conseguir se encontrar. Por sorte, também gostou de passar um tempo com o Xander. Está até planejando convidá-lo para uma visita na faculdade.

O céu de Londres está todo cinza, apesar de ser verão, e isso não combina muito com o anúncio da Poppy. O sorriso toma conta do seu rosto inteiro quando ela anuncia a surpresa.

— Você vem pra Londres!

— O quê? — grita Emilia. — Quando?

— Amanhã! — grita Poppy de volta.

Parece que Emilia vai começar a chorar, então faço as meninas se levantarem e vou com elas para o lado de fora, assim as duas podem ter um pouco de privacidade.

As meninas sentam do meu lado para assistir o jogo. Russ está aplaudindo Billy, um garoto mais introvertido que odiava esportes até dois meses atrás, que acabou de marcar um *touchdown*. Ele pede um *high five* e elogia o menino enquanto as outras crianças que imagino serem do time do Billy se jogam em cima dele.

Alguém pode fazer meus ovários ficarem quietos?

— Você e o Russ vão pra Londres também? — pergunta Freya, brincando com as pontas do meu cabelo.

— Não, querida. O Russ vai visitar o amigo dele, JJ, na casa nova, e eu vou pra um lugar chamado Palm Springs porque meu pai vai casar.

— Então quando vocês vão se ver de novo? — Sadie começa a mexer no meu cabelo também.

Menininhas são tipo macacos quando se trata de cabelos.

— A gente estuda na mesma faculdade, então vamos nos ver quando as aulas começarem.

Isso não é mentira. Russ e eu ainda não falamos sobre o que vai acontecer quando voltarmos pra UCMH. Ainda não conversamos sobre nosso relacionamento, o que é ridículo se considerar que passamos dezesseis horas por dia juntos nas últimas dez semanas. Só sabemos que vamos voltar e que não estamos prontos para ficar longe um do outro.

— Por que vocês não vão pedir para ele contar um segredo pra vocês? — sugiro.

As meninas correm até Russ e se penduram nele enquanto ele tenta ser o juiz do jogo. Ele se agacha para ficar na altura delas, e as duas se aproximam para cochichar o recado. Russ olha para mim, sorrindo, e apesar de não conseguir ver seu rosto direito, sei que poderia ver suas covinhas se estivesse perto o bastante.

Meu Deus, não era para eu ficar tão apaixonada assim.

Observo Russ sussurrar uma resposta, e elas riem enquanto correm de volta. Sadie chega primeiro.

— Ele disse que tá empolgado pra te ver na faculdade e pediu um segredo seu.

— Hum. — Dou tapinhas na boca com a ponta do dedo e finjo pensar. — Meu segredo é que eu tenho um crush gigante no Russ.

Espero gritos, e risadas e uma reação empolgada, como de costume, mas Freya só leva as mãos à cintura.

— Isso não é segredo. Todo mundo sabe.

— É — Sadie entra na conversa. — Você ama ele. Conta um segredo de verdade.

Eu não esperava ser destruída por essas crianças.

— Tá bom, tá bom. Meu segredo é que quero fazer tudo isso de novo ano que vem.

Elas correm de volta e assisto quando envolvem ele que nem um furacão. Russ sorri e olha para mim antes de dizer algo a elas. As meninas correm de volta até mim, ofegantes depois de tanto leva e traz. Freya se senta ao meu lado:

— Ele disse: "Aonde você for, eu vou junto." Isso não é segredo, vocês deviam conversar logo.

Ela tem razão.

— Ursos-Pardos! — grita Jenna, aparecendo com sua prancheta na mão. — Sua vez!

Quanto tempo será que consigo mantê-las aqui sem causar confusão?

— Vão pegar seus casacos e mochilas, meninas — ordena Emilia ao sair do prédio. Ficamos olhando enquanto elas saem correndo de encontro ao resto do grupo. Emilia coloca um braço nos meus ombros. — Você tá bem?

— E se a gente prender todo mundo aqui?

— Acho que os pais não vão gostar da ideia — responde ela em um tom calmo. — Três campistas me perguntaram ontem se você vai voltar ano que vem. Essas crianças te amam mesmo, Rory. Estavam com medo de perguntar e você dizer que não.

— Eu amo elas também. Até o Leon. Mesmo ele sendo um babaca.

Os instrutores que tive foram uma parte tão importante da minha infância que ouvir que as crianças gostam de mim e que querem que eu volte mexe muito comigo. Precisava voltar para curar uma parte de mim que estava destruída. Vou voltar para LA diferente, e realmente acho que não conseguiria ter feito isso em outro lugar.

— Poppy me contou o que você fez.

Não consigo não revirar os olhos. Poppy e eu tivemos uma conversa muito séria em que eu lhe avisei que, se ela contasse para Emilia que eu organizei e paguei a passagem dela para a Europa, colocaria aranhas na cama dela até a formatura.

— Por favor, diga a Poppy que ela foi avisada do que iria acontecer.

— Você não precisava ter feito isso, Rory. — Dar presentes é uma dinâmica estranha entre nós. Geralmente eu exagero e ela me dá um sermão sobre como eu não preciso comprar o amor dela, e que chamar essa forma de agir de linguagem do amor não justifica o comportamento. — Mas muito obrigada.

— Você foi muito compreensiva durante o verão, enquanto eu estive... ocupada.

— Com licença, podemos fazer uma retrospectiva de todos os relacionamentos em que você ficou ao meu lado, me apoiando? Os resgates no meio da noite? Quando não me julgou quando voltei com a Sawyer pela terceira vez, ou sei lá?

— Não temos tempo para uma retrospectiva. Você tem que pegar um voo para Londres amanhã de manhã.

Ela dá um soquinho no meu braço.

— Você merece alguém que te olhe como se fosse a única coisa no mundo. Eu trocaria um milhão de folgas pra te ver feliz. Você precisava de alguém que te provasse o seu valor e eu preciso admitir: que bom que foi o Russ. Mesmo ele sendo homem.

— Caramba, Emilia. Você sabe que eu fico com tesão quando fico triste.

— Às vezes você é estranha pra caralho, sabia? Vamos lá. Hora de dar tchau para Honey Acres até ano que vem.

Quando nos sentamos ao redor da fogueira, o silêncio é inquietante. Estamos cheios depois de comer as pizzas que Orla comprou para agradecer pelo nosso trabalho. Os cozinheiros do acampamento são incríveis, mas a pizza vegetariana da Dom's em Meadow Springs é imbatível.

Depois de nos despedirmos dos nossos campistas, começamos o trabalho de guardar todos os equipamentos. Emilia e eu tivemos que fazer o dobro do trabalho porque Russ e Xander passaram uma hora em uma despedida chorosa de Peixe, Salmão e Truta. Acho que chegou uma hora que os cachorros estavam prontos e os meninos, não.

Depois da reunião de encerramento com a Orla, deixamos oficialmente de ser funcionários, e ela encerrou dizendo que não queria encontrar nenhuma garrafa de cerveja jogada pela manhã. Ergo as sobrancelhas, e Jenna na hora revira os olhos para mim antes de gesticular com os lábios: "Passe livre."

A cerveja acaba em tempo recorde, e apesar de ser a pessoa que costuma pegar a primeira garrafa e começar um jogo de bebida, estou confortável aqui no colo do Russ, na nossa cadeira, tentando comer os últimos marshmallows veganos sem nos sujar de biscoito.

— Vocês já são um casal velho? — pergunta Emilia ao tomar um gole da cerveja ao nosso lado. Sei que ela está brincando, mas isso não me impede de mostrar o dedo do meio para ela.

— Perdão por não querer estar de ressaca quando encontrar com meu pai amanhã — resmungo. — E o que aconteceu com "não deixe seus amigos te pressionarem"? Você está me pressionando para ser irresponsável com você.

Russ beija meu ombro e continua fazendo carinho na minha canela. Ele não precisa falar nada, mas sei que está orgulhoso de mim porque havia cinquenta por cento de chance de eu ter uma recaída hoje.

Ninguém ficou em choque quando sentei no colo do Russ e ele beijou minha testa. Fiquei um pouco ofendida com a falta de surpresa até Emilia comentar que eu sou tão discreta quanto um alarme de incêndio. Mas, quando vi Clay de queixo caído, alguém que passou a maioria dos dias com a gente, por semanas, senti que meu ego foi amaciado.

Alarme de incêndio, o caralho.

Ele ficou longe de nós durante o evento e optou por ficar bêbado com Maya e seus amigos. Não posso dizer que fiquei chateada, porque amo meu trio e agora não preciso mais recusar uma viagem para Cabo.

— Será que eu deveria me transferir para Maple Hills? — pergunta Xander, tomando um gole da cerveja. — Parece estranho me separar do time dos sonhos. Como vocês vão conseguir viver sem mim?

— Quem é o time dos sonhos? — Emilia provoca.

— Nós somos o time dos sonhos, Emilia. Quer saber? Esquece. Vou ficar em Stanford.

Eu dou uma lambida no chocolate com marshmallow que pingou na minha mão, o que faz Russ enfiar o rosto no meu pescoço e dizer:

— Pode parar.

Eu o ignoro e rebolo um pouco, fingindo que estou me aconchegando, e sinto seus dedos apertarem minha barriga, fazendo cócegas. Xander torce o nariz para nós.

— Vocês estão prestando atenção? Que nojo. Deus abençoe a regra de não confraternização. Eu me jogaria em um tanque de álcool gel se tivesse que ficar vendo isso todo dia.

— Eu tô ouvindo — diz Russ, pigarreando e me abraçando. — O seu pai não trabalha na UCMH? Você comentou quando a gente se conheceu. Não quer jogar basquete com o seu irmão, né?

— Ah, então você me escuta, que surpresa. Primeiro, ele é meu padrasto. Não vamos desrespeitar o Big Phil fazendo ele compartilhar sua carteirinha de pai com aquele babaca. Dave tem um título ridículo. Não lembro qual é. — Xander estala os dedos tentando se lembrar. — Ele é chefe do departamento de esportes, mas ninguém chama ele assim.

Russ se senta tão rápido que quase me arremessa na fogueira.

— Seu padrasto é o Skinner? Tá brincando com a minha cara? Dividimos um quarto por dez semanas e agora você me fala que o seu pai...

— *Padrasto*.

— ... controla toda a minha vida acadêmica?

— Skinner? — repito. — Por que isso me parece fami... Puta merda.

Morri. Ninguém pode me salvar. Acabou. Quase caio do colo do Russ.

— O seu irmão é Mason Wright? — pergunto.

— Meio-irmão. — Ele toma um gole da cerveja como se não tivesse nenhum problema na vida. — Vocês dois parecem muito empolgados de repente. Eu compartilho uma informação e do nada estão interessados em algo além da bolha de vocês. Interessante.

— Você é irmão do meu arqui-inimigo! — Não sei lidar com isso. — Me sinto violada.

— Só meio-irmão — corrige Xander. Russ me puxa para perto e abraça minha cintura. Xander dá de ombros. — Não compartilho do mesmo DNA que eles, então não me responsabilizo pelo que fazem ou deixam de fazer.

Emilia não consegue parar de rir, porque sabe quanto eu odeio o Mason.

— Não acredito que essa é a maior revelação da noite, e não o fato de vocês estarem ridiculamente felizes juntos.

— Que *plot twist*... — sussurro, me encostando no Russ, que encaixa o queixo em cima da minha cabeça. Nunca fiz essas coisas, tipo ficar sentado juntinho, antes do Russ. Nunca fiquei num relacionamento por tempo suficiente para que pudesse acontecer, mas foi algo que aprendi nesse verão e virei uma grande fã.

O resto da noite passa sem outras grandes surpresas, e o calor da fogueira começa a me dar sono. Não quero que a noite termine por muitos motivos, mas principalmente porque esse foi o melhor verão da minha vida. Apesar de saber que vou ficar deprimida assim que chegar em Palm Springs, não me importo. Vou contar os dias até voltar para a faculdade e me manter longe de encrencas e do meu pai.

Não sei por que ele não quer ter uma relação comigo hoje e não há nada que possa fazer ou parar de fazer para mudar isso. Não tenho mais vontade de brigar pela sua atenção ou de agir de forma rebelde para receber sequer um sermão, coisa que nunca aconteceu.

Não me importo mais com as opiniões dele, e isso é libertador.

Minha mandíbula estala quando bocejo, e Russ escuta.

— Vamos, Bela Adormecida, vou te levar pra cama.

— Ela tá mais pro Soneca da Branca de Neve do que pra princesa Aurora — brinca Xander, e Emilia concorda. Olho para ele, confusa. — Acha mesmo que depois de passar dois meses cuidando de crianças de oito anos eu não conheço todas as princesas? Fala sério.

— Boa noite, vejo vocês amanhã — digo em meio a outro bocejo.

Russ e eu andamos de mãos dadas pelo caminho até a minha cabana, e ainda sinto como se estivéssemos quebrando alguma regra. Estou cansada demais para jogar conversa fora, então ele me conta como está empolgado para ir para San Jose amanhã visitar o JJ. Descobri que o Russ recebe discursos motivacionais do JJ e achei que não era possível gostar ainda mais dele.

Enfim, chegamos na minha cabana, e ele ofega quando entramos.

— Tá tão organizado aqui. É estranho eu me sentir mais atraído por você agora?

Eu me jogo na cama, tiro os tênis e deito.

— É.

Ele me puxa para sentar e tira minha camiseta.

— Você me disse mais cedo que eu tinha que te fazer tomar banho antes de dormir porque não vai ter tempo para lavar o cabelo de manhã. Não sei o que isso quer dizer, mas sei que você precisa tomar um banho.

Outro bocejo.

— Ignora. A eu de mais cedo não sabia quanto a eu de agora ia estar cansada. Ela era otimista e boba.

— Vamos, Roberts. Pro banho.

Cruzo os braços em desafio e faço bico até bocejar de novo.

— Me obriga. — Meu bocejo vira um soluço de surpresa quando ele me joga por cima do ombro e me leva até o banheiro. — Você é cruel.

Ele dá um tapa na minha bunda que me acorda um pouco.

— Quietinha.

Russ é metódico ao tirar nossas roupas, e cinco minutos atrás eu diria que estava cansada demais pra transar, mas o tapa na bunda e o jeito mandão dele me fizeram mudar de ideia. A água quente do chuveiro enche o banheiro de vapor, e ele checa a temperatura antes de entrarmos.

Ele fica atrás de mim, e não tenho vergonha de admitir que estou esperando ele fazer eu me curvar. Infelizmente, isso não acontece. Ele só pega o meu xampu e coloca um pouco nas mãos.

Eu não preciso me curvar. Posso gozar só com a sensação dele lavando meu cabelo.

— Você é perfeito — suspiro enquanto seus dedos massageiam o meu couro cabeludo. — Por que nunca lavou meu cabelo?

Ele ri e começa a enxaguar.

— Prometo fazer isso sempre que você quiser quando estivermos em casa.

Casa. Ainda não conversamos sobre como isso vai ser. Estive esperando pelo momento certo para falar sobre isso de um jeito sutil e tranquilo. Sem pressão, caso as coisas que ele me disse tenham sido no calor do momento.

— Me conta um segredo, Russ.

— Exige muito esforço físico e mental passar o dia inteiro sem olhar pra sua bunda. — Eu me viro para encará-lo, seu peito molhado contra o meu, e ele continua lavando meu cabelo.

— Um segredo de verdade.

Ele pausa e pensa enquanto esfrega a nuca. Que bom que está nervoso, porque eu também estou.

— Acho que você sabe de quase todos os meus segredos.

— Posso te perguntar uma coisa? — Ele assente, e pigarreio para pensar na abertura tranquila que quero usar. — O que vai acontecer quando voltarmos pra faculdade? O que a gente é?

Ele segura meu rosto e, quando olho para ele, Russ parece estar tão nervoso quanto eu.

— O que você quiser que a gente seja, Aurora. Tô um pouco preocupado de te assustar, mas acho que já deixei bem claro que não quero que isso acabe.

O que eu quero mesmo é a próxima pergunta, a grandona. Quando estou com ele, esqueço tudo que sempre falei sobre as bagagens emocionais das pessoas, relacionamentos, homens. Mas esses pensamentos voltam quando estou sozinha. Não consigo evitar. Emilia tem razão quando diz que o meu nível de exigência está tão baixo que eu me impressiono com qualquer coisa medíocre e me apego fácil às pessoas que me dão as doses de atenção e validação de que eu preciso.

O Russ não tem nada de medíocre.

— Eu quero que a gente fique junto — digo, baixinho, de repente me sentindo dez vezes mais exposta do que quando ele tirou minha roupa. — Nunca namorei, mas quero ver onde isso vai. Quero ser sua namorada.

Ele se abaixa para me beijar, e, mesmo debaixo do jato de água quente do chuveiro, sinto um calafrio subir pelo meu corpo.

— Que bom — responde Russ, com os lábios ainda colados nos meus. — Porque eu quero ser seu namorado.

Quando terminamos de nos secar e vou me deitar, estou exausta.

— Por que não dorme aqui hoje?

— Não terminei de arrumar minhas coisas, meu bem. Fiquei distraído me despedindo dos cachorros.

— Mas é ótimo dobrando coisas. Vai terminar super-rápido.

— Vai dormir, Rory — diz ele, com a voz tranquila. — Vou esperar você dormir.

Eu o puxo para deitar comigo por cima do cobertor, e com o peso do seu braço sobre mim, caio no sono.

Fico muito feliz por Russ ter me convencido a tomar banho ontem à noite, porque tanto Emilia quanto eu perdemos a hora de manhã.

Não sei que horas ela veio deitar porque eu já estava dormindo, mas aparentemente nenhuma das duas se lembrou de verificar se a outra tinha ligado o despertador.

Eu já me despedi da Jenna, mas não é bem uma despedida porque ela vai nos visitar em setembro, e agora estamos com as nossas malas, esperando os meninos. Xander é o primeiro a aparecer e começo a ficar impaciente.

— Cadê o Russ?

Xander solta as bolsas aos nossos pés.

— Você não consegue nem fingir estar feliz de me ver por dois minutos, Roberts? Já me vem com essa de "cadê o Russ?". Estou decepcionado com você como amiga.

Eu o abraço.

— Já tô com saudade, Xander.

— Agora, sim. Seu namorado estava entrando no chuveiro quando eu saí.

Emilia e eu precisamos ir agora para pegar o voo.

— Vou pedir pra ele acelerar.

Eu corro, algo que vai contra os meus princípios, até a cabana dele e entro sem bater. Suas coisas estão todas organizadas em cima da cama, as chaves e o celular em cima da bolsa. Consigo ouvir o barulho do chuveiro e estou prestes a pedir para ele acelerar quando vejo a tela do celular piscar com uma ligação de um número desconhecido. A ligação é encerrada depois de dois toques e vejo que ele perdeu cerca de vinte ligações nos últimos cinco minutos.

A tela do celular se acende na minha mão, o mesmo número de antes. Toco no botão de atender e o levo à orelha:

— Alô?

Capítulo trinta e cinco

RUSS

Minha alma quase sai do corpo quando abro a porta do banheiro e vejo Aurora parada no quarto.

Quando ela ouve a porta abrir, se vira para mim, e então vejo meu celular na sua mão. Sinto um frio na barriga porque a expressão em seu rosto me diz tudo que preciso saber sobre quem está do outro lado da linha.

Eu devia tirar o celular da mão dela, encerrar a ligação, ou algo assim. Em vez disso, fico paralisado no batente da porta, encarando.

— Vou avisar — diz ela, baixinho, na ligação. — Tchau.

Preciso dizer alguma coisa, mas já estou repassando mil possibilidades terríveis na minha cabeça.

— Eu não devia ter atendido o seu celular — diz ela para mim. — Me desculpa. Foi sem pensar. Era o seu irmão. Ele disse que está tentando falar com você porque seu pai entrou em um programa de recuperação para dependentes. Eles querem que você vá para casa fazer as pazes.

Parece uma avalanche de sentimentos: surpresa, dor, otimismo, raiva. Sabia que teria que contar para ela, uma hora ou outra, mas ainda não estava pronto.

Ela me olha com pena, como eu sabia que ia fazer, e sinto a frustração aumentar.

— Não devia ter atendido o meu celular.

— Eu sei, me desculpa. Não pensei! Estava tocando sem parar e era um número desconhecido... Sabe como é o sinal aqui, eu pensei que, se não atendesse, você poderia ficar sem sinal de novo. Sei lá, Russ. Achei que podia ter acontecido alguma coisa, mas eu não devia ter atendido. Sinto muito.

Passo a mão pelo rosto e solto um suspiro. Quero gritar.

— O banheiro é bem aqui. Você podia ter me chamado, podia ter gritado, podia ter feito qualquer coisa.

— Me desculpa, Russ — diz ela com a voz fraca. — Achei que era urgente. Fiz isso sem pensar.

— Eu já disse, ele faz isso pra me forçar a atender. Você sabe que ele fica ligando várias vezes pra me irritar até eu atender.

— Esqueci. O número era desconhecido, e eu não pensei. Foi sem querer, me desculpa.

É muita coisa para processar ao mesmo tempo. Não consigo pensar direito com ela por perto.

— É melhor você sair.

— Eu pedi desculpa. — Ela começa a ficar nervosa e se aproxima de mim. — Me desculpa mesmo. Sei que deve ser muita informação pra você. Por que não me disse que seu pai tem problemas com dependência? Achei que a gente tinha compartilhado nossos segredos...

— Porque eu não queria que você me olhasse como tá olhando agora, Aurora — respondo com a voz sem emoção. A vergonha está me matando. — Porque eu não estava pronto pra te contar e agora não tive escolha.

Minhas palavras saem ríspidas, e mal me reconheço ao ouvi-las. Eu o ouço no jeito como falo com ela, meu pior pesadelo acontecendo na frente dos meus olhos. Ele achou um jeito de estragar o que tenho com ela e nem sabe que ela existe. Eu me jogo na cama de Xander, longe o bastante para conseguir pensar, apesar de minha mente estar uma bagunça e nada fazer sentido.

— Pode ficar chateado comigo, mas não pode se afastar de mim — diz ela com a voz trêmula. Quando olho para ela, Aurora está arrasada. Eu fiz isso. Eu estraguei tudo. — Vou esperar você ligar de volta pro seu irmão. Ouvir o que ele tem a dizer. Posso segurar sua mão e não vou ouvir se não quiser, mas vou ficar aqui, do seu lado.

A última coisa que quero fazer é ligar de volta pro Ethan. Parte de mim se pergunta se isso é mesmo verdade ou se é outra mentira dele para me fazer voltar para casa e descobrir que ele nem está lá. Mais uma vez, preciso juntar os cacos dessa família sozinho e quebrar mais alguns dentro de mim.

— Não quero que faça isso.

Achei que ficaria mais feliz por saber que meu pai está mesmo procurando ajuda, mas agora só consigo pensar no seguinte: o que ela pensa de mim?

— Russ, não faz isso, por favor. Eu te contei tudo da minha família, e você sabe que eu entendo.

— Você não entende nada — exclamo, impaciente. — Não é a mesma coisa.

Apoio a cabeça nas mãos e sinto um embrulho no estômago enquanto meus pensamentos rodopiam.

Não era assim que o verão devia terminar.

É incrível como a vergonha preenche as rachaduras que outras pessoas deixam em você. Para cada fratura que meu pai criou, a humilhação colou os pedaços.

A ligação do Ethan foi uma marretada no meio de tudo.

— Acho que você está mais chateado comigo do que eu mereço — diz ela, se abaixando na minha frente. — Pode gritar comigo, Russ. Vamos brigar sobre como você está puto comigo e eu vou gritar de volta porque você escondeu essa coisa imensa de mim, e podemos gritar um com o outro até você entender que eu não tenho medo do seu passado. Aí vamos fazer as pazes. E eu posso te apoiar do mesmo jeito que você me apoia.

Não quero gritar com ela. Não quero que ela tenha que carregar isso, ainda mais sabendo que vai ter que lidar com a própria família hoje.

— Vai logo — digo. — Vai perder o seu voo.

— Não vou conseguir parar de pensar nisso até eu ter certeza de que a gente tá bem. — A mão dela treme quando a coloca no meu joelho. — Por favor, não me queima.

Sua voz é quase um sussurro.

Sinto como se estivesse queimando todo mundo.

— Só vai, Aurora. Por favor.

Ela beija minha testa quando se levanta, e sinto uma lágrima na pele. Quero esticar a mão e abraçá-la, mas não mereço isso. Ela inspira fundo, mas não a encaro.

— Quero que você saiba que estou torcendo para que seu pai fique bem e que você consiga superar essa situação toda. Sinto muito ter descoberto antes de você estar pronto para me contar.

Sinto como se ela estivesse levando embora metade de mim quando enfim levanto a cabeça e a vejo sair pela porta. Finalmente tenho a resposta para a pergunta que me assombrou o verão inteiro.

É mais difícil vê-la ir embora do que acordar e ver que não está ali.

Antes mesmo de sair com minhas malas da cabana eu sei que fiz merda e me odeio por isso.

Não consegui sinal no quarto para ligar pro Ethan, então decidi fazer isso da estrada. Vou ligar pro JJ também e avisar que não vou mais. Por mais que eu queira, sei que preciso ir pra casa e lidar com o que quer que seja. Sinto falta da Aurora, e isso não faz sentido, porque ela foi embora por minha causa, e eu me odeio por ter feito isso também. Vou ligar pra ela da estrada, implorar pelo seu perdão e rezar para não a ter magoado muito.

Eu deixei que ela fosse ver o pai achando que estou chateado e que ela fez algo de errado, mas a culpa é minha por não saber como processar essas coisas sem me fechar que nem um babaca. Nem aproveito a caminhada pelo acampamento até a caminhonete, apesar de ter passado as dez semanas mais felizes da minha vida aqui.

Só consigo pensar em uma coisa: é claro que ela atendeu o celular. Ela é minha namorada, e isso não devia ser um problema para uma pessoa normal, caralho. Mas eu não sou normal. Deixei a vergonha e o constrangimento me consumirem por anos a fio, com medo de que, se deixasse alguém se aproximar, iria estragar tudo. Não me abri para Aurora, não por completo, e consegui estragar tudo mesmo assim.

Fico de cabeça erguida quando passo pelas pessoas com quem trabalhei, torcendo para ninguém me notar ou querer se despedir. Por sorte, ninguém me para. As chaves estão na minha mão, e eu estou pronto para sair daqui o mais rápido possível.

Estou olhando para meus pés arrastando o cascalho do estacionamento quando ouço alguém pigarrear, me forçando a levantar o olhar. As malas dela estão no chão ao seu redor, e ela está roendo as unhas e batendo o pé.

— Nunca implorei nada para homem nenhum — diz ela, e por mais confiante que seja, não aparenta estar assim agora. Eu sei que isso é importante para ela. Sei que isso requer muita coragem. — Mas tive muitas primeiras vezes com você.

— Rory...

— Eu não quero que você seja o primeiro a partir meu coração.

Um pedaço do meu se quebra.

— Ou entramos nessa caminhonete juntos e conversamos pelas próximas quatro horas, ou podemos ficar em silêncio, e, quando chegarmos em Maple Hills, cada um segue o seu caminho. Você pode me contar quanto quiser sobre o seu pai. Você tem controle do que está pronto para dividir comigo. — Ela pega as bolsas. — E pode me contar sobre o que está sentindo. Quer ficar comigo? É assim que funciona. Não somos do tipo que não se comunica, Russ. Nós compartilhamos nossos segredos.

— Me desculpa, Rory. Eu ia te ligar da estrada e implorar seu perdão. Não te mereço.

Ela solta as bolsas quando corro em sua direção e a esmago em um abraço. O alívio de tê-la nos meus braços é instantâneo.

— Sim — diz ela em um tom sério. — Merece, sim. Não preciso que você implore por nada. Não precisa se punir por ficar nervoso. Só preciso que não se distancie de mim.

A cada palavra, sinto como se ela estivesse colando pedaços de mim de volta.

— E o casamento?

— Você é a minha prioridade, Russ — sussurra, enfiando o rosto no meu pescoço. — Aonde você for, eu vou junto. Não precisa lidar com isso sozinho.

— Mas o seu pai…

— Vai sobreviver. Acho que nós dois sabemos que ele não se importa de verdade. Posso tentar pensar nisso de várias formas para fingir que tenho controle sobre a situação, mas vamos ser sinceros. Eu provavelmente não seria convidada se não houvesse repórteres lá. — Ela dá de ombros. — Se ele queria que eu obedecesse, talvez devesse ter me ensinado sobre responsabilidade quando eu fazia algo errado.

— Me desculpe pelo jeito que agi hoje. Eu tenho sorte pra caralho de ter você.

Sua boca encontra a minha, frenética e desesperada, e não consigo não retribuir tudo ela que me oferece. Ainda estou com medo do que vamos encontrar, mas sei que ela vai estar ao meu lado.

Não demoro para colocar nossas coisas no carro e pegar a estrada. Sei que a qualquer momento preciso começar a contar tudo. Terminar não é uma opção para mim, e se ela for embora, só vou poder culpar a mim mesmo. Eu me distanciei quando ela tentou se aproximar.

Ela fica em silêncio ao meu lado quando ligo pro JJ e digo que não vou mais visitá-lo. Ele fica chateado, e é compreensível, mas assim que menciono "problemas familiares" ele diz que não preciso me preocupar e que a gente se vê na sua próxima visita a Los Angeles.

— Ele é tipo um irmão para você, né? — Rory comenta quando desligo.

— É, ele é meio como o irmão mais velho que eu queria, mas não tive.

Ela assente.

— É como a Jenna é pra mim.

Temos tanta coisa em comum, e eu preciso acreditar que, se alguém pode entender e me ajudar com tudo isso, é Aurora. Ela virou minha vida de cabeça para baixo, e não há por que não fazer isso de novo.

— Meu pai é viciado em jogo — digo, sem tirar os olhos da estrada. — Principalmente corridas de cavalo, porque é fácil, mas ele ama cassinos e pôquer. Uma vez, quando eu era pequeno, ele me deixou sentado no carro do lado de fora do cassino por horas. Foi nesse momento que minha mãe entendeu que ele tinha um problema. Ele bebe também, mas é sempre por causa das apostas. Comemorando vitórias ou lamentando as derrotas, sabe?

— Uhum.

— É vergonhoso, por isso não queria contar pra você. Que tipo de pai prefere um papel ao próprio filho? O que isso diz sobre mim se não valho mais do que umas apostas de merda e um cavalo? — Não consigo evitar o risco. — Eu te disse as coisas horríveis que ele já falou para mim. Isso foi quando estava bêbado ou quando eu não mandava dinheiro pra ele. Depois de escutar algo muitas vezes, Rory, você começa a acreditar naquilo. Eu não queria que você pensasse o mesmo de mim.

— Jamais — diz ela, de imediato, fazendo carinho na minha nuca. — Porque não é verdade.

— Tudo que eu sempre quis foi que ele melhorasse. Quando ele apareceu aqui naquele dia, quando nos pegaram no flagra na cabana, e eu te disse que ele brigou com a minha mãe, na verdade, ele tinha me contado que foi expulso de casa. Ele disse que ia melhorar, mas eu não queria me iludir. Quando você me disse o que o Ethan te contou, tem razão, fiquei nervoso. Porque você enfim descobriu. Porque é algo que eu queria que acontecesse há anos. Porque não parece real. É como quando você quer tanto que algo seja real que, quando finalmente acontece, parece bom demais pra ser verdade. Ele já me decepcionou tantas vezes que tenho medo de acreditar que vá ser diferente dessa vez.

— Você me disse que esperar que as coisas mudem é como colocar a mão no fogo várias vezes e esperar que a próxima não te queime — diz Aurora. — Quero segurar a sua mão pra você não ter que colocá-la no fogo, Russ. A reabilitação não é fácil para ninguém, não só para a pessoa com o vício. É para você também. Parece que o seu pai tomou uma atitude boa, mas ninguém pode te forçar a perdoá-lo. Eu vou brigar fisicamente com o seu irmão se preciso.

— E se ele te queimar também? Minha família é um caos.

Ela ri, e posso jurar que esse sorriso é capaz de consertar qualquer coisa.

— Fogo não queima fogo. Eu destruo Maple Hills inteira se ele tentar fazer você se sentir mal sobre si mesmo de novo. Além do mais, alô? Drama familiar? Eu sou a embaixadora oficial da causa.

Pego a mão dela e dou um beijo.

— Você nunca precisa ter vergonha de mim, Russ. Talvez o universo não esteja tentando foder com a nossa vida. Talvez ele soubesse que a gente precisava se conhecer, porque eu preciso de você. Você é a melhor coisa que já aconteceu comigo, e mais importante que isso, quero estar do seu lado para te ajudar a lidar com isso e com o que mais você quiser.

— Não sei como é essa recuperação. Não sei o que significa fazer as pazes. Como ele vai fazer isso? Tanta coisa aconteceu.

— Por que não ligamos pro seu irmão pra você ouvir dele, e o que a gente não entender, eu pesquiso no Google? Nem vou chamar ele de babaca.

— Obrigado, Aurora.

Ela se aproxima e me dá um beijo na bochecha.

— Obrigada por não me fazer ficar sentada em silêncio por quatro horas.

Entro no quarto de mãos dadas com Rory e tenho um déjà vu.

Aquele Russ, fingindo ser confiante, não teria acreditado que estaria nessa situação alguns meses depois. Não quero apontar o óbvio, mas Aurora entra passando direto por mim e senta na minha mesa.

— Quer fazer uma encenação de quando a gente transou pela primeira vez?

Reviro os olhos quando paro no meio das suas pernas, segurando suas coxas, e a jogo na cama, fazendo-a rir.

— Ei, você não foi tão grosseiro!

— Porque eu estava morrendo de medo — digo, me jogando ao seu lado. — Eu não fico com garotas como você e estava morrendo de medo de te ver gozar e pronto. Gozar na calça. *Game over*.

— Você tinha certeza de que ia conseguir, então — diz ela, me provocando e rolando para cima de mim. — Como ia saber que eu não tava fingindo?

— Eu morreria asfixiado no meio das suas pernas, mas não deixaria você fingir.

Os meninos estão na festa do JJ, e, depois do dia que tive, acho que esse é um jeito saudável de aliviar o estresse do dia. Abro suas pernas por cima do meu quadril e passo as mãos pelas suas coxas até estarem por baixo do vestido. Nessa hora, o celular dela toca.

— Será possível que estamos predestinados a sermos interrompidos? — resmungo. — Achei que isso ia acabar quando saímos de Honey Acres.

— Eu sei quem é — diz Aurora, saindo de cima de mim e pegando o celular.

Ela mostra a tela para mim, que diz "Homem que paga o aluguel".

Não falamos mais sobre como a Aurora deveria estar em Palm Springs agora. Estava muito distraído com meus problemas e acho que ela não queria tocar no assunto. Não tinha nada a adicionar quando ela disse que o pai nunca a puniu por nada.

Ela aperta o botão para atender e coloca no viva-voz, mas antes de começar a falar, ela faz algo que não a vejo fazer há semanas: coloca um sorriso falso no rosto.

— Oi!

Essa voz não é a dela, não é a voz da minha garota, e eu odeio isso.

— Caralho, Aurora, onde você está?

Cinco palavras e meu sangue já está fervendo.

— Eu não vou, pai. — Ela morde a parte interna da bochecha e eu a puxo para a cama, colocando-a no meio das minhas pernas com a cabeça apoiada no meu ombro. — Aconteceu um imprevisto. Foi mal.

— Isso não responde à minha pergunta. Eu perguntei onde caralhos você está.

— Em Maple Hills.

— Entra na porra do carro agora. Estou falando sério, Aurora. Não estou a fim de entrar nesses seus joguinhos. Não estraga isso pra todo mundo.

Eu a abraço com mais força.

— Eu disse que não vou.

— Eu vou aí te buscar.

— Não estou em casa.

Eu me aproximo dela para apertar o botão do silencioso para o pai dela não nos ouvir enquanto começa a despejar um monte de insultos sobre como ela é egoísta e imatura.

— Eu tô orgulhoso pra caralho de você. Você é muito forte, Rory. Não deixa ele te intimidar a fazer algo que não queira. Você merece mais do que fotos em uma revista. Se precisa forçar um sorriso, então não é bom o suficiente para você.

Ela volta para a ligação quando ele para de gritar.

— Eu estou cagando se você tá puto comigo, pai. Não gosto de quem sou quando deixo você mandar em mim. — Aperto o abraço mais um pouco. — Passei tempo demais fazendo besteiras para chamar sua atenção porque pelo menos assim você lembraria que eu existo. Você me faz sentir como se não valesse a pena me ter por perto. Não vou mais deixar você me consumir, porque tenho pessoas na minha vida que gostam de quem eu sou de verdade.

— Se chegar aqui nas próximas duas horas, podemos fingir que essa conversa nunca aconteceu — diz ele, sem um pingo de emoção na voz.

— Espero que tenha um belo casamento, mas eu não vou estar presente. Não vou mais dar sorrisos falsos por você. Tchau, pai.

Ela encerra a ligação, e a espero começar a chorar, mas isso não acontece. Ela se aninha no meu peito, e eu a abraço com mais força ainda.

— Vou te esmagar se apertar mais.

— Não me importo.

— Como tá se sentindo?

— Abraçada.

— Não foi isso que quis dizer, meu bem.

Beijo seu pescoço e ela fica em silêncio por um instante, algo que também não esperava.

— Eu me sinto mais leve, como se tivesse tomado a decisão certa dessa vez. Sei que isso vai me ajudar a seguir em frente. Talvez faça ele mudar e a gente possa consertar nossa relação. Talvez seja o alerta de que ele precisava.

— Espero que sim.

Ficamos em silêncio por cinco minutos, e ela não sai do meu abraço até o celular tocar de novo. Sinto Aurora paralisar nos meus braços e relaxar logo em seguida quando levanta a tela e vejo que não é seu pai. Ela aceita a ligação e a tela é preenchida por uma mulher com um cabelo castanho curto e um sorriso gigante. Não há semelhança alguma entre ela e a mulher nos meus braços até ela tirar os óculos escuros, colocando-os no topo da cabeça, e então vejo os mesmos olhos que conheço bem.

— Ah, então a coisa do namorado é verdade — Elsa diz logo de cara. Aurora ajeita a câmera do celular para eu aparecer menos. — A mamãe disse que arrumou um gato e você, um namorado. Achei que ela estivesse misturando os remédios com vinho de novo.

O sotaque britânico me choca um pouco.

— Oi pra você também. — Aurora se mexe nos meus braços. — O que você tá fazendo? Por que tá me ligando? Fique à vontade para responder a outras perguntas que eu não fiz.

— Você bate de frente com o papai uma vez e agora está toda confiante. — Ela balança a cabeça. — Espera aí, tô chegando numa prova de vestido.

Ouço Elsa falar com alguém em uma língua que não reconheço e isso faz Aurora se sentar mais reta.

— El, com quem tá falando em italiano?

— Eu tô em uma prova de vestido em Milão pra Semana da Moda mês que vem.

O queixo de Aurora cai.

— Não vai pro casamento?

Elsa faz uma careta, e é a mesma expressão que Aurora faz quando fica horrorizada.

— Daquela jornalistazinha? Claro que não. Não vou ser fotografada em nada que possa ser organizado em três semanas.

— Achei que estava ligando pra tentar me convencer a ir.

Elsa bufa, e Aurora respira fundo, relaxando um pouco mais.

— Liguei para te parabenizar porque finalmente tomou vergonha na cara. Estou orgulhosa de você, irmãzinha.

— Ah, valeu, eu acho — resmunga ela em resposta. — Ele sabe que você não vai pra Palm Springs? Ele vai ficar muito puto com a gente. Já tá puto comigo que eu sei.

— Não faço ideia, não me importo, e você também não deveria. Eu programei um redirecionador de chamada e toda vez que ele me ligar vai ser transferido para o consultório de um psicólogo em Londres. Sugiro que você faça o mesmo. Só Deus sabe quanto ele precisa de terapia.

Não consigo deixar de rir, mas tento conter o riso, escondendo o rosto no cabelo de Aurora.

— Não me esqueci de você, namorado secreto e misterioso — diz ela, e eu congelo. — Você tem sorte por eu precisar fazer as marcações, mas em algum momento vou te interrogar.

— Não vai, não — diz Aurora. — Ela vai esquecer.

— Continue revoltada contra o patriarcado, Rory. *Ciao*.

Aurora joga o celular na cama ao nosso lado e se vira, colocando uma perna de cada lado de mim, a cabeça pressionada no meu peito e os braços ao meu redor. Acaricio seu cabelo e não falo nada. Mais cinco minutos de silêncio se passam, e não consigo me lembrar da última vez que a vi tão quieta.

Em algum momento, ela se afasta do meu peito e senta na minha frente.

— Então, essa é a Elsa.

— Essa é a Elsa — repito. — Ela é...

— Ela é bem Elsa.

— Como você se sente? — pergunto de novo.

Ela passa a mão pelo meu rosto, desenhando a mandíbula com os dedos.

— Ainda abraçada.

Capítulo trinta e seis

RUSS

— É muito irritante dormir do seu lado, sabia? — digo ao tirar minha camiseta.

Aurora olha para mim enquanto se deita de braços e pernas abertas no meio da minha cama, seu cabelo loiro espalhado para todas as direções.

— Você já dormiu comigo antes.

— Acho que não ter espaço na cama do acampamento ajudava. Agora que tem espaço, você é um porre. Até me chutou; me senti que nem uma bola de futebol.

— Desculpa — diz ela, sarcástica. — Prefere que eu vá embora enquanto você tá dormindo?

— Enquanto tô dormindo ou enquanto vou ao banheiro?

— Ai, cedo demais — responde ela, brincando. — Sabe de uma coisa, Callaghan? Acho que vou pra Cabo visitar meu amigo, Clay. Aposto que ele não vai fazer piada com a minha cara.

— Tá tentando me deixar com ciúme? — Calço meu tênis e pego minhas chaves na mesa. — Porque tá funcionando.

— Eu tô tentando fazer você me comer. — Ela senta e seu cabelo cai pelos ombros. Ela é a mulher mais bonita que já vi. Não acredito que é minha. — Brincadeira. Tô tentando te fazer sorrir pra ficar de bom humor hoje.

Eu me abaixo para beijá-la e me forço a não voltar para a cama com ela.

— Podemos fazer isso mais tarde. Preciso sair antes que eu mude de ideia.

— Tem certeza de que não quer que eu vá? Posso ficar sentada no carro do lado de fora.

— Tenho, sim. Quero te guardar só pra mim pelo maior tempo possível.

— Não precisa falar mais nada — responde ela, se jogando nos travesseiros. — Vou estar bem aqui quando voltar. Lembre-se de que pode ir embora quando quiser e que, se estiver abalado demais pra dirigir, me liga e eu peço um Uber pra você.

Até agora, nunca tinha pensado em como é importante ter alguém para compartilhar minhas preocupações. Achei que contar as coisas depois que elas aconteceram era o maior alívio possível, quando na verdade é passar pelas coisas juntos. Saber que ela está aqui me esperando, independente do estado que eu volte, é um conforto maior do que ela me esperar na casa dos meus pais.

— Quais são os planos nesse meio-tempo?

— Vou ligar para a Emilia e Poppy e pensei em ver se minha mãe quer ir tomar café no Café Kiley.

A mãe da Aurora mandou uma mensagem para ela ontem dizendo: "Estou orgulhosa de você, meu amor." Então a Aurora imaginou que o pai tinha ligado para a ex-esposa.

— E talvez eu esconda coisas minhas no seu quarto para você não trazer outras garotas que fazem lap dance quando as aulas voltarem.

— Espera, quê?

— Vou esconder bilhetinhos nas fronhas dos travesseiros. As fronhas já são suspeitas por si só. Espera só até deitar em uma e ouvir o barulho de papel perto do seu ouvido.

— Você tem problemas — digo enquanto rio e me abaixo para beijá-la uma última vez. — Obrigada por tentar me distrair.

— Claro — diz ela. — Era uma distração, sim…

Suspiro porque preciso ir, mas poderia ficar conversando com ela o dia todo. É estranho não ter crianças nos interrompendo nem estar constantemente preocupados com segredos. É bom pra caralho estarmos tão felizes juntos, e a parte real do nosso relacionamento está só começando. Eu dou um beijo nela de novo, repetindo para mim mesmo que vai ser a última vez porque preciso sair.

— Vai ser boazinha enquanto eu estiver fora?

— Geralmente eu sou quando tenho um bom incentivo.

— E o que te incentiva? O fato de eu achar que você é boa?

Ela balança a cabeça.

— Você já acha que eu sou um anjo.

— Não é verdade. Na maior parte do tempo, é o oposto de um anjo.

— Quero uma camisa de hóquei com Callaghan escrito atrás. Se vou ser namorada de alguém do time, preciso que todas as marias-patins saibam que você é meu.

Meu.

— Pode deixar.

— Boa sorte. Tô orgulhosa de você e, por favor, me liga se precisar de mim.
— Ligo, sim, prometo.

Depois de conversar com o Ethan ontem na viagem, me sinto mais bem preparado para o que vou encontrar. Ele me prometeu uma conversa informal da família para colocarmos as cartas na mesa de um jeito saudável, e assim o nosso pai vai poder se desculpar por tudo que fez. É uma oportunidade de reconstruir e recuperar, exatamente como eu queria.

Há um carro alugado na entrada da garagem quando estaciono na porta da casa dos meus pais, então sei que ele está mesmo lá. Sua banda teve um pequeno intervalo entre os shows, por isso que ele insistiu tanto em fazermos isso agora. Tiro a chave da ignição; parte de mim gostaria que Rory estivesse aqui, e outra parte fica feliz por ela não estar.

Pego celular e mando uma mensagem, rindo ao ver como ela escreveu seu nome no meu celular. Ela disse que queria que eu soubesse que era ela, considerando todas as garotas que vão se sentir atraídas por mim e minha nova autoconfiança.

RORY (A LOIRA GOSTOSA)
É estranho eu estar com saudade?

Quem é?

Engraçadinho

Também tô com saudade

Boa sorte bjs

Ethan bate na janela do carona, fazendo uma careta para mim, e parece que estou olhando em um espelho envelhecedor.
— Entra logo — diz ele, impaciente. — A gente está te esperando.

Meu primeiro instinto é ligar a caminhonete e ir embora. Por tanto tempo eu quis que meu pai mudasse, e agora estou com medo de começar algo novo. A ansiedade parece uma tempestade dentro de mim, mas tento me acalmar dizendo que não pode piorar. Eu queria mudança, e agora ela pode acontecer.

Ethan não espera minha resposta e vai em direção à casa; eu saio do carro devagar e o sigo. Nunca gostei dessa casa, nunca foi um lar para mim. Meus pais venderam a casa onde cresci para comprar algo menor em um bairro pior, e disseram pra todo mundo que estavam fazendo isso porque o Ethan estava saindo de casa e eu ia para a faculdade.

Na verdade, eles usaram o restante da hipoteca para pagar as dívidas do meu pai, o que só fez com que ele começasse a pegar dinheiro emprestado de novo. Eu me sinto um estranho ao entrar, apesar de meu rosto estar em quase todas as paredes.

Todos estão sentados na sala e há uma tensão no ar, o que não é incomum para a minha família. Minha mãe é a primeira a se mexer; ela se levanta e vem me dar um abraço.

— Oi, mãe.

— Senti tanto a sua falta — diz ela com a voz embargada. — Senta aqui. Que bom que você veio.

— Bom, vamos deixar vocês conversarem — diz Ethan, guiando nossa mãe para o outro cômodo com ele.

— Espera, o quê? — Meu coração acelera. Eu achei que teríamos uma conversa em família, não uma conversa particular entre mim e meu pai. — Esse não foi o combinado, Ethan.

Ele me ignora e meu primeiro instinto é levantar e ir embora. Meu pai parece bem melhor do que quando o vi, duas semanas atrás. As olheiras estão mais claras, o rosto está mais cheio, e vejo suas coisas espalhadas pela sala de estar.

— Você voltou pra casa?

Ele assente.

— Estou dormindo no quarto de hóspedes. Estava em um motel e vinha ver a sua mãe todo dia. Conversamos bastante. Acho que só o que a gente faz agora é conversar, mas é bom. Fico feliz de poder esclarecer as coisas e melhorar.

— Eu não sei o que significa *fazer as pazes*, pai. Eu pesquisei e pensei sobre o assunto, mas não sei o que significa para nós.

— Quero começar pedindo desculpas, Russ. E te agradecer.

Não falo nada. Não consigo falar porque estou com medo de abrir a boca.

Não consigo disfarçar que o agradecimento me pegou desprevenido. Estou tão acostumado a ouvir meu pai culpar todo mundo, menos a si mesmo. Ele sempre tinha motivo para ficar de mau humor ou ter um dia ruim, e tudo girava em torno de como a gente não era bom o suficiente.

— Aquele dia no hospital, quando você me disse como estava se sentindo, achei que era o fundo do poço, mas não porque eu não queria mudar. Eu me senti humilhado por ter feito meu próprio filho acreditar naquelas coisas terríveis, mas por que não acreditaria? Há anos que eu só pensava em mim, não me importava com mais nada nem ninguém. Mas ainda assim eu não queria mudar.

— Mas por quê? Por que isso não foi o bastante?

— Porque eu tinha que ir até o fundo. E fui, depois que a sua mãe me expulsou de casa. Aí, sim, cheguei no fundo do poço. Eu não queria admitir que tinha um problema. Era fácil esconder o vício em jogo porque não havia provas. Não é que nem álcool ou drogas: ninguém além de você está vendo o que acontece. — Ele apoia os braços nos joelhos. — Mas esse foi o meu ponto de virada. Dali em diante, as coisas só melhoraram. Eu não quero ser uma pessoa que você odeia, Russ. Não quero ser uma pessoa que te faz mal.

— Você é um mentiroso profissional, pai. Por que eu deveria acreditar que não está enrolando a gente mais uma vez pra não ter que mudar?

— Porque o orgulho me impediu de procurar ajuda antes. Quando eu estava apostando, sempre fui um mal perdedor, mas continuava otimista de que a próxima aposta seria melhor. Eu estou pegando esse otimismo e usando na minha reabilitação.

— Quando foi que você apostou pela última vez?

Ele balança a cabeça, esfregando a nuca, um hábito que nunca reparei.

— Não faço uma aposta desde quando te visitei no acampamento. Sei que não faz tanto tempo, mas é o período mais longo que já passei sem apostar nos últimos quinze anos. Vou para as reuniões de Jogadores Anônimos e vou começar a fazer terapia para aprender a lidar com algumas coisas.

Estou sendo bombardeado de informações e tudo parece bom demais para ser verdade. Entendo que isso é algo sério e que eu deveria ficar feliz de ouvir, mas tem uma vozinha chata na minha cabeça me dizendo para não criar expectativas e manter distância.

— Tem alguma pergunta pra mim? — diz meu pai.

Milhares, mas não consigo pensar em nada.

— Não.

— Deve ter alguma.

Ficamos sentados em silêncio por um minuto inteiro enquanto tento pensar em algo para perguntar. Passei tantos anos tentando não interagir com ele que não sei mais como fazer isso. É como tentar usar um músculo que atrofiou.

— Não tenho.

— Bom, se pensar em alguma coisa, pode perguntar quando quiser. Parte do meu processo de recuperação é fazer as pazes com as pessoas que feri com o meu vício e sei que magoei você. No JA dizem que a melhor forma de pedir desculpas é mudar o seu comportamento, e espero que, com o tempo, você me veja como alguém que pode mudar.

— Espero o mesmo.

— O seu irmão me colocou em contato com uma ONG para pessoas com dívidas, e eles estão me dando conselhos de como colocar minhas finanças em ordem. Escondi muitas coisas da sua mãe por muito tempo. Eu quero te devolver o dinheiro que pedi para você.

— Eu não me importo com o dinheiro — respondo na hora.

— Mesmo assim, é seu dinheiro e eu nunca devia ter pedido. Foi errado, e isso só mostra como você é uma pessoa boa e generosa.

Eu me pergunto se bati a cabeça e isso é uma alucinação. Antes de desistir de lidar com a minha família, quando as coisas estavam bem ruins, eu costumava ter conversas imaginárias com meu pai. Eu praticava o que ia dizer, como ele ia reagir e, no final, ele melhorava.

— Eu quero fazer parte dessa família de novo, Russ. Sei que é culpa minha e sei que também é minha culpa você não se sentir bem-vindo aqui, mas espero que com o tempo você possa confiar de novo em mim e ver que eu quero mesmo melhorar.

— Fico feliz que esteja aceitando ajuda, pai. Espero que funcione.

Tenho muito no que pensar agora.

Depois da nossa conversa, minha mãe insistiu para almoçarmos juntos. Não me lembro da última vez em que a gente se sentou para comer juntos. Ainda bem que Ethan preencheu a maior parte da conversa falando sobre o novo contrato da banda, assim, fiquei livre para ouvir e observar.

Ethan não comenta da conversa com a Aurora no telefone, e fico grato por isso. Ela é preciosa demais para ser trazida para esse ambiente. Sei que é forte e resiliente, mas quero cuidar dela, e com toda a história com o próprio pai, ela não precisa ter a obrigação de conhecer o meu.

Se o pai dela fizesse os esforços que o meu está tentando fazer, ela seria a primeira a lhe dar uma nova chance. Ontem foi a primeira vez que ela disse para ele como se sentia, assim como fiz naquele quarto de hospital várias semanas atrás. Espero que isso cause o mesmo tipo de reação.

Ethan anda em silêncio comigo até minha caminhonete depois do almoço. Seus olhos estão vermelhos e vidrados, e ele está mais magro do que da última vez que o vi, de um jeito que não parece saudável. Se tivesse que adivinhar, diria que ele está chapado.

— Você está bem?

— Se preocupa só com você, irmãozinho — diz ele, abrindo a porta da caminhonete pra mim.

— Ethan, você está estranho — comento. Nunca o vi fumar nem um cigarro, muito menos usar drogas. — O que tá rolando?

— Nada — diz ele, esfregando o queixo. — Você não ia entender mesmo.

— Tenta.

Ele me ignora e troca de assunto.

— Você tá bem? Tem tudo de que precisa pra faculdade? Vai entrar uma grana em breve por causa desse contrato, então eu posso, tipo, ajudar mais.

— Tenho tudo de que preciso — digo, fechando a porta e abrindo a janela. — Mas valeu.

— É pra isso que eu trabalhei tanto por esse contrato. Todos os shows, as viagens. Vamos consertar tudo. Dinheiro compra recursos, Russ. As coisas vão melhorar logo, logo.

— Tchau, Ethan.

Ele dá um tapinha na lateral da caminhonete antes de voltar pra dentro da casa, e tento me lembrar de ligar pra ele daqui a alguns dias.

Entro em casa e encontro Aurora no quintal, bufando por causa de um tecido no chão.

— O que você tá fazendo?

Ela dá um gritinho e me olha por cima do ombro.

— Meu Deus, avisa quando for chegar de fininho assim. Quase tive um ataque do coração.

Ela continua a puxar o tecido enquanto me aproximo.

— O que você tá fazendo?

— Achei uma barraca no seu armário! — diz ela, feliz, olhando para mim do chão. — Mas não sei como funciona e não tem instruções. Achei que seria legal a gente acampar aqui fora, do lado da fogueira.

— Dez semanas no meio do mato não foi o bastante pra você? — digo, e me sento de pernas cruzadas na grama, puxando a tenda para longe dela. — Se você colocar tão perto assim do fogo, vai derreter.

— Por que você sabe de tudo? — resmunga, movendo todas as partes para o novo lugar.

— Por que você não sabe que não se deve colocar plástico perto de fogo?

Ela engatinha pelo chão na minha direção, sobe no meu colo e imediatamente penteia meu cabelo para trás com as mãos e me dá um beijo na testa.

— Esse é um convite formal para me contar como foi seu dia.

— Ainda preciso de um tempo pra processar tudo antes. Tudo bem?

Ela aperta mais o abraço.

— Tem alguma coisa que eu possa fazer para te ajudar a se sentir melhor?

— Pode me explicar como acha que meus quase dois metros de altura vão caber nessa barraca com você.

Seus olhos brilham quando ela sorri.

— Você sempre dá um jeito de caber.

Capítulo trinta e sete
AURORA

A barraca não foi a melhor das ideias, e por volta das duas da manhã fiquei tão irritada com o barulho que ela fazia quando eu me mexia que arrastei nós dois de volta para a casa.

Achei que a barraca seria algo romântico, só que, pela primeira vez, realmente não coube. Era abafada e irritante, e eu julguei mal quão romântico seria. E apareceu uma aranha gigante, que o Russ disse ter matado, mas agora acho que foi mentira e tenho medo de tê-la engolido enquanto dormia.

Ouço o barulho da porta de entrada enquanto Russ está no banho e sei que tenho pouco tempo para me juntar a eles quando ouço a água parar. Visto um short e uma camisa com Callaghan escrito atrás, que roubei do guarda-roupa do Russ, e corro escada abaixo para o que eu espero que seja sua surpresa favorita.

É estranho andar pela casa do Russ como se eu morasse aqui, sendo que as pessoas que realmente moram aqui acabaram de chegar. Bobby e JJ estão brigando por causa da faixa de Chá de Panela que parece ter sido rabiscada com uma caneta permanente e agora diz Chá de Volta.

— Chá de Volta? — pergunto quando chego no último degrau.

— É o melhor que pude fazer com um prazo tão curto — responde JJ.

Bobby levanta a faixa.

— Poderia ter escrito "volta pra casa" mesmo, mas você não quis.

Uma mulher mais baixa, que eu reconheço de várias fotos, para na minha frente e me dá um abraço.

— Oi! Eu sou a Tasi, é um prazer te conhecer. Nate me contou tudo sobre você, mas tinha coisas de hóquei pra fazer e não pôde sair de Vancouver. Ele tá bem triste de perder isso.

— Talvez ele devesse ter ficado desse lado da fronteira em vez de se mudar e ficar reclamando toda hora. Oi, eu sou a Lola. Já amei tudo que sei sobre você e meu plano é que a gente se torne melhores amigas.

— Russ me contou muitas coisas legais sobre vocês — digo, sincera. — É um prazer conhecer as duas. E obrigada por trazerem todo mundo.

Por que estou agindo de um jeito formal?

— Se o benzinho falou coisas boas de mim, então não estou instaurando o medo como deveria — comenta Lola, confusa.

— Você é assustadora o bastante, amor — diz Robbie. — Tá metendo medo em todo mundo.

— Rory? — Russ me chama do alto da escada e todo mundo fica em silêncio. — Tá falando com alguém?

— Sim — grito de volta. — Com os fantasmas.

— Ok! Isso não é nem um pouco assustador nem insano, valeu. Já vou descer.

Todo mundo se move em silêncio para pendurar o banner, que fica completamente torto. Henry aparece com um saco gigante e enche a sala de balões. Nossas decorações improvisadas fazem isso parecer a festa de aniversário mais triste do mundo, mas na verdade é a coisa mais fofa que seus amigos já fizeram por Russ.

Enquanto Russ estava na casa dos pais ontem, recebi uma ligação de um número desconhecido e era Tasi. Ela ainda não tinha falado com o Russ, mas sabia que ele não estava na casa do JJ porque estava passando por um problema de família sério. Ela queria saber se eles podiam vir para cá dar uma festa de boas-vindas pro Russ.

E assim surgiu o chá de volta.

— Me sinto como se todos os meus filhos tivessem voltado pra casa — sussurra JJ quando ouvimos a porta do quarto do Russ abrir.

— Você não mora aqui — responde Robbie.

Meu coração acelera quando ouço os passos do Russ na escada e, quanto mais ele desce, mais consigo ver pelo corrimão: tornozelo, panturrilha, joelho, coxa...

— Ele tá pelado? — pergunta Mattie, em pânico.

— Não topei vir aqui pra ver o pau de ninguém — murmura Kris.

Coxa... cueca. Ufa. O grupo solta um suspiro coletivo e, quando ele desce a escada o suficiente para ver a sala, fica paralisado no lugar.

— Surpresa — diz Henry do jeito mais sem emoção possível.

O queixo de Russ cai imediatamente.

— Que porra é essa?

* * *

Ouvi tantas histórias da viagem para Miami que parece que estive lá com eles.

— A gente devia ir, todo mundo, ano que vem — diz Mattie, empolgado.

— Não — dizem Henry e Russ ao mesmo tempo.

— Acho que vou voltar pra Honey Acres ano que vem, então agradeço o convite, mas não — diz Russ.

— Se eles te aceitarem — diz Henry, antes de morder uma asinha de frango. — Foi pego quebrando a regra número um, e até parece que vocês dois vão estar menos grudentos ano que vem. Aprendemos a lição com Nate e Robbie.

Russ, que está apoiando a cabeça na minha, com os braços caídos sobre meus ombros para ter a maior área de contato físico possível, bufa.

— Nate e Robbie se pegaram?

Tasi ergue uma sobrancelha.

— Foi bem isso mesmo.

Eles começam a contar várias histórias, parando para me explicar detalhes de forma que eu não me sentisse excluída, e Russ me aperta de leve.

— Tudo bem? — sussurra ele no meu ouvido, e eu faço que sim com a cabeça. Depois continuo a ouvir a história de quando Robbie e Nate caíram do teleférico.

Essa dinâmica é nova para o Russ também, mas entendo por que é tão importante para ele. Esse grupo é como uma família, e são tão convidativos que é impossível não se apaixonar por todos.

Acho que é disso que tanto precisamos. Estar cercados de pessoas que fazem a gente se sentir amada e querida. Passamos o verão nos acostumando com isso com Xander, Jenna e Emilia... e os cachorros, claro. Parece que meu relacionamento com minha mãe está mudando, e Russ está trilhando um caminho com os pais que eu espero que dê certo.

Todas as pessoas das nossas vidas começam a se encaixar que nem um quebra-cabeça, e eu finalmente tenho as peças do meio.

Bobby termina de contar uma história sobre um jogo em outra cidade em que ele ficou trancado do lado de fora do hotel, pelado, ouvindo o treinador gritar com ele. Isso me dá a oportunidade perfeita para perguntar algo que quero saber há semanas.

— Gente, por que todo mundo chama o Russ de benzinho?

Robbie abre a boca para responder, mas logo fecha, faz uma careta e olha para o Kris. Kris está com a mesma expressão confusa que Mattie, e eles vão olhando um para o outro com o mesmo olhar confuso até JJ finalmente admitir:

— Eu não faço ideia.

Eu me viro nos braços do Russ, que está segurando um sorriso.

— Você sabe?

— Sim. O resumo da ópera é que eu trabalhava em um bar e a Tasi estava lá sozinha um dia. Uns clientes nojentos estavam incomodando ela, e embora ainda não a conhecesse, fingi ser seu namorado. Eu basicamente fui o namorado falso da Tasi por uma hora, e ela me deu esse apelido.

— Eu amo *fake dating*.

— *Fake dating*? Essa é coisa mais idiota que eu já ouvi na vida — diz Henry.

— Foi fofo. Muito criativo sob pressão, eu diria — comenta Tasi.

— Uma noite, fui buscar Tasi e Lola em um bar, e a Lola tava superbêbada. Ela me chamou de benzinho na frente de todo mundo, e aí pegou.

O grupo inteiro fica em silêncio, e eu observo seus rostos ainda confusos. Mattie pigarreia e pega sua cerveja:

— É, não foi o que eu pensei. Achei que você só gostava muito de bebês, sei lá.

— Rory, a Jenna perguntou de mim depois que a gente foi embora? — pergunta Bobby, piscando para mim.

Quando os meninos visitaram Honey Acres no aniversário do Russ, descobrimos que Bobby e Kris foram para o acampamento na mesma época que eu. A gente não se lembrava uns dos outros, ainda bem, e fico muito grata por isso, porque eu provavelmente era bem chata e exagerada . Características que não gostaria de revelar até ter certeza de que eles gostam de mim.

— Quer que eu minta para não ferir seus sentimentos? — pergunto, cautelosa.

— Sim. Se isso for uma opção, eu gostaria que você fizesse isso — diz Bobby.

Antes que eu possa responder, Henry diz:

— Você é muito bom jogando hóquei.

Os meninos brincam sem parar, e, quando todo mundo está distraído, Russ me beija no pescoço e sussurra no meu ouvido:

— Você está indo muito bem. Todo mundo te ama.

Quando a discussão acalma, Bobby olha pra mim. Eu aceno com a cabeça, empolgada.

— Ela perguntou de você com certeza.

Quando contei para Jenna sobre o crush do Bobby nela, sua reação foi pior do que imaginava:

— Maravilha. Eu amo quando as pessoas voltam pra cá adultas e querem transar comigo como se eu literalmente não tivesse cuidado delas quando eram crianças.

— Ela imitou o som de vômito. — Odeio homens.

— Talvez eu vá mesmo trabalhar lá ano que vem — diz Bobby, e não recebe uma reação positiva dos amigos.

— Espero que saiba consertar privadas melhor do que o Russ — brinco.

* * *

Aprender quanto o Russ gosta de me tocar quando não há regras tem sido a minha descoberta favorita desde que voltamos para Maple Hills.

Meu cérebro está exausto de tanto tentar suprimir meu instinto natural de falar demais, e apesar de ser uma pessoa relativamente confiante, a pressão de fazer com que as pessoas que o Russ ama me amem também é grande.

O chá de casa de volta — ou de volta pra casa, o que seja — foi menos festa e mais um dia tranquilo com amigos. Foi bem do que precisava depois de alguns dias bem dramáticos, e amo ver o Russ à vontade com tudo.

Saio um pouco da conversa para fazer uma chamada de vídeo com Emilia e Poppy no quintal. Elas gostaram muito da minha barraca e não acreditaram que eu consegui convencer o Russ a dormir ali comigo. Tenho quase certeza de que o Russ construiria uma barraca do zero se isso fosse me fazer feliz.

A porta dos fundos abre, e JJ aparece e me vê sentada em uma das cadeiras. Ele se aproxima com as mãos nos bolsos e senta na minha frente.

— Pops e Emilia mandaram um beijo — digo.

— Eu vi o story da Emilia. Parece que elas estão se divertindo.

— Isso parece muito formal — digo, desconfortável, e me mexo na cadeira. Protejo meus olhos do sol e tento me concentrar na expressão séria do JJ. — Você vai me dar um sermão? Um discurso motivacional? Conselho de vida?

Ai, não, a tagarela voltou.

— Vim agradecer. Nos dois anos desde que conheci Russ, nunca vi ele tão feliz quanto agora.

As borboletas que moram no meu estômago dançam sem parar.

— Ele também me faz feliz. Obrigada por ensinar ele a fingir ser confiante o suficiente pra vir falar comigo aquela noite.

— Obrigado por ajudar ele a se ver como a gente vê ele.

— Profundo, hein? — digo. — Acho que prefiro quando você me manda fazer desafios de Jenga.

— É, foi desnecessariamente emotivo, né. Eu tô tentando essa coisa de ser maduro, mas acho que não vai rolar. — Ele se levanta e estica a mão pra me ajudar a levantar. — Tem interesse em aprender a jogar Hungry Hippos bêbada?

Voltando para a casa, JJ anuncia que quer jogar uma coisa nova e desaparece para juntar os itens necessários. Andando pela cozinha, vejo Russ pegando dois copos de vidro do armário.

— Pare aí, ladrão.

Ele coloca os copos no balcão e se encosta com os braços cruzados.

— Eu sou o ladrão?

— Você me parece familiar. Já tentou roubar essa casa antes?

Ele estica a mão e me puxa para perto, erguendo meu queixo e me beijando de um jeito que faz meus joelhos derreterem. Não preciso buscar validação ou atenção, porque tudo que preciso tenho bem aqui, com este homem.

— Me conta um segredo, Callaghan.

Russ tira o cabelo do meu rosto e me olha como se eu fosse a única mulher no mundo.

Ele não hesita.

— Estou me apaixonando por você, Aurora.

Dez milhões de borboletas.

— Eu também estou me apaixonando por você.

Epílogo

RUSS

Uns nove anos depois

— Acho que vou vomitar.

Aurora segura a barriga, gemendo de um jeito bem dramático. Passo o braço em volta dos seus ombros e a puxo para perto até conseguir beijar o topo da sua cabeça. Passei as últimas seis semanas tentando deixá-la tranquila, e agora só quero dar carinho, já que ela não me escuta mesmo.

— Isso foi uma péssima ideia. Por que me deixou fazer isso?

— O que aconteceu com "Aurora Callaghan não tem ideias ruins"? Ou "eu já errei alguma vez"? Ou…

— Tá bom, tá bom — interrompe ela. — Já entendi.

Aurora para na minha frente e apoia as costas no meu peito, enquanto encaramos a placa dizendo Final Feliz na porta da livraria.

— E se ninguém quiser comprar meus livros porque não é um negócio de família?

— Somos um negócio de família. Eu posso escrever na janela com Pilot se quiser.

— Não sei se eu, você e os bichos contam.

Beijo o pescoço dela e fico inebriado com o seu perfume. Eu odeio quando o coração dela está acelerado. Rory Nervosa é a versão da minha esposa que eu menos vejo, mas comprar a velha livraria de Meadow Springs lhe trouxe vários novos motivos para ficar ansiosa.

— Acho que esse é o tipo de coisa que vai nos colocar de frente com o Comitê de Compromissos e Melhorias da Cidade e Outros Anúncios Importantes.

— A sra. Brown está doida pra gente voltar depois que ela perdeu a votação para mudar o nome — respondo.

Aparentemente, Final Feliz parece ser o nome de uma casa de massagens eróticas e isso vai atrair pessoas desviantes e desajustadas para a cidade. Eu queria argumentar que pessoas desviantes e desajustadas compraram a loja, mas Jenna disse que o CCMCOAIMS não tem senso de humor.

Quando Jenna assumiu a direção de Honey Acres, cerca de dois anos atrás, o comitê de caos e insanidade exigiu que ela fizesse uma apresentação sobre o negócio, apesar de a conhecerem desde que nasceu e de ela ser membro do comitê pelos últimos quinze anos. Ela fez algumas piadas sobre essa história para quebrar o gelo, o que, para a surpresa de todos, teve o efeito contrário.

Rory solta um grande suspiro.

— Mas eu planejo, sim, promover o pecado, nisso ela não errou.

— Espera só até ela saber sobre a entrega da jacuzzi — digo e a empurro de leve na direção do seu novo negócio.

Mudar para Meadow Springs não foi uma decisão difícil. Sempre foi um lugar especial para nós, ainda mais depois de termos passado três verões juntos em Honey Acres. O que posso dizer? É tão bom quanto um museu de panos de chá.

Aurora estava cansada do seu trabalho no comercial de uma pequena editora e queria sair da cidade. Depois recebi uma promoção na firma de engenharia, e o trabalho remoto só exigia que eu viajasse para o escritório duas vezes por mês, então começamos a encaixotar as coisas para começar nossa vida nova.

Depois de Jenna ter vendido o terreno e a casa mal-assombrada onde tivemos nosso primeiro encontro, passamos os dezoito meses seguintes transformando aquilo no nosso lar dos sonhos. Com tanto espaço, Aurora teve muitas ideias para resgatar animais.

Apesar de eu ter recusado um filhote quando Aurora contou que Peixe estava prestes a ter outra ninhada — em minha defesa, tínhamos acabado de terminar a faculdade —, cheguei em casa do trabalho e encontrei não uma, e sim duas bolotas de pelo na minha sala, batizadas de Atum e Linguado. Rory na hora culpou Tasi, que aparentemente a convenceu a pegar os cachorros depois de adotar uma irmã deles, Bunny.

Desde então falei muitos nãos que não foram respeitados: Neville, um border collie resgatado que adora ver TV; Mary Kate e Ashley, duas gatas pretas que, mesmo depois de três anos, não conseguimos diferenciar; e a mais recente aquisição, Beryl, uma porquinha que não decide se é um cachorro ou um gato, mas que com certeza não é um porco.

Aurora queria que todos viessem para a inauguração da loja, mas comentei que soltar três cachorros, dois gatos e um porco nos vizinhos não seria uma boa ideia. Ela contra-argumentou que todos se comportaram no nosso casamento, o que rebati dizendo que não sabia se ter a Jenna como juíza de paz na varanda de casa com a Emilia bebendo margarita ao lado conta como casamento. Por sorte, essa discussão eu ganhei.

Um sino toca quando entramos pela porta recém-pintada, e a loja, que já foi escura e mofada, está iluminada e novinha em folha.

— Sei que já disse isso um monte de vezes, mas o seu pai realmente brilhou — diz ela, passando a mão pelas estantes.

Concordo com a cabeça. Meu pai trabalhou sem parar por semanas para se certificar de que o lugar ia ficar exatamente como a Rory imaginou. Ele fez vários projetos, pegou inúmeras amostras e, em certo momento, acho que rolou até um *vision board* digital.

Foi estranho morar com ele nos dias que passou aqui trabalhando, ainda mais porque isso não acontecia desde o meu primeiro ano da faculdade. Ele se ofereceu para ficar em uma pousada local, mas Aurora insistiu que ele ficasse na nossa casa. No começo, fiquei nervoso e incerto, apesar de nosso relacionamento ter melhorado muito ao longo dos anos. Acho que a parte mais estranha foi sentir a falta dele nos fins de semana, quando ele voltava para Maple Hills.

Nós dizíamos que ele não precisava ir e que minha mãe podia vir ficar com a gente, mas ele assumiu como orientador no Jogadores Anônimos, então gosta de ficar por perto caso alguém precise da sua ajuda.

Acho que a Rory também precisava de uma figura paterna para compensar a ausência do seu pai biológico. Ouvi meu pai consolá-la inúmeras vezes enquanto estava morando com a gente. Meus pais amam minha esposa, tanto que só levei um sermão por causa do nosso casamento espontâneo e sem convidados. Eles ficaram felizes por ela se tornar oficialmente filha deles também.

Os saltos de Aurora clicam no chão de madeira enquanto ela anda de um lado para o outro, procurando algo com que se ocupar. Eu a sigo, caminhando devagar com as mãos nos bolsos, ouvindo ela bufar na sua livraria perfeita.

— Meu bem...

— Não vem com nada de bem — resmunga ela, girando para me encarar. Ela coloca as mãos nos quadris e faz um bico. — Você fez isso, Russ Callaghan. Você me disse que eu conseguia gerenciar meu próprio negócio. Ainda mais uma livraria. Não podia ser um bar ou um clube de strip ou algo que eu sou bo...

O que ela ia dizer fica no ar quando a beijo e seguro seu rosto com carinho. Seu corpo se derrete no meu, a tensão desaparece em segundos. Encaixo as mãos na curva do seu pescoço e encosto a testa na dela.

— Você é a mulher mais capaz que já conheci na vida. Tudo que inventar, eu vou apoiar. Vou estar aqui pra segurar a sua mão, Rory, mas você não precisa de mim. Nunca precisou. Você. É. Você. E eu te amo muito mais do que palavras podem explicar.

— Também te amo. — Ela coloca os braços ao redor do meu pescoço, os olhos verdes fixos nos meus. — Essa é a nossa última chance de ficarmos a sós esse fim de semana. Me conta um segredo, Callaghan.

Não existem mais segredos entre a gente. Já estou há tanto tempo com Aurora que acabei pegando um pouco da sua capacidade de falar demais.

— Eu comi o seu Cheetos semana passada. Não foi o Neville. Ele me olhou com uma cara de julgamento quando acusei ele e fiquei me sentindo culpado por tipo, três dias.

Eu amo tanto esses olhos que reviram tão dramaticamente.

— Não brinca. Você estava com a cara toda suja de farelo de Cheetos. Tenta de novo.

É o "tenta de novo" que me pega. Como se ela estivesse esperando por algo específico, como se já soubesse, e não é assim que o jogo funciona. Nossos amigos e vizinhos vão chegar em breve para a abertura da loja, mas Aurora continua me encarando.

Nessa hora, eu entendo.

Ela sabe.

— Merda. Eu convidei a sua mãe e esqueci de te dizer.

Os cantos da sua boca se movem, formando um sorriso.

— Merda mesmo, porque, sim, você convidou.

— Como você sabe?

— Porque ela me ligou pra confirmar que eu ia servir o champagne bom.

— Achei que tinha me livrado de ser forçado a ir em livrarias com a Aurora — suspira Henry, analisando as estantes de mogno cheias de livros novos. — E aqui estou eu. De novo.

Aurora queria que o canto infantil fosse pintado com as cores da aurora boreal, então convidou seu artista favorito — e provavelmente a única pessoa que conhece que faz essas coisas — para ajudar. Henry não se importou em pintar o mural. O que o incomodou foi ajudar a fazer as centenas de estrelas de origami para pendurar no teto.

— Aqui estamos. — Eu cutuco o ombro dele com o meu. — Obrigada por trazer as edições autografadas, cara. Aurora ficou muito feliz. Nós dois ficamos.

— Sem problema; são menos livros pra guardar em casa. Ela ia vir, mas é um pouco longe com o bebê e…

— E eu?

Olhamos pra criança no quadril de Henry, se segurando nele como se fosse o seu brinquedo favorito, o que é verdade.

— Sim, Mila. Estamos muito felizes por você estar aqui.

Ela sorri e me lembra de que, quanto mais velha fica, mais se parece com Tasi.

— Tio Henry, posso tomar sorvete agora? Já passaram os cinco minutos obrigatórios.

Henry a coloca no chão e a empurra de leve.

— Vai pedir dinheiro pro seu pai.

— Cinco minutos obrigatórios? — pergunto quando a vemos segurar as pernas de Nate e gritar o pedido. Ele para de conversar com Emilia, suspirando quando pega a carteira e fazendo uma careta para Henry do outro lado da sala, então coloca algumas notas na mão da filha.

— Cinco minutos obrigatórios de socialização — diz Henry.

Escondo o riso com o café, e Mila vem correndo até nós.

— Ele disse para eu comprar pros gêmeos também, mas eles estão dormindo, então acho que não precisa e a gente devia comprar mais pra gente.

— Parece inteligente. Vem, pequena.

Ela segura a mão de Henry, e os dois seguem na direção da Vaquinha, me deixando sozinho. Eu ainda não gosto de ser o centro das atenções, e sou muito grato que hoje seja o dia da Aurora. Uma mistura de clientes e amigos está espalhada pela loja, analisando as prateleiras e conversando. Vejo JJ e Alex conversando com meus pais, Tasi mexendo no carrinho de bebê duplo enquanto conversa com Jenna, e a sra. Brown inspecionando cuidadosamente a seção de romances. Antes era uma livraria velha e abandonada, e agora está cheia de vida.

Sei que minha sogra está aqui em algum lugar, então estou adiando nosso encontro inevitável me mantendo ocupado, tirando fotos espontâneas das pessoas como Aurora me ensinou. Então tiro a melhor de todas: Aurora, atrás da caixa registradora com o maior sorriso do mundo no rosto, vendendo uma pilha imensa de livros para alguém. A luz que entra pela janela lhe dá um brilho. Fico maravilhado com sua beleza, e com o sentimento de orgulho por ela ter feito tudo isso sozinha.

Ela me vê observando quando sua cliente olha para baixo, procurando a carteira. Eu digo "eu te amo" e ela diz o mesmo. Digo "estou orgulhoso de você" e ela fala algo que parece ser "estou orgulhosa de quanto você é gostoso". Nesse momento, toda a mudança, todas as reformas, todos os dias trabalhando de cueca porque não consegui achar a caixa com nossas roupas, tudo isso vale a pena. Tudo isso nos trouxe até aqui, maravilhosamente felizes.

Depois de mais uma hora, percebo que não vou poder trabalhar na loja como planejado. Não vou conseguir trabalhar porque vou passar o dia olhando para a minha esposa. Rory nasceu para fazer isso, como eu disse, e cada cliente a deixa mais relaxada.

Quando a festa começa a morrer e ela sai do caixa, alguém, provavelmente o JJ, grita:

— Discurso!

Todos observamos chocados quando Aurora pega uma taça de champanhe e bebe de uma vez só. Sarah lhe lança um olhar de reprovação, mas Aurora é expert em não ouvir as reclamações da mãe.

— É para dar coragem. — Ela ri. — Hum...

Eu atravesso a multidão que se formou ao seu redor para ela me ver bem na frente. Seus ombros relaxam e ela me encara.

— Obrigada a todos por virem até aqui hoje. Muito, muito obrigada. Eu mal posso acreditar. Sei que muitos de vocês vieram de longe e prometi àqueles que vão dormir aqui panquecas pela manhã, e esse é o momento em que aviso que minhas panquecas são péssimas. — São mesmo. — Obrigada aos moradores de Meadow Springs, por nos acolherem em sua comunidade. Sei que no começo não foi fácil, mas Russ e eu nos sentimos muito em casa aqui. Para quem não sabe, muitos anos atrás, eu fiz uma piada sobre abrir um clube de strip aqui. Pelo visto, ninguém nunca esqueceu.

Todo mundo ri e, de canto de olho, vejo a sra. Brown murmurar algo para John, dono de uma das lojas de boliche.

— Obrigada a todos que ajudaram a preparar a loja. Meu sogro maravilhoso, por passar tanto tempo se certificando de que tudo estava perfeito; meus amigos, que me ajudaram a me livrar daquele tom de bege horroroso, e por me ajudarem a fazer essas centenas de estrelas. Obrigada, mãe, por me mandar uma curadoria de livros que eu deveria comprar. Nossa, parece um discurso do Oscar, né? Vou finalizar. Não é segredo nenhum que eu amo livros. Amo histórias sobre pessoas que não conheço e lugares a que nunca fui. Vivi milhares de vidas em milhares de páginas, mas nenhuma história, nenhuma vida, nunca me fez tão feliz quanto você, Russ Callaghan. — Todo mundo faz um "aaaaaaah", e sinto as pontas das minhas orelhas ficarem vermelhas. — Antes de te conhecer, nunca havia pensado em como seria meu final feliz. Não sabia nem se teria um. Você é o meu final feliz, Russ. Eu me apaixonei por você em Meadow Springs, e ver você construir nossa vida aqui fez eu me apaixonar por você um milhão de vezes mais. Obrigada por me dar uma vida que parece boa demais pra ser verdade. Obrigada por me deixar trazer bichos para dentro de casa mesmo quando diz não. Obrigada por me ajudar a viver meus sonhos todos os dias.

Quero correr até ela e beijá-la até seus lábios ficarem vermelhos, mas aqui é seu ambiente de trabalho e não quero envergonhá-la. Em vez disso, ergo a taça.

— A finais felizes.

Ela ergue a taça.

— E bichos infinitos.

— Não — respondo de imediato, mas é tarde demais.

A sala inteira ecoa:

— A finais felizes e bichos infinitos.

Agradecimentos

As pessoas dizem que "livros não se escrevem sozinhos", e, nossa, como é verdade.

Primeiro, quero agradecer a vocês, meus leitores. Sem o seu entusiasmo impressionante por *Quebrando o gelo*, eu não estaria escrevendo os agradecimentos do meu segundo livro. Dizer que eu não esperava por isso é o eufemismo do século, mas o seu apoio mudou minha vida. Então, obrigada, do fundo do meu coração.

Agradeço ao meu marido, por fingir ser um aeroporto. E por não julgar a quantidade de cafés do Starbucks que tomei enquanto escrevia esse livro.

Erin, Ki e Rebecca: por me ouvirem falar sem parar por um ano, por me apoiarem durante a transição assustadora e incrível para o mercado editorial tradicional e por me aturarem nas suas páginas de recomendações mais do que gostariam.

Lauren, por ter lido este livro mais vezes do que eu e por me apoiar sempre. Você merece um prêmio por ter mantido a minha sanidade, mesmo quando eu estava morrendo às três da manhã, longe de casa. Tenho muita sorte de ter você ao meu lado.

Kimberly, por me ajudar a navegar esse estranho mundo novo e sempre estar ao meu lado quando eu precisei de ajuda, e os fusos horários que se danem. Você é realmente maravilhosa, e não poderia ter feito isso sem você. Sou muito grata por tudo que faz por mim.

Ellie, por suas tentativas corajosas de me manter jovem e relevante. Tenho tanta sorte de você ter visto *Quebrando o gelo* aquele dia, e fico muito feliz de trabalharmos juntas. Tenho muito orgulho de quanto você evoluiu nos últimos doze meses e não vejo a hora de ver o futuro que nos aguarda.

Nicole, acho que ninguém ama Russ e Aurora tanto quanto você. Obrigada por ouvir minhas milhares de ideias e me incentivar durante todas as etapas de escrita deste livro.

Allie e Kimmy, obrigada por lerem os rascunhos e me darem seus feedbacks sinceros. A sua positividade era exatamente do que eu precisava, e fico muito feliz de poder chamá-las de amigas.

Becs e Elena, por me dizerem que eu podia, sim, escrever este livro quando parecia que eu realmente não ia conseguir. Sou muito grata por áudios de dez minutos serem algo recorrente no nosso grupo.

Becky, por ser minha ursa favorita e a garota do Henry.

E um grande obrigada para a equipe da Simon & Schuster e da Atria: Molly, Sarah, Sabah, Pip, Kaitlin, Ife, Morgan, Zakiya, Megan, Anthea, Kate e todo mundo que trabalha nos bastidores, dando duro para fazer meus livros serem o que são. Eu me sinto muito honrada por fazer parte desse grupo e sou muito grata a todos vocês que trabalham para me apoiar de todas as formas possíveis.

Impressão e Acabamento:
GEOGRÁFICA EDITORA LTDA.